MW00426395

과목별 독해력을 100배로 늘리는

수학 핵심 용어 사전

해외유학생용

English - Korean

Dictionary of Mathematics

for studying abroad

Dictionary of Mathematics for studying abroad

Dictionary of Mathematics for studying abroad

Dictionary of
Mathematics
for studying abroad

시공아카데미

저 자 : Hakuya Takahashi

감수자 : Fujisawa Khan

Editor - in - chief

Choi Tae Rim

Editorial Advisor

Bang Yong Chan

Lee Young Su

Computer Systems

Kim Ye Ri

Kim Eun Hye

해외유학 수학 핵심 용어사전 (시리즈)

초판 1쇄 발행 2002년 8 월 24일

발행인 : 정도경

편집인 : 최태림

발행처 : 시공아카데미

서울시 서초구 서초동 1628-3

TEL) 02-3474-8201/2 FAX) 02-3474-8203

數學 學習 基本 用語辭典

ISBN 89-88577-23-X 91740

정가 15,000원

PREFACE

왜 해외유학 과목별 용어 사전인가?

해외 유학(영어권)은 선진 교육을 직접 누리고 영어를 확실히 숙달할 기회를 얻는 장점이 있지만, 보통의 언어 장벽외에 극복해야 할 또 하나의 험난한 과제가 가로 놓여 있음을 분명히 인식해야 한다. 즉, 과목에 따라 익혀야 할 수많은 과목별 용어가 있다는 것이 바로 그것인데, 이는 생물, 수학, 사회, 국어(=영어) 등 여러 과목을 한꺼번에 배워야 할 경우는 물론이고, 자신의 전공으로 공부해야 할 때도 마찬가지이다.

이에 본서에서는

- 용어 사전을 만들되, 핵심 용어를 한꺼번에 공부할 수 있는 코너(Key Word Preview)를 마련하고,
- 용어 풀이편에서도 우리말 풀이 사이에 요긴한 영어 표현을 삽입하여,

진정 원서 독해력 향상에 큰 도움을 받을 수 있도록 애썼다.

본 유학 사전은 유학시 특히 문제가 되는 용어가 많은 7과목을 선정(생물, 수학, 국어, 사회, 물리 · 화학, 체육, 예술), 시리즈로 구성하였으며, 여기에 일반적 어휘력이 약한 학습자를 위해 선택 사양(option)으로 「기초 VOCA 22,000」(TOEFL수준)이 덧붙여졌다.

본 시리즈의 수준은 대학의 전공자들을 비롯, 그 이하 과정의 이수자들도 활용할 수 있도록 꾸며진 것이다.

부디 현명하고 진지한 준비로 유학의 참 뜻이 십분(十分) 이루어지길 기원하며, 이 책을 여러분에게 보낸다.

시공아카데미 편집부

DICTIONARY OF MATHEMATICS FOR STUDYING ABROAD

Key Word Preview

핵심용어 한번에 공부하기

DICTIONARY OF MATHEMATICS FOR STUDYING ABROAD

Dictionary of Mathematics for studying abroad

CONTENTS

문제에 잘 나오는 표현들

일반적 주요 표현들

계산

수 (數)

방정식과 부등식

집합과 명제

함수와 그래프

기하

기타 분야의 용어들

수학에 잘 쓰이는 수 접두사

수 · 부호 읽는 법

과목별 핵심어 한번에 공부하기

KEY WORD PREVIEW

문제에 잘 나오는 표현들

□ What is the value of x?	x의 값은 무엇인가?
□ Find the shaded area.	빗금친 면적을 구하라.
□ Solve the equations.	방정식들을 풀어라.
□ Find the solution.	답을 구하라.
□ Translate〔change, convert〕 each fraction to a decimal.	각각의 분수를 소수로 바꾸시오.
□ Evaluate each expression.	각각의 식을 계산하시오.
□ Simplify.	(식을 간단하게 하여) 답을 구하라.
□ Fill in the blank.	빈 칸을 채워라.
□ Prove〔demonstrate〕 that A=B.	A와 B가 같음을 증명하라.

일반적 주요 표현들

□ X represents〔stands for, denotes〕the unknown.	X는 미지수(未知數)를 나타낸다.
□ A corresponds to X.	A는 X와 상응한다.
□ define	정의(定義)하다 명 definition(정의)

□ formula	공식(公式)
□ letter	문자(文字)
□ parenthesis	괄호
□ chart	도표(圖表)
□ diagram	도표, 도형(圖形)
□ finite	유한(有限)의
□ infinite	무한(無限)의
□ inverse	반대의, 역(逆)의
□ arbitrary	임의의(= random)
□ clockwise	시계 방향의〔으로〕
□ property	성질, 속성 ; 법칙
□ denotation	표기법(表記法)
□ approximate	대략적인, 근사치(近似値)의 ;
	근접(近接)하다〔시키다〕
□ algebra	대수(代數)
□ geometry	기하(幾何)

계산

□ add 명 addition	더하다 명 덧셈
□ subtract 명 subtraction	빼다 명 뺄셈
□ multiply 명 multiplication	곱하다 명 곱셈
□ divide 명 division	나누다 명 나눗셈

□ x plus y	x+y
= x increased by y	
= x added to y	
□ x minus y	x−y
= x decreased by y	
= y subtracted from x	
□ x times y	x×y
= x multiplied by y	
□ twice 〔3 times〕 x	2〔3〕x
□ x divided by y	x÷y
□ sum	합계
□ product	곱
□ quotient	(나눗셈의) 몫
□ remainder	(나눗셈의) 나머지
□ fraction	분수(分數)
□ divisor	나누는 수, 분모 ; 약수
□ decimal	소수(小數)
□ tenth	소수(小數) 첫째 자리
□ round off	반올림하다
□ reduce	약분(約分)하다, 떨다
□ reciprocal	역수(逆數)(의)
□ mean	평균(平均)(= average)
□ median	중위수(中位數), 중점(中點), 중선(中線)

□ factorize	인수분해하다
□ prime number	소수(素數)
	(약수가 1 혹은 자신 뿐인 수)
□ multiple	배수
□ greatest common factor	최대 공약수
□ least common multiple	최소 공배수
□ exponent	지수(指數)
	(x^2에서 2와 같은 것)
□ base	밑수(위에서 x와 같은 것)
□ power	거듭제곱
□ raise	제곱하다
□ x^2(읽을 때 : x squared)	x 자승(=x 제곱)
□ x^3(읽을 때 : x cubed)	x 삼승(=x 세제곱)
□ x^4(읽을 때 : x to the fourth)	x 사승(=x 사제곱)
□ square root	제곱근
□ operation	계산(計算)

수(數)

□ real number	실수(實數)
□ imaginary number	허수(虛數)
□ rational number	유리수(有理數)
□ irrational number	무리수(無理數)

□ integer	정수(整數)
□ even number	짝수
□ odd number	홀수
□ positive	양수(陽數)의
	反 negative(음수의)
□ nought	0
□ dozen	12
□ score	20
□ binary	2진법의
□ decimal	10진법의 ; 소수(小數)
□ numeral	수(數); 수(數)의(= numerical)

방정식과 부등식

□ expression	식(式)
□ term	식(式)의 항
□ like term	동류항(同類項)
□ variable	변수(變數)
□ constant	상수(常數)
□ coefficient	계수(係數)
	($3x^2+5$에서 x는 변수, 5는 상수,
	3은 계수임)
□ polynomial	다항식(多項式)(의)

□ equation	방정식(方程式), 등식(等式)
□ simultaneous equations	연립방정식
□ quadratic equation	2차 방정식
□ inequality	부등식(不等式)
□ x is equal to y	x는 y와 같다
	(= x equals y = x is y
	= x is the same as y)
□ equivalent	동등(同等)한
□ add 7 to both sides	7을 양변에 더하다
□ subtract x from both sides	x를 양변에서 빼다
□ divide both sides by y	y로 양변을 나누다
□ substitute A for B	B에 A를 대입하다
□ proportion	비율, 비례
□ A is proportional	A는 B와 비례한다
〔in proportion〕 to B	
□ A is inversely proportional	A는 B와 반비례한다
to B	
□ ratio	비율
□ a is to b as c is to d	a : b = c : d

집합과 명제

□ set	집합(集合)

□ element	원소(元素)
□ intersection	교집합(交集合)
□ union	합집합(合集合)
□ complement	여집합(餘集合)
□ subset	부분집합(部分集合)
□ empty set	공집합(空集合)
□ disjoint	서로 소(素)
□ proposition	명제(命題)
□ statement	진술(陳述)
□ theorem	정리(定理)
□ false	그릇된, 허위의
	反 true(참된)

함수와 그래프

□ function	함수(函數)
□ quadrant	사분면(四分面)
	축
□ coordinates	좌표(座標)
□ ordered pair	순서쌍
□ intersection	교점(交點)
□ intercept	절편(截片)
□ slope	기울기

□ liner	1차(次)의, 직선의
□ horizontal	수평의
□ vertical	수직의
□ parallel	평행의
□ perpendicular	직각을 이루는
□ convex	볼록한
□ concave	오목한
□ parabola	포물선
□ hyperbola	쌍곡선(雙曲線)

기하

기본적 용어들

□ plane	평면
□ figure	도형, 그림
□ length	길이
□ width	너비, 세로
□ height	높이(= altitude)
□ side	변(邊) 比 삼각형의 옆변은 leg도 됨.
□ base	밑변
□ area	면적
□ perimeter	둘레
□ vertex	꼭지점

□ solid	입체
□ edge	모서리
□ measure	측정하다
□ bisect	이등분(二等分)하다
□ intersect	교차(交叉)하다
□ symmetry	대칭
□ dimension	차원(次元)
□ ruler	자
□ protractor	각도기(角度器)
□ compasses	콤파스

선과 각

□ line	선(線)(특히 끝이 없는 직선)
□ line segment	선분(線分)
□ ray	반직선(半直線)
	(한쪽만 끝이 있는 직선)
□ oblique	사선(斜線)의
□ angle	각(角)
□ right angle	직각(直角)($=90^\circ$)
□ acute angle	예각(銳角)($<90^\circ$)
□ obtuse angle	둔각(鈍角)($90^\circ < x < 180^\circ$)
□ vertical angles	맞꼭지각
□ corresponding angles	동위각(同位角)

□ alternate angles	엇각
□ adjacent angles	인접각
□ complementary angles	여각(餘角)
	(인접각의 합이 90°인 각)
□ supplementary angles	보각(補角)
	(인접각의 합이 180°인 각)

다각형

□ triangle	삼각형(三角形)
□ isosceles triangle	이등변(二等邊) 삼각형
□ equilateral triangle	정삼각형
□ square	정사각형(正四角形)
□ rectangle	직사각형(直四角形)
□ parallelogram	평행사변형(平行四邊形)
□ trapezoid	사다리꼴
□ rhombus	마름모
□ quadrilateral	(일반) 사각형
□ polygon	다각형(多角形)
□ pentagon	5각형
□ hexagon	6각형
□ octagon	8각형
□ n-gon	n각형
□ regular polygon	정다각형

□ diagonal	대각선 (對角線)
□ interior angle	(다각형의) 내각 (內角)
□ exterior angle	(다각형의) 외각 (外角)

원(圓)

□ circle	원 (圓)
□ diameter	지름
□ radius	반지름
□ circumference	원주 (圓周)
□ chord	현 (弦) (활꼴의 직선부)
□ arc	호 (弧) (활꼴의 곡선부)
□ sector	(원의) 조각, 부채꼴
□ semicircle	반원 (半圓)
□ tangent	접 (接) 하는; 접선
□ secant	할선 (割線)
□ ellipse	타원

입체

□ solid	입체
□ volume	부피, 체적
□ capacity	용량 (容量)
□ surface	표면
□ polyhedron	다면체 (多面體)

□ net	다면체의 평면도(平面圖)
□ cube	정육면체(正六面體)
□ rectangular solid	직육면체(直六面體)
□ pyramid	사각뿔
□ prism	삼각기둥
□ cylinder	원통
□ cone	원뿔
□ sphere	구(球)

기타 분야의 용어들

□ calculus	미적분(微積分)
□ logarithm	로그
□ trigonometric function	삼각함수(三角函數)
□ permutation	순열(順列)
□ combination	조합(組合)
□ probability	확률(確率)
□ statistics	통계(統計)

수학에 잘 쓰이는 수(數) 접두사

* 앞의 용어들에서도 많이 등장하였으나, 일반적으로 확장되어 쓰이므로 여기서 총정리 해 두기로 한다.

어원	의미	주요례
□ hemi, semi	반(半)	hemisphere(半球)
		semicircle(半圓)
□ poly	다(多)	polygon(多角形)
□ deca, deci	10(1/10)	decagon(十角形)
		deciliter(10리터)
□ hect ; cent	100(1/100)	centimeter(1/100미터)
□ kilo ; mill	1000(1/1000)	millimeter(1/1000미터)
□ mono	1	monomial(單項式)
□ bi	2	binary(二進法의)
□ tri	3	triple(3배로 하다)
□ quadr	4 혹은 2차(次)	quadrants(四分面)
		quadratic(二次의)
□ penta	5	pentagon(오각형)
□ hexa	6	이하 도형 등
□ hepta	7	이하 도형 등
□ octa	8	이하 도형 등
□ ennea	9	이하 도형 등

* 더욱 완전한 수(數) 접두사의 정리는 물리 · 화학 사전 참조.

수 · 부호 읽는 법

□ $\frac{1}{2}$	one half ; one over two
□ $\frac{1}{3}$	one third ; one over three
□ $\frac{2}{3}$	two thirds ; two over three
□ $\frac{1}{4}$	one fourth ; one over four
□ $\frac{3}{4}$	three fourths ; three over four
□ $2\frac{2}{3}$	two and two thirds
□ 5.164	five point one six four
□ X	capital x
□ $\lvert a \rvert$	absolute value of a
□ 2a	two 〔twice〕 a
□ $\sqrt{a}$	square root of a
□ $\sqrt[3]{a}$	cube 〔cubic〕 root of a
□ $\sqrt[n]{a}$	nth root of a
□ $a > b$	a is greater than b
□ $a < b$	a is less than b
□ $AB \parallel CD$	AB is parallel to CD
□ $AB \perp CD$	AB is perpendicular to CD

compiled by T.R.Choi, *Editor-in chief*

DICTIONARY OF MATHEMATICS FOR STUDYING ABROAD

Main Part

영 · 한식 용어 풀이편

A - Z

DICTIONARY OF MATHEMATICS FOR STUDYING ABROAD

Dictionary of Mathematics for studying abroad

abbreviate 약분(約分)하다, 줄이다

abbreviation 약분, 줄임

abscissa 횡좌표(橫座標), 가로 좌표

$x-y$ 평면좌표에서 x 좌표값을 의미함. y 좌표값은 종좌표 ordinate 라 함.

absolute 절대

절대값 absolute value 의 줄인 말로 쓰이는 경우가 많다.

absolute error 절대 오차

근사값과 참값의 차이를 말한다.

absolute inequality 절대 부등식

모든 실수 x에 대하여 항상 성립하는 부등식.

예를 들면, x가 실수인 범위 내에서 부등식 $x^2 \geqq 0$은 항상 성립한다.

또 $x^2-4x+7>0$에서

$x^2-4x+7 = x^2-4x+4+3=(x-2)^2+3>0$

역시 항상 성립한다.

absolute value 절대값

양, 음의 부호를 없앤 수로 양수와 0은 그 수 자신이며 음수는 부호를 없앤 수이다. 결국 부호에 관계없이 항상 양수가 된다. 예 $|3|=3, |-5|=5$

acceleration **가속도**

속도 velocity 의 시간에 대한 변화율. 예컨대, 중력 가속도는 9.8㎨ 인데, 이것은 물체가 아래로 떨어질 때의 속도가 1초에 9.8㎧의 비율로 증가한다는 것을 의미한다.

acute angle **예각(銳角)**

90°(직각)보다 작은 크기의 각.

acute-angled triangle **예각 삼각형**

세 개의 각이 전부 예각인 삼각형.

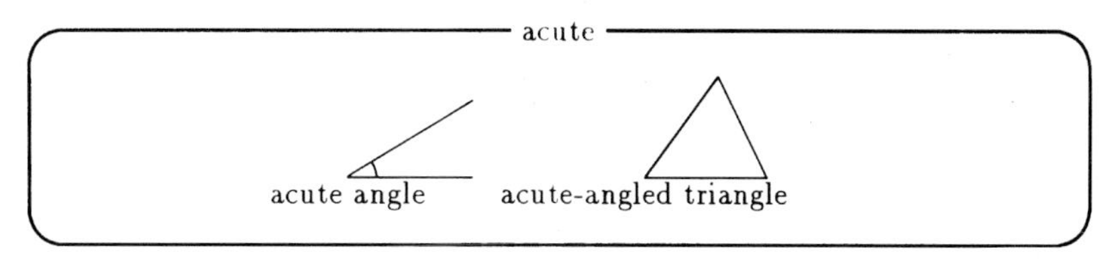

adjacent angles **인접각**

이웃하는 각.

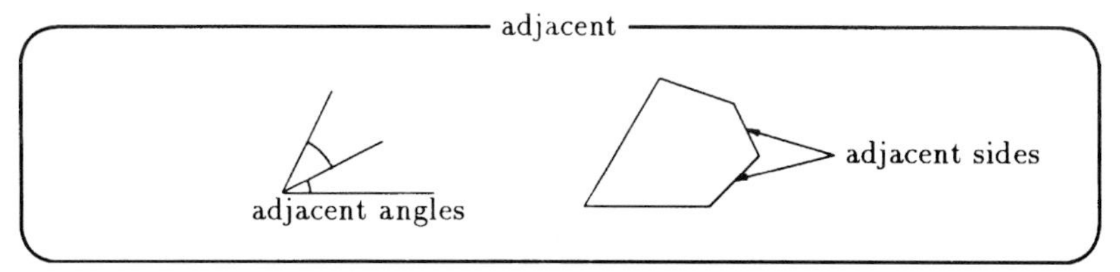

adjacent sides **이웃변**

이웃하는 변.

algebra **대수학(代數學), 대수**

미지수 unknown number 를 대신하여 부호나 기호를 사용하는 수학의 영역.

algorithm **알고리즘**

방정식의 해법과 계산의 계획된 순서를 말함.

[예] 126과 72의 최대공약수는 다음과 같이 구해진다.

1. 126을 72로 나누면 몫이 1이고 나머지는 54이다.
2. 72를 54로 나누면 몫이 1이고 나머지는 18이다.
3. 54를 18로 나누면 몫이 3이고 나머지는 0이다.
4. 18로 나머지 없이 나누어 떨어졌기 때문에 최대공약수는 18이다.

1	126	72	1
3	54	18	

126
54
54
72
18
18
72

alternate **서로 엇갈리는, 번갈은**

alternate angles **엇각**

두 개의 직선에 제 3의 직선이 교차될 때, 다음 그림에서 a와 d, b와 c의 위치 관계에 있을 때를 엇각 alternate angles 이라 한다. 두 개의 직선이 평행할 때는 $a = d$, $b = c$가 성립한다.

[주] 그림의 a, b, c, d를 내각(內角) interior angles, a', b', c', d'를 외각(外角) exterior angles 이라 하고, a, d 및 b, c를 내엇각 alternate interior angles, a', d' 및 b', c'를 외엇각 alternate exterior angles 이라 한다. 일반적으로 예각이

라 함은 내예각을 뜻한다.

alternate angles

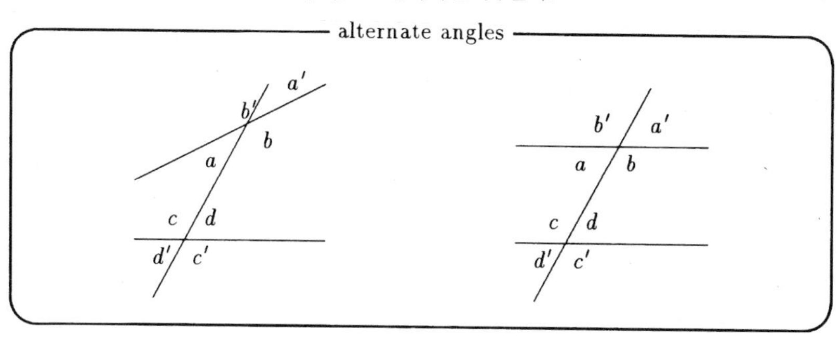

altitude

높이

삼각형 등에 있어 한 개의 정점으로부터 마주 보는 변에 이르는 수직선(垂直線)의 길이.

angle

각(角)

각은 한 점 A에서 나온 두 반직선에 의해 만들어진다. 종류에는 직각, 예각, 둔각, 동위각, 맞꼭지각, 엇각 등이 있음. 그림과 같은 각은 $\angle A, \angle BAC$, 그리스 문자 θ로 표시할 수 있다.

angle

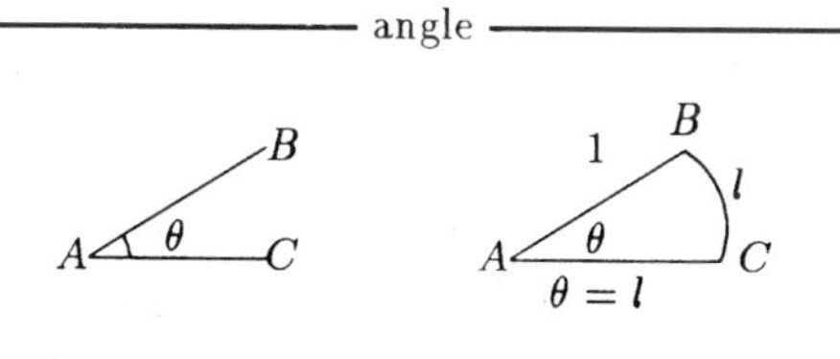

60분법은 1회전각을 360 등분한 것이고, 호도법은 각의 반지름을 1로 보고, 호의 길이로 각을 나타내는 방법이다.

60분법(°)	30	45	60	90	120	180	360
호도법	$\frac{\pi}{6}$	$\frac{\pi}{4}$	$\frac{\pi}{3}$	$\frac{\pi}{2}$	$\frac{2\pi}{3}$	π	2π

annulus **환형 (環形)**

크기가 다른 동심원(同心圓) concentric circles 사이의 고리 모양의 부분을 말함.

annulus

넓이는 $\pi R^2 - \pi r^2$
또는 $\pi(R+r)(R-r)$

apex **정점 (頂點), 꼭지점**

입체의 밑면 base 에서 가장 멀리 있는 점.

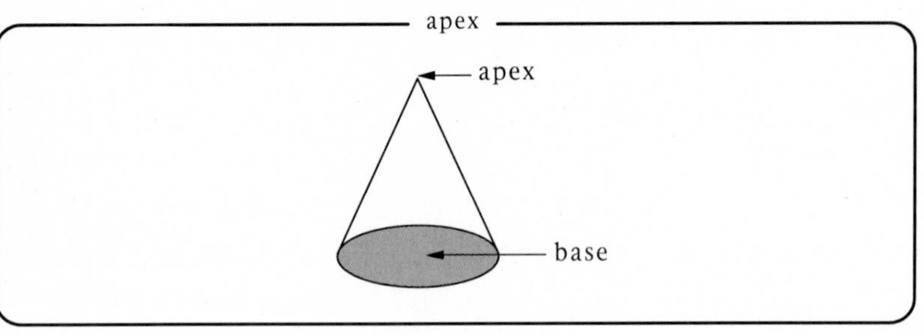

Apollonian circle **아폴로니우스의 원 (圓)**

평면상에서 주어진 두 점과의 거리의 비(比)가 일정(m: n)한 점을 그린 궤적(軌跡)으로서, 두 점을 연결한 선분을 m: n의 비(比)로 내분(內分)하는 점과 외분(外分)하는 점을 직경(直徑)의 양 끝으로 하는 원(圓)이다.

Apollonian circle

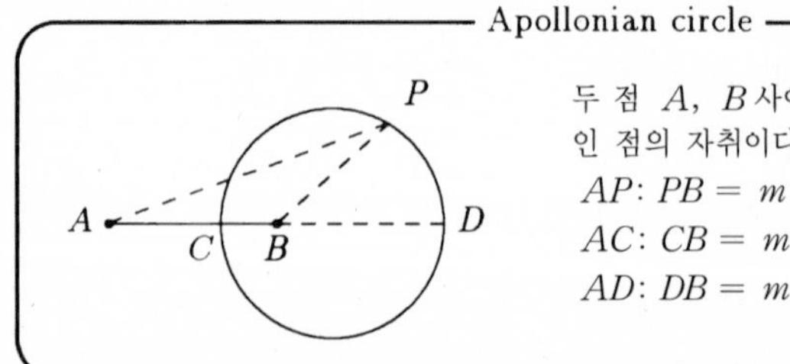

두 점 A, B 사이의 거리비가 m :
인 점의 자취이다.

$AP: PB = m: n$

$AC: CB = m: n$

$AD: DB = m: n$

approximate 근사(近似)의 ; 근사값을 구하다

■ ~ value 근사값

π에 대한 3.1416 혹은 $\frac{1}{3}$에 대한 0.33 등 참값에 가까운 값을 말한다. 근사값과 참값의 차이를 (절대)오차(誤差) error 라 한다.

approximation 근사(近似), 근사값

근사값 approximate value 을 구하는 것 혹은 구하여진 근사값(= approximate value)을 말한다.

예 인구 5만(五萬)의 도시라고 할 때 이 5만(五萬)은 정확한 수가 아니고 대략적인 수인데 이를 어림수라 한다. $\pi = 3.141592....$이지만 이를 반올림을 하여 $\pi = 3.14$로 계산한다. 이때 3.14를 π의 어림수라 한다. 이와 같이 수를 반올림하거나 버림을 하여 근사값을 구하는 것을 수를 어림한다 round 고 말한다.

arc 호(弧), 원호(圓弧)

원주(圓周)의 일부나 곡선의 일부를 말한다. 원주 상의 두 점은 원주(圓周)를 두 부분, 즉 두 호로 나눈다. 두 점을 잇는 선분이 이 원의 지름이 아닐 때에, 짧은 호를 열호(劣弧) minor arc 라고 하며, 긴 호를 우호(優弧) major arc 라고 한다. 호의 길이는 그것의 중심각 angle at center 에 비례하고, 반지름이 r, 중심각이 $x°$ 일 때의 호의 길이는 $\frac{\pi r x}{180}$이다.

호도법을 이용하면, $\frac{2\pi r\theta}{2\pi} = r\theta$이 된다.

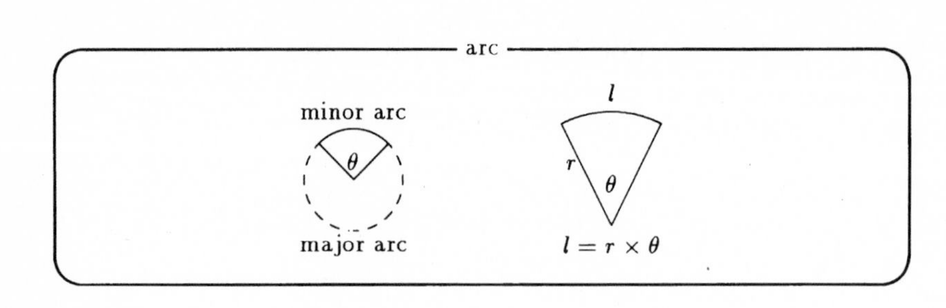

area

넓이, 면적(面積)

다각형(多角形)과 원처럼 선분(線分)과 곡선으로 구분된 내부의 크기를 측정한 양.

area 1

- 직사각형(rectangle) : 가장 기본적인 형태로 가로 세로 길이를 a, b로 할 때 면적은 $a \times b$이다.
- 평행사변형(parallelogram) : 직사각형을 잘라내어 다시 배열함으로써 직사각형과 넓이는 같다. 즉, 넓이는 $a \times h$이다.

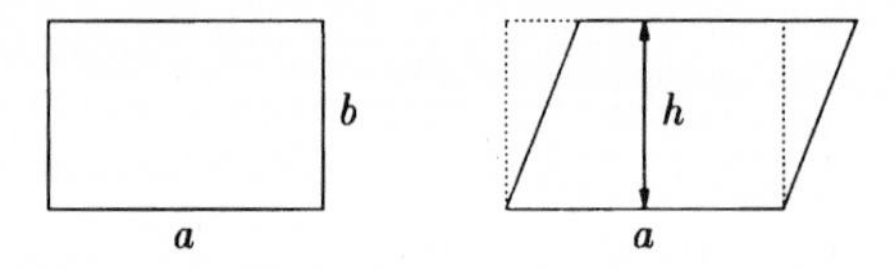

- 삼각형(triangle) : 삼각형이 2개가 합쳐지면 평행사변형이 되고, 밑변 base 을 a, 높이를 h라 하면 넓이는 $a \times h \div 2$가 된다.
- 사다리꼴(미 trapezoid, 영 trapezium) : 평행한 대변의 길이를 각각 a, b라 하고 높이는 h라 할 때 넓이는 $(a+b) \times h \div 2$이다.

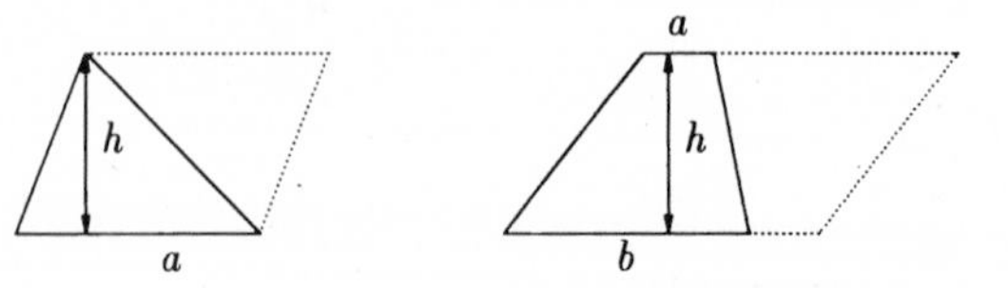

area 2

- 다각형(polygon) : 대각선에 의해 몇개의 삼각형으로 나누고, 삼각형의 면적을 합해서 구하면 된다.
- 원(circle) : 반지름 r인 원의 넓이는 $\pi \times r \times r$으로 할 수 있다. 단, π는 원주율이다 → circle

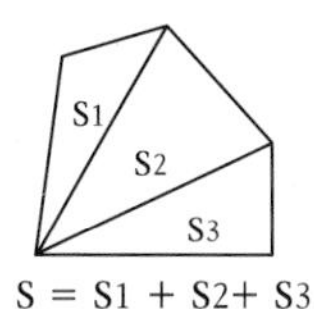

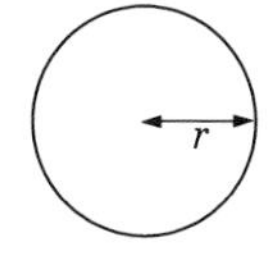

argument **편각 (偏角)**

점 P를 원점을 중심으로 θ만큼 회전한 각도를 말한다. 즉 극좌표(極左標) polar coordinate (r, θ)에서 점 P의 각도 θ를 편각이라 할 수 있고 축(軸) OX와 선분(線分) OP가 이루는 각도를 편각이라고 표현할 수도 있다. 또 복소평면(複素平面) complex plane 상에서 복소수 $z=a+bi$로 표시된 점을 P라 할 때 X축의 양의 부분과 선분 OP가 이루는 각(角) θ를 z의 편각이라 한다. 이때 $OP=r$ 이면 $a=r\cos\theta$, $b=r\sin\theta$ 가 성립된다.

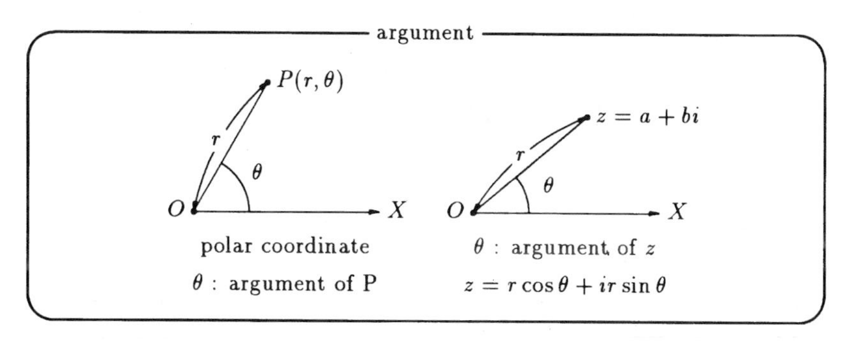

arithmetic **계산, 산술**

arithmetic mean **산술 평균 (算術平均)**

단순한 평균을 말하는 것으로 두 수 a, b의 산술평균은 $\frac{a+b}{2}$이다. 이것은 두 변의 길이가 a, b인 장방형(長方形)을 주위의 길이를 변화시킴 없이 정방형(正方形)으로 변형 시켰을 때의 한 변의 길이가 된다. ⇔ geometric mean

예 The arithmetic mean of 7, 14, 18, and 25 is $\frac{7+14+18+25}{4}=16$

arithmetic progression **등차수열 (等差數列) A.P.**

각 항(項) term 이 그 앞의 항에 일정한 수를 더한 것으로 이루어진 수열. 즉 다음 수와의 차가 일정한 수의 나열. 이 때 일정한 차(差) d를 공차(公差) common difference 라고 한다. 첫째항이 a, 공차가 d인 등차수열은 $a, a+d, a+2d, \cdots, a+(n-1)d$(제 n항)이다.

예 2, 5, 8, 11, 14, 17 을 초항(初項) 2, 공차(公差) 3, 항수(項數) 6 의 등차수열이라 한다.

associative **결합적**

어떤 연산 ◎에 있어서 결합법칙 associative law $(a◎b)◎c=a◎(b◎c)$이 성립할 때 이 연산을 결합적 associative 이라고 한다. 결합법칙은 수의 사칙(四則) 연산 가운데 덧셈과 곱셈에 대하여서는 적용되나 나눗셈과 뺄셈에는 성립되지 않는다.

예 $(9\div3)\div3=1$, $9\div(3\div3)=9$

assume **가정 (假定) 하다**

assumption 가정 (假定), 가설 (假說)

asymptote 점근선 (漸近線)

곡선의 그래프가 무한히 가까워지는 직선을 그 곡선의 점근선이라 한다.

반비례의 그래프 $y=\frac{1}{x}$ 의 그래프는 x가 1, 10, 100, 1000, … 으로 커지면 y의 값은 1, $\frac{1}{10}$, $\frac{1}{100}$, $\frac{1}{1000}$, … 로 작아져 0 에 가까워진다. 그러나 절대로 0 이 되지는 않는다. 따라서 $y=\frac{1}{x}$ 의 그래프는 x가 커지면 커질수록 x축에 가까워지지만 x축과 만나지는 않는다. 이런 경우에 x축을 $y=\frac{1}{x}$ 의 점근선(漸近線)이라 한다.

asymptote

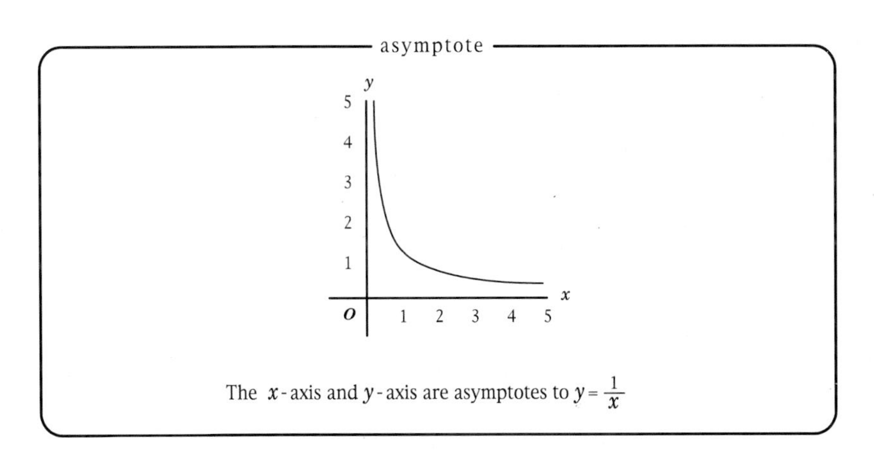

The x-axis and y-axis are asymptotes to $y=\frac{1}{x}$

average 평균

일반적으로 산술(算術)평균 arithmetic mean 을 말함. 어느 집단을 대표하는 값으로서 평균(平均) mean , 모드 mode , 메디안 median 등이 있는데 이들을 총칭해서 **average** 라고 한다. 모드 mode 는 가장 자주 나타나는 수이고, 메디안 median 은 중앙값이다.

axiom

공리 (公理)

증명(證明)없이 서술한 명제(命題) proposition, statement 로 누구나 옳다고 인정하는 명제 proposition, statement 를 말한다. 무(無)증명 명제라고도 한다. 공리를 이용하여 다른 명제 즉 정리(定理) theorem 를 증명한다. 유클리드의 "원론(原論) Stoikeia" 에 나오는 공통 개념으로서의 공리(公理)에 다음과 같은 것들이 있다.

1. 동일한 것과 같은 것들은 서로 같다.
2. 같은 것에 같은 것을 더하면 전체는 같다.
3. 같은 것에서 같은 것을 빼면 나머지는 같다.
4. 상호 일치하는 것(겹치는 것)은 같다.
5. 전체는 부분보다 크다.

axis

축

좌표(座標) 평면에서 직교하는 두 직선을 x축 x−axis, y축 y−axis 이라 정하고 평면위의 점은 두 수를 한 쌍(좌표 **cordinate**) 으로 하여 표시한다. 이 때 이 두 축을 좌표축(座標軸) coordinate axes 이라 한다. x축을 횡축(橫軸) axis of abscissa , y축을 종축(縱軸) axis of ordinate 이라 하고, 그 외에도 회전의 중심이 되는 회전축(回轉軸) axis of revolution , 대칭의 중심이 되는 대칭축(對稱軸) axis of symmetry 등이 있다.

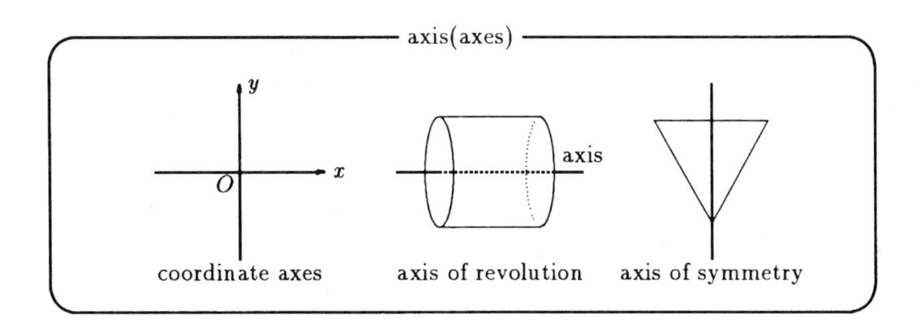
axis(axes)
y
x
O
coordinate axes
axis
axis of revolution
axis of symmetry

bar chart **막대 그래프**

옆으로 그린 그래프를 말한다. 막대의 길이로 양(量)을 표시한다. → bar graph, block graph

bar graph → bar chart, block graph

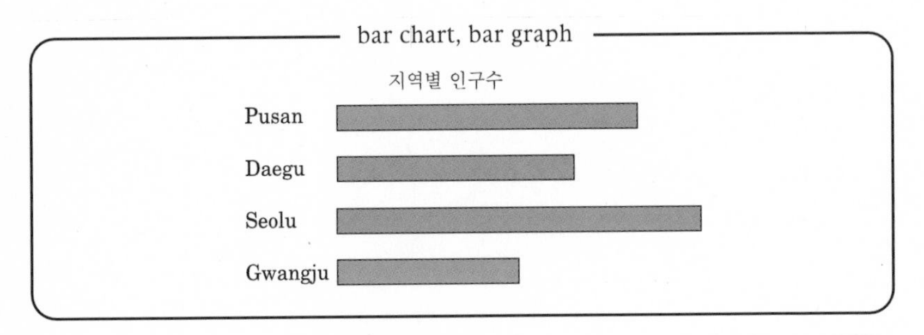

base **밑, 기수(基數), 밑변, 밑면**

대수(對數)를 생각할 때의 기본이 되는 수를 밑(底) base of logarithm 이라고 한다. → logarithm

평면 도형(平面圖形)이나 공간 도형(空間圖形)의 밑변이나 밑면도 base 라 한다.

한편, 현재의 기수법(記數法)은 십진법이다. 이는 기초가 되는 수를 10으로 한 것이다. 이 기초가 되는 수를 기수법의 기본 base 라 한다. 십진법으로 135는 1개의 $100(=10^2)$, 3개의 10, 5개의 1이 모여 이루어진 수이다. 6진법에서 135를 쓰면 1개의 $36(=6^2)$과 3개의 6 그리고 5개의 1로 표시할 수 있다.

컴퓨터에는 2진수 binary digit → binary, 16진수가 이용되어지는 경우가 많다.

- area of ~ 밑면적
- ~ angle 밑각

밑변의 양쪽 각.

- lower ~ 아랫변
  사다리꼴의 평행한 대변 중에서 아래에 있는 변.

- upper ~ 윗변
  사다리꼴의 평행한 대변 중에서 위에 있는 변.

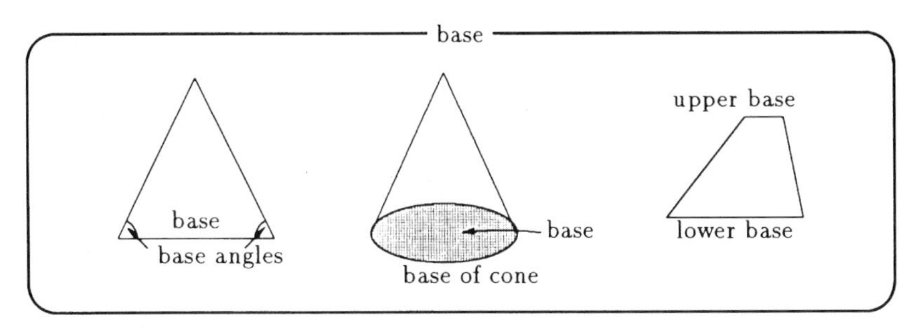

binary

2진(二進)의, 2원(二元)의

'2개의'라는 의미.

- ~ code 2진 부호
  2진수에서 표현되는 부호.

- ~ digit 2진 숫자

- ~ operation 이항(二項)연산
  두 개의 수에 대하여 한 개의 수를 대응시키는 연산(演算)을 말한다. 사칙연산이 그 예(例)이다.

binary notation

2진법

2를 기수(基數) base 로 하는 기수법(記數法). 숫자 0, 1만을 사용하여 2개씩을 묶어서 윗자리로 올림으로서 2의 거듭제곱 형태로 표현하는 표기법이다.

$7=4+2+1=1\times2^2+1\times2+1$라고 쓸 수 있기 때문에 7이 2진법에서는 111이 된다. 반대로 2진법에서 1101

은 $1\times 2^3+1\times 2^2+0\times 2+1$이므로 십진법에서는 13이 된다. 컴퓨터에서는 ON은 1, OFF는 0로 표시한 2진법을 사용한다. 단, 자리 수가 길어지는 문제점 때문에 일반적으로 16진수로 표시한다. 16진법에서 10에서 15까지는 A,..........., F를 이용한다.

예 10101 in base 2 is 16+4+1 = 21 in base 10.

binomial **이항식 ; 이항의**

항(項)이 두 개 있는 식. x^2+6x , $6x^3-5x^2$ 등이 그 예이다.

bisector **이등분선 (二等分線)**

선분(線分)과 각을 이등분(二等分)하는 직선을 말한다. 일반적으로는 무엇인가를 이등분하는 것을 말한다.

- **~ of angle** 각(角)의 이등분선
  임의의 각을 2등분한 사선(斜線).
- **perpendicular ~** 수직이등분선(垂直二等分線)

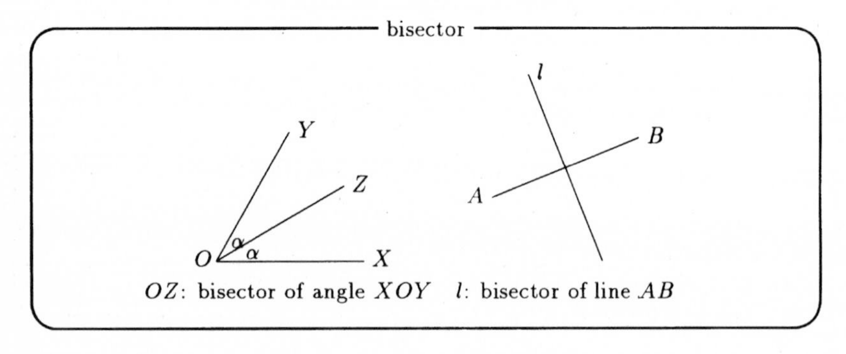

block graph **막대 그래프**

막대의 높이로서 양을 표시하는 그래프. → bar chart, bar graph

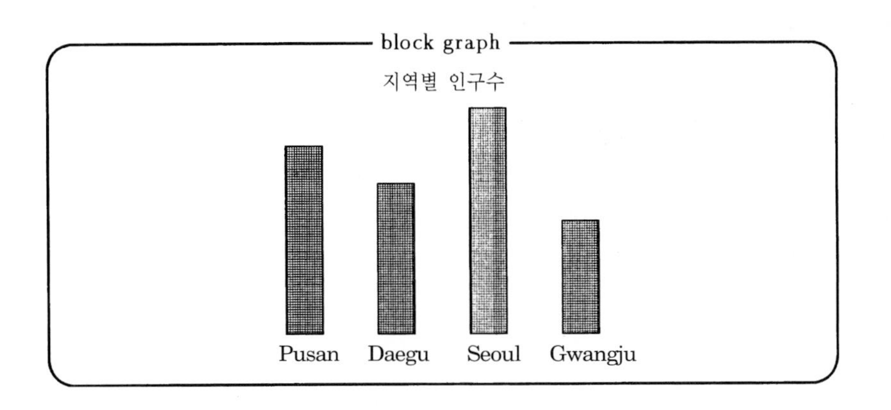

boundary

경계

영역(領域)의 경계선을 말한다. 부등식 $x-y \geq 0$을 만족하는 점(x, y)의 집합은 직선 $y=x$의 아래쪽의 영역이다. 이 때 직선 $y=x$를 이 영역의 경계선 boundary, boundary line 이라 한다. 직선을 두 개로 나누는 점은 boundary point 이다.

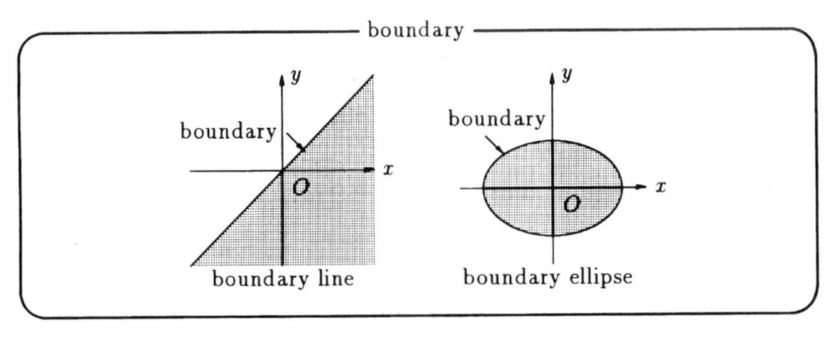

broken line

파선(破線)

띄엄띄엄 끊어진 직선을 말한다.

broken line

broken line	- -
dotted line	....
solid line	————————————————

calculate **계산하다**

- calculation 계산(計算), 연산(演算)
- calculator 계산기, 계산표
- mental calculation 암산(暗算)

calculus **계산법, 미적분 (微積分)**

계산법이라고는 하지만, 주로 미분학(微分學), 적분학(積分學)을 뜻한다. 미분법 differential calculus 에서는 함수의 순간 변화율과 그래프의 기울기 등에 대하여 배우고 적분법 integral calculus 은 미분의 역(逆)연산으로서 면적을 구하는 것 등을 배운다.

cancel **약분 (約分) 하다, 지우다**

cancellation **약분 (約分)**

분모, 분자의 공약수로 분모(分母)와 분자(分子)를 나누어 간단한 분수(分手)로 만드는 것을 말한다.

예 $\frac{6}{21}=\frac{2\times3}{7\times3}=\frac{2}{7}$

cancellation law **약분 법칙**

$ac=bc \rightarrow a=b$를 소거율(消去律), 약분법칙(約分法則)이라 한다. 일반 계산에서는 소거율(消去律)이 성립하지만 행렬(行列) matrix 에서는 성립하지 않는다.

cap **교집합 (交集合)**

집합의 교차(交叉) intersection 를 뜻한다. 기호는 ∩ 을 사용한다. → set, intersection capacity **용량**

용기(容器)의 용적(容積), 기억용량 capacity of memory 등을 나타낸다.

cardinal number **기수(基數), 농도(濃度)**

개수를 나타내는 수를 말한다. 또 집합 set 의 원소 element 의 개수를 카디날수 cardinal number, 농도(濃度) cardinality 라고 한다.

예 A set {1, 2, 3, 4, 5, 6} has a cardinal number of 6.

cardioid **심장 모양의 도형, 심장형**

어느 한 원을 같은 크기의 원 둘레로 겹치지 않게 굴릴 때 원주(圓周)상의 1점을 그린 도형.

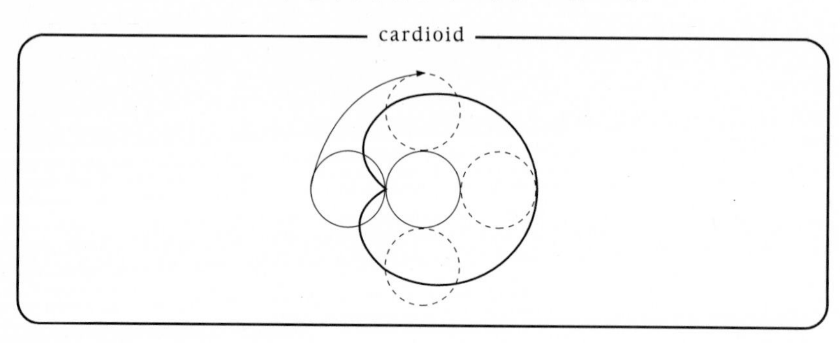

Cartesian coordinates **카티전 좌표**

평면위의 점의 위치를 축으로부터의 거리를 나타내는 숫자쌍으로 표시하는 방법. 평면위에 교차하는 두 개의 직선(x축, y축)을 그어 그 교점(交點)을 O라고 하면 이 점이 원점(原點) origin 이 된다. 평면위의 임의의 점 P는 OP를 대각선으로 하는 평행사변형(平行四邊形)의 두 변 길이의 쌍(x, y)으로 표시된다. 이 숫자 쌍을 좌표(座標) coordinates 라 한다.
2개의 축은 비스듬히 교차(사교좌표 oblique coordinates)해도 상관없지만 직교(직교좌표 orthogonal coordinates)하는 것이 보통이다.

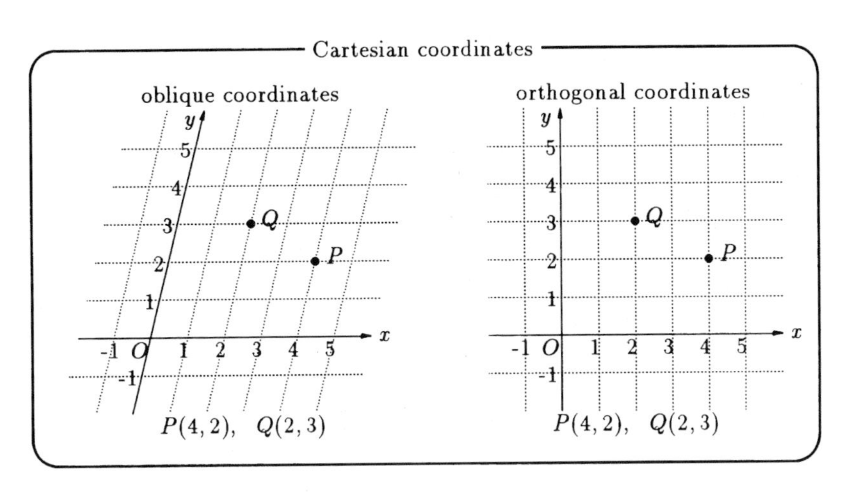

category 　 **범주(範疇)**

어떤 성질을 가진 것들의 모임을 말한다. 어떤 대상을 성격에 따라 분류했을 때 그 하나의 구분(區分)을 가리키는 말이다.

catenary 　 **현수선(懸垂線)**

끈이나 로프의 양 끝을 고정해서 늘어뜨렸을 때 생기는 곡선을 말한다. e를 자연대수(自然對數)의 밑 base 으로 할 때 이 곡선은

$$y=\frac{a}{2}\left(e^{\frac{x}{a}}+e^{\frac{-x}{a}}\right)$$

로 표시한다.

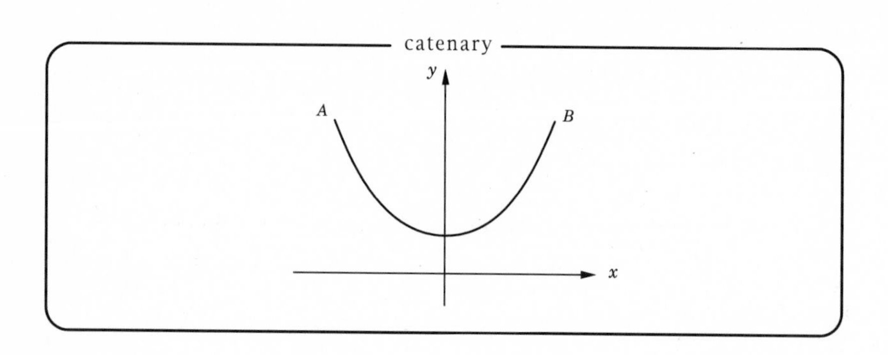

Celsius **섭씨**

온도 temperature 를 계산하는 척도 scale 로써 물이 어는 점을 0°, 끓는 점을 100°로 한 것을 말한다.
F(화씨) Fahrenheit 를 C(섭씨)로 바꾸는 식은 $C=(F-32)\times\frac{5}{9}$ 이다.

cent **백 (百)**

- per ~ 백분율

center **중심 (中心)**

- ~ of circle 원(圓)의 중심
  원주에서 같은 거리에 있는 점.
- ~ of circumcircle 외심(外心)
  외접원의 중심. → circle
- ~ of gravity 무게 중심
  물체의 질량(質量)의 중심을 말한다. 삼각형에서는 세 중선(中線)의 교점(交點)을 말한다.
- ~ of incircle 내심(內心)

내접원의 중심 → incircle

- ~ of rotation 회전의 중심
  → rotation
- ~ of similitude 닮음의 중심
  → similitude

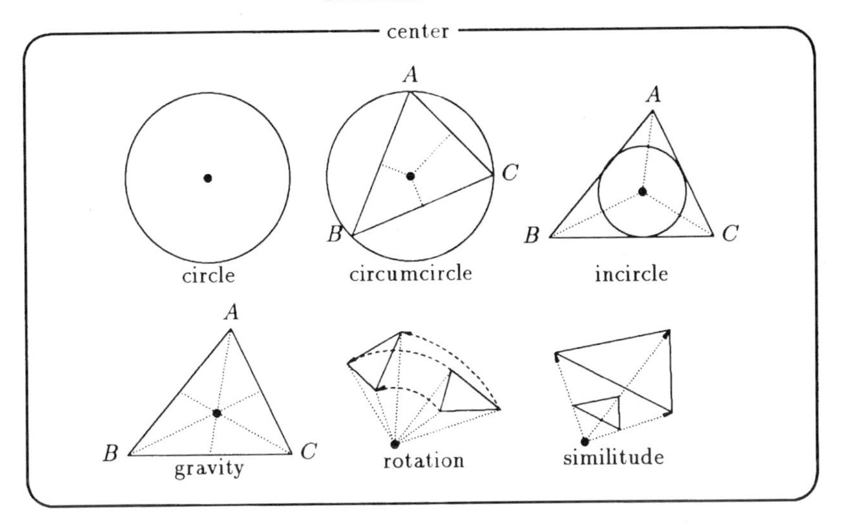

centi

센티

$\frac{1}{100}$ 을 표시하는 말.

centigrade

백분도(百分度)

섭씨(攝氏) Celsius 와 같은 뜻으로 사용하거나 직각을 100도(度) grade 로 하는 각도의 계산법을 뜻하기도 한다. 백분도에 있어서 1 centigrade 는 $\frac{1}{100}$ grade 를 뜻한다. 1 회전각은 400 grade 이다.

centiliter

센티리터

$\frac{1}{100}$ 리터. $1\ cl = 10\ ml$

centimeter **센티미터**

$\frac{1}{100}$ 미터. 100cm = 1m, 1cm = 10mm.

central angle **중심각**

중심이 O인 원의 호 AB에 대하여 $\angle AOB$를 호 AB에 대한 중심각이라고 한다.

characteristic **지표(指標) ; 특징적인, 고유의**

지표(指標)란 로그값 중 정수(整數) 부분을 말한다. → logarithm

■ **~ equation** 특성(特性) 방정식

방정식 $x=px+q$를 점화식(漸化式) recurrence formula $a_{n+1}=pa_n+q$의 특성 방정식 characteristic equation 이라 한다. 이 방정식의 해(解)를 α라 하면 점화식 $a_{n+1}-\alpha=p(a_n-\alpha)$라 쓸 수 있기 때문에 수열 $\{a_n-\alpha\}$는 등비수열이 된다. → recurring formula

■ **~ root** 특성근(特性根)

특성(特性)방정식의 해(解) solution 를 말한다.

■ **~ value** 고유값

정사각행렬 A의 고유방정식 $|A-\lambda E|=0$의 근(根)을 말한다. A를 (복소수체 위의)선형공간 X에(또는 그의 부분에) 작용하는 선형작용소라 할 때, 복소수 λ가 A의 고유값이라 함은 $Ax=\lambda x$ ($x\neq 0$)를 만족하는 $x\in X$가 존재하는 것을 뜻한다. 이 때 x를 고

유값 λ에 속하는 고유원 eigenelement 또는 고유벡터 eigenvector 라고 한다. X가 함수공간일 때에는 고유원(固有元)이라는 말 대신 고유함수 eigenfunction 라는 말도 쓰인다.

■ ~ vector 특성벡터, 고유벡터
정사각행렬 A가 주어졌을 경우, 적당한 수 λ에 대하여 $Ax=\lambda x$를 만족하는 영벡터 zero vector 이외의 벡터 x이다. 예를 들면, 행렬 $\begin{pmatrix} 3 & 2 \\ 1 & 4 \end{pmatrix}$의 고유값은 $\lambda=2$ 또는 $\lambda=5$이며, $\lambda=2$에 대한 고유벡터의 성분은 $(3-2)x_1+2x_2=0$, $x_1+(4-2)x_2=0$의 해(解)이다.

chart

도표 → bar chart, flow chart

check

검산(檢算)

chord

현(弦)
원주(圓周) circumference 또는 곡선 curve 위의 두 점을 연결하여 만든 선분을 말한다. → circle

circle

원(圓)
평면 위에서 한 정점(定點)으로부터 일정한 거리에 있는 점들의 모임이다. 그 정점을 원의 중심 center , 중심과 원주(圓周) circumference 위의 임의의 점을 연결한 선분을 반지름 radius, 원주위의 임의의 두 점을 연결하여 만든 선분을 현(弦) chord, 중심을 통과하는 현을 지름 diameter, 원주의 일부를 호(弧) arc, 현과 호로 둘러싸인 도형을 활꼴 segment, 그리고 두 개의 반지름과 호로 둘러싸인 도형을 부채꼴 sector 라 한다. 이 때, 반지름을 r이라 하면, 지름은 $2r$, 원주의 길이는 $2\pi r$, 원의 면적은 πr^2의 관계에 있다. 여기서 π는 원주율(圓周率) circle ratio = 3.141592 … 이다.
한편, 호의 양 끝과 원주상의 한 점을 연결해 만든 각을 원주각(圓周角) angle at circumference, 또 호의 양 끝과 원의 중심을 연결하여 만든 각을 중심각(中心角) angle at center 라고 한다. 원주각은 중심각의 $\frac{1}{2}$이다.

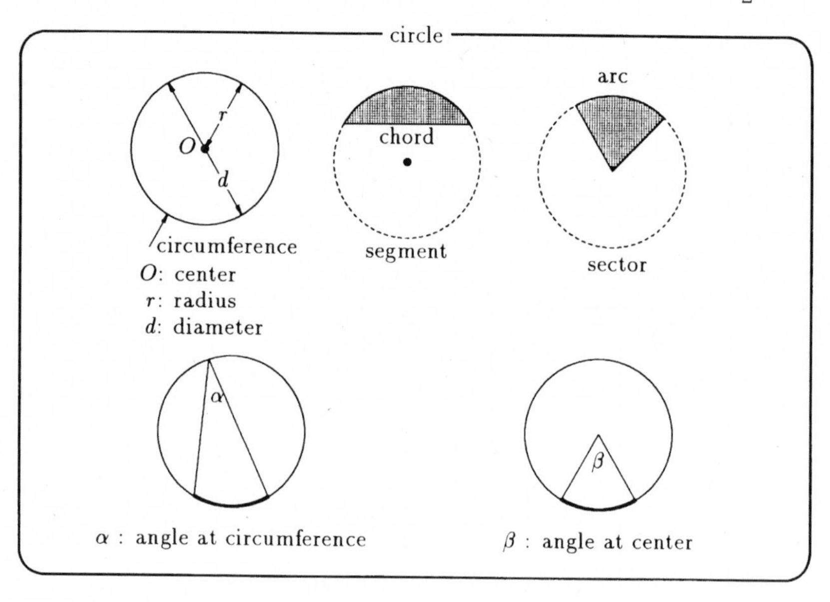

circle ratio

원주율 (圓周率)

원주 circumference 의 길이와 그 지름 diameter 과의 비 ratio 는 일정하며 3.141592 … 에 가까운 값을 갖는다. 이를 원주율 circular ratio, circular constant 이라 하며, 그리스 문자 π (파이)로 나타낸다. 일반적으로 소수(小數) 두 자리까지의 어림수(approximately correct to 2 decimal places) 3.14를 사용한다. 분수로는 $\frac{22}{7}$

가 유명하다. 반지름이 r인 원의 원주 l은 $l=2\pi r$, 넓이 S는 $S=\pi r^2$이 된다.

circular

원의, 순환의

- ~ arc 원호(圓弧)
- ~ cone 원뿔
- ~ constant 원주율(圓周率) (= circle ratio)
- ~ cylinder 원주(圓柱), 원기둥
- ~ function 원함수(圓函數), 삼각함수(sine, cosine)
- ~ measure 호도법(弧度法)

circulating decimal **순환 소수 (循環小數)**

$\frac{1}{3}$을 소수(小數)로 바꾸면 $0.33\cdots = 0.\dot{3}$이 되는데 이처럼 똑 같은 수가 반복해서 나오는 소수 decimal 를 순환소수라 한다. → recurring decimal

circumcenter

외심 (外心)

외접원 circumcircle 의 중심. = center of circumcircle, circumcircle center

circumcircle

외접원 (外接圓)

삼각형의 세 꼭지점을 통과하는 원을 삼각형의 외접원이라 한다. 이 원의 중심을 외심 circumcenter 이라 하는데 외심은 3개의 꼭지점 A, B, C에서 같은 거리에 있기 때문에 $\triangle OAB$, $\triangle OBC$, $\triangle OAC$는 이등변삼각형(二等邊三角形)이다.

따라서 외심 O에서 각 변에 내려진 수선(垂線)은 각 변을 이등분한다. 외심 O는 세 변(邊)의 수직이등분선(垂直二等分線) perpendicular bisector 의 교점(交點)이다.

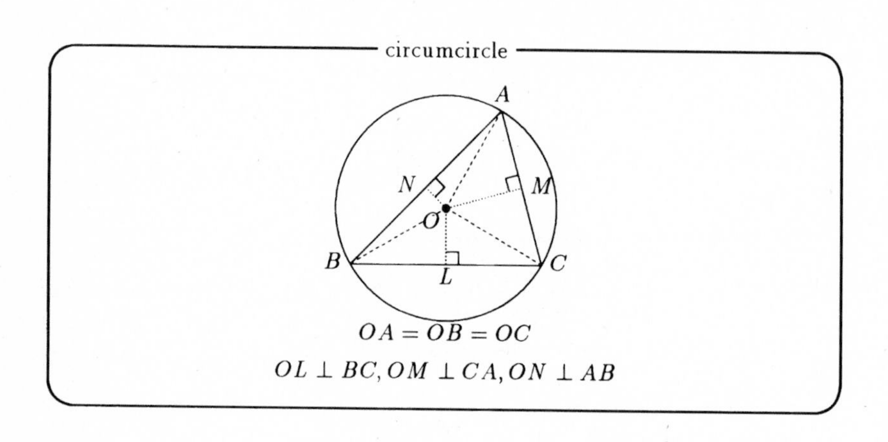

circumference **원주 (圓周)**

원의 둘레. 원주는 지름의 π배이다.

■ angle at ~ 원주각 circumferential angle → circle

circumscribe **외접 (外接) 시키다, 외접 (外接) 하다**

다각형의 모든 꼭지점을 통과하는 원은 '다각형에 외접한다(circumscribe the polygon)'고 한다. 반대로 다각형의 모든 변 sides 에 접하는 원은 다각형에 '내접한다' inscribe 고 하고 다각형은 '원에 외접한다'고 한다.

■ ~d circle 외접원(外接圓)

■ ~d polygon 외접다각형(外接多角形)

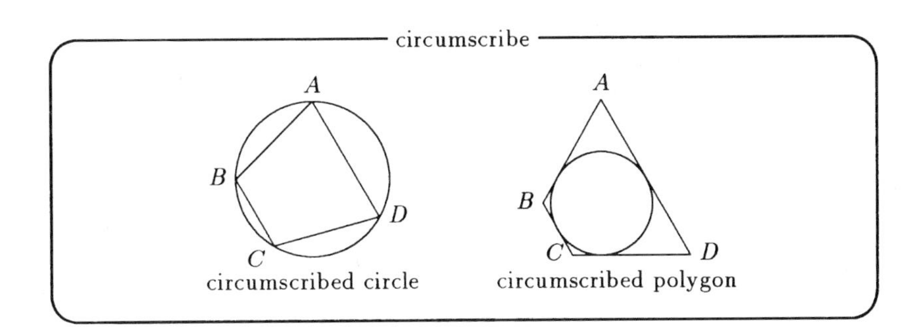

classification

분류 (分類)

성질과 특징에 의해 어떤 것을 나누는 것을 말한다.

예 수(數) – 기수(奇數) 또는 홀수 odd number 와 우수(偶數) 또는 짝수 even number, 소수(素數) prime number 와 합성수(合成數) composite number

도형(圖形) – 사각형 quadrilateral 과 삼각형 triangle, 장방형(長方形) rectangle 과 정방형(正方形) square.

class interval

계급폭

통계에서 자료를 취급할 때, 구간으로 나누어 취급하는 것이 편리한 때가 많다. 일례로 체중의 분포를 조사할 때, 35~40, 40~45, 45~50 같이 5kg 폭의 계급으로 나누어 정리하면 좋다. 이 폭(5kg)을 '계급의 폭' 혹은 '계급폭' class interval 이라 한다.

clock arithmetic

시계산법 (時計算法)

일정한 값(주기) 이상이 되면 주기(週期)를 제외한 나머지 값으로 표시하는 방법. 예를 들면 시각은 24시간이 지나면 다시 돌아와 버려 24시간 전이나 24시간 후나 같은 시각이 되어 버린다. 이와 같이 어떤 수 이상이 되면 0으로 돌아오는 계산법을 말한다.
일반적으로 두 개의 정수 x, y의 차(差)가 정수(整數) a로 나누어 떨어질 때 x와 y는 a를 법으로 합동(合同)(congruent modulo a)이라 하고 $x \equiv y \pmod{a}$ 라고 표시한다.
예(例)를 들어, 5를 법으로 하는 계산법 modulo 5 arithmetic : $5 \equiv 0 \pmod{5}$, $6 \equiv 1 \pmod{5}$, … 또 $3+4=7$, $7 \bmod 5=2$ 이므로 $3+4 \equiv 2 \pmod{5}$.
5를 법으로 하고 있는 것이 확실할 때는 더 단순히 $3+4=2$, $3\times4=2$ 라고 쓰는 경우도 있다.

clockwise

시계방향의 ; 시계 방향으로

시계바늘과 같은 방향으로 도는 것을 말한다.

closed

닫혀 있는

- **~ curve** 폐곡선(閉曲線)

  한 점에서 시작해서 같은 점으로 돌아오는 곡선을 말한다. 특히 자기 자신과 교차하지 않는 곡선을 단일 폐곡선 simple closed curve 이라 한다.

- **~ interval** 폐구간(閉區間)

  부등식 inequality $a \le x \le b$ 로 나타낼 수 있는 실수(實數)의 구간을 말한다. 폐구간은 양끝의 점을 포함한다.

- **~ set** 폐집합(閉集合)

  정수(整數)와 정수의 합은 정수이다. 이와 같을 때 정수의 집합 set of integer 은 "덧셈에 대해 닫혀 있다" closed for additon 고 한다. 정수는 덧셈 addition, 뺄셈 subtraction, 곱셈 multiplation 에 대해 닫혀 있지만 나눗셈 division 에 대해서는 닫혀 있지 않다.

유리수 rational number 는 사칙(四則)에 대해 닫혀 있다.

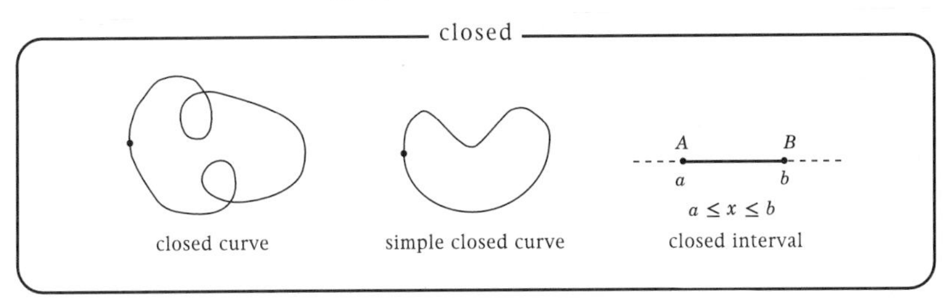

co-domain

공역(共域)

함수(函數)에서 대응되는 쪽의 집합을 말한다. 예를 들어 집합 $A=\{4, 5, 6\}$에서 집합 $B=\{9, 10, 11, 12\}$로의 함수 function f가 배수(倍數)를 대응시켜주는 것으로 정의되어 질 때 정의역(定義域)은 집합 A가 되고, B를 공역(共域) codomain 이라 한다. 또 f의 상(像)의 집합 $\{10, 12\}$을 f의 치역(値域) image set, range 이라 한다. 일반적으로 치역은 공역의 부분집합(部分集合)이다.

함수 $y=\sqrt{x}$ 의 정의역(定義域)은 $\{x|x\geqq 0\}$ 이다. y가 취하는 값의 범위 $\{y|y\geqq 0\}$는 치역(値域) range 이다.

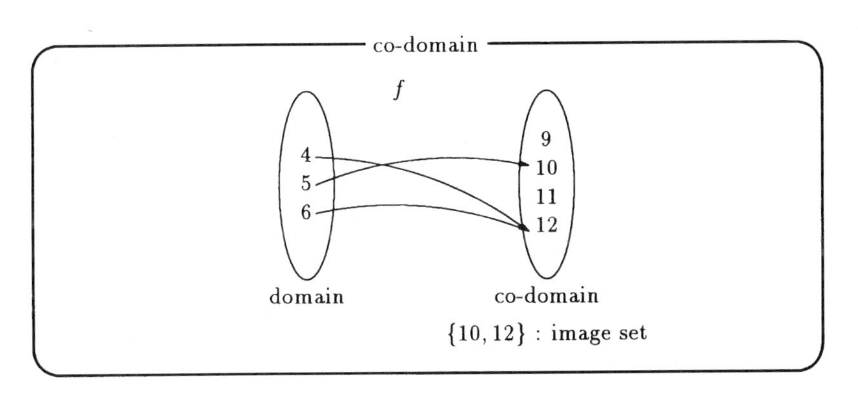

coefficient 계수 (係數)

다항식(多項式)에서 문자 앞에 붙은 수를 그 문자의 계수라고 한다. 예를 들어 $4x^2+12xy+9y^2$에서 x^2의 계수는 4, xy의 계수는 12, y^2의 계수는 9 이다. 단, 이 식을 y에 관한 식으로 보는 경우에는 y의 계수는 $12x$가 된다. $4x^2$은 y를 포함하지 않기 때문에 상수항 constant term 이 된다.

collinear 동일 직선상의, 공선 (共線) 의

여러 개의 점이 동일한 직선 상에 있을 때 그들을 '동일 직선상에 있다, 공선이다.' 라고 말한다.

combination 조합 (組合)

서로 다른 n개의 원소로 이루어진 집합 M으로부터 순서를 고려하지 않고 r개의 원소를 뽑아내는 방법을 n개로부터 r개의 원소를 뽑아내는 조합(組合)이라고 한다. 예를 들어 a, b, c 라고 하는 세 사람 중에서 두 사람을 선택하는 방법은 $\{a, b\}$, $\{b, c\}$, $\{c, a\}$의 세 가지가 있다. 이를 ${}_3C_2 = 3$ 이라 쓰며, 일반화하여 ${}_nC_r$ 또는 $\binom{n}{r}$으로 표현한다. $n! = 1 \cdot 2 \cdot 3 \cdot \cdot \cdot n$(= n의 계승 factorial n)라 할 때,

$$
\begin{aligned}
{}_nC_r &= \frac{n!}{r!(n-r)!} \\
&= \frac{n(n-1)(n-2)\cdot\cdot\cdot(n-r+1)}{r!}
\end{aligned}
$$

이다. → permutation

common 공통의, 공유 (共有) 의

- ~ denominator 공통 분모 (共通分母)

두 개 이상의 분수를 통분했을 때의 공통인 분모를 말함. 예를 들면, $\frac{1}{6}$과 $\frac{5}{9}$는 분모의 공배수를 이용하여, $\frac{1}{6}=\frac{1\times3}{6\times3}=\frac{3}{18}$, $\frac{5}{9}=\frac{5\times2}{9\times2}=\frac{2}{18}$처럼 분모를 공통으로 할 수 있다. 이를 공통 분모라 한다. 보통 공통 분모는 최소공배수 lowest common multiple 를 이용한다.

■ ~ difference 공차(公差)

등차 수열 arithmetic progression 에서 이웃하는 숫자와의 차(差)를 말한다. 홀수를 만드는 등차 수열 1, 3, 5, 7, ... 의 공차는 2 이다.

■ ~ divisor 공약수(公約數) = common factor, common measure

두 개 이상의 수에 공통된 약수를 말하고 이들 중 가장 큰 수를 최대공약수 greatest common divisor, G.C.D. 라 한다.

■ ~ factor 공통 인수(共通因數), 공약수(公約數)

2개 이상의 정수 또는 다항식에 공통적으로 들어 있는 인수(因數)를 가리킨다. 두 다항식 $x^2-3x+2=(x-1)(x-2)$, $x^2+x-2=(x-1)(x+2)$ 에서 $x-1$ 을 공통 인수 common factor 라 한다.

■ ~ logarithm 상용대수(常用對數)

10을 밑으로 한 로그를 말함. $\log_{10}x$로 표현하며 일반적으로 밑을 생략하며 $\log x$ 로 나타낸다.

■ ~ multiple 공배수(公倍數)

2개 이상의 정수에서 공통인 배수를 말한다. 예를

들면 6 의 배수는 6, 12, 18, 24, ……, 4 의 배수는 4, 8, 12, 16, 20, 24, … 이므로 공배수는 12, 24, … 이다. 공배수는 무한이지만 그 중에서 최소의 수를 최소공배수 lowest common multiple, least common multiple 라 한다. 6과 4의 최소공배수는 12 이다. 공배수는 최소공배수의 배수(倍數)이다.

■ ~ point 공유점(共有點)

두 개의 도형에 공통인 점을 말한다. 만나고 있을 때는 만나는 부분에 있는 점, 접하고 있을 때는 접점이 공유점이다.

■ ~ ratio 공비(公比)

등비수열 geometric progression 에 있어서 이웃하는 항의 비율을 말한다. 등비수열 1, 3, 9, 27…의 공비 common ratio 는 3이다.

commutative **서로 바꿀 수 있는, 가환(可換)의, 교환의**

임의의 a, b에 대해 $a*b=b*a$가 성립할 때 연산 $*$를 교환적 communative 이라고 한다. 덧셈, 곱셈은 가환(可換) 또는 교환이 이루어진다. 그러나 $5-2 \neq 2-5$, $6 \div 3 \neq 3 \div 6$이 될 수 없으므로 뺄셈, 나눗셈은 비가환(非可換) 또는 비교환 non-communative 이다. 행렬(行列) matrix 의 곱셈도 비가환(非可換)이다. → matrix

compare **비교하다**

■ comparision 비교(比較)

두 개의 수를 비교하면 크거나 작거나 또는 같거나 중의 하나이다. 이를 기호로 나타내면 >, <, = 가 된다. 예를 들면, $3^2<10$, $3^2>2^3$, $3^2=9$와 같은 경우이다.

complement **여집합(餘集合), 보집합(補集合)**

집합 A의 원소가 아닌 원소로 이루어진 집합을 A의 여집합이라 한다. A^c 또는 $\overline{A}$로 나타낸다. 예를 들면, 전체집합 U whole set, universal set 를 $\{1,2,3,4,5\}$로 하고 $A=\{2,4\}$일 때 $A^c=\{1,3,5\}$가 된다.

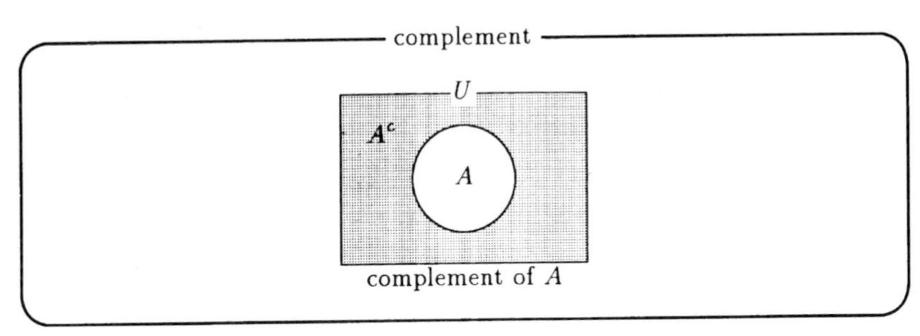

complementary angle **여각(餘角)**

더해서 90°가 되는 2개의 각은 서로 여각을 이룬다. 즉 25°의 여각은 65°가 된다. 직각 삼각형의 직각 이외의 각은 서로 여각을 이룬다. 여각의 sine은 cosine이다. → sine, cosine, trigonometric function

complete **완성된**

complete number **완전수(完全數)**

→ perfect number

completing the square **제곱 완성**

완전제곱식을 만드는 것을 말한다. 이차방정식 해법의 하나이다. 전개식 $(x+a)^2=x^2+2ax+a^2$을 이용한다.

예 solve $x^2-4x-2=0$.

식(式)을 변형해서 $x^2-4x=2$ 양변에 $4x$의 계수

4의 $\frac{1}{2}$인 2를 제곱해서 더한다.

$$x^2-4x+4=2+4$$

이를 변형하여,

$$(x-2)^2=6$$

이로써 제곱식이 되었다. 양변의 제곱근 square root을 취해 $x-2=\pm\sqrt{6}$. 이렇게 해서 $x=2\pm\sqrt{6}$을 얻는다.

complex number **복소수 (複素數)**

임의의 실수 a, b와 허수 단위 imaginary unit $i=\sqrt{-1}$로써 $a+bi$의 형태로 쓸 수 있는 수를 복소수라 한다. 이 때, a를 복소수의 실수부 real part, b를 허수부 imaginary part 라고 한다. 복소수 $z=a+bi$에서 $a=0, b\neq0$ 일때 순허수 pure imaginary number 가 되고 $b=0$이면 실수 real number 가 된다. 복소수 z가 좌표 평면위의 점(a, b)로 표현될 때가 있다. 이 때 복소수와 평면위의 점 사이에는 일대일 대응이 성립한다. 이와 같이 대응된 평면을 복소평면 complex plain 또는 가우스평면 Gaussian plain 이라 하며, 이때 x축을 실수축 real axis, y축을 허수축 imaginary axis 이라고 한다. 복소평면에 있어서 원점과 z의 거리 $\sqrt{a^2+b^2}$를 절대치(絶對値) modulus 라 하고 $|z|$라고 표시한다. z와 원점 O를 연결하는 선분과 실수축(實數軸)의 각을 z의 편각(偏角) argument 이라 한다. 복소수 z에 대응하는 점을 P, 원점을 O, 선분 OP의 길이를 r, x축의 양의 방향과 선분 OP가 이루는 각을 θ라 할 때 $r=|z|$가 되고 $a=r\cos\theta$, $b=r\sin\theta$가 성립한다. 또 복소수 $z=a+bi$에 대하여 복소수 $a-bi$를 z의 켤레복소수 conjugate complex number 라고 하며 $\bar{z}$ 로 표시한다.

$\bar{z}+z=2a$, $z-\bar{z}=2bi$이므로 z의 실수부는 $\frac{z+\bar{z}}{2}$,

허수부는 $\frac{z-\bar{z}}{2}$가 된다.

계산은 $i^2=-1$이 되는 이외에는 식의 계산과 똑같다.

$(a+bi)+(c+di)=(a+c)+(b+d)i$

$(a+bi)-(c+di)=(a-c)+(b-d)i$

$(a+bi)\times(c+di)=(ac+bdi^2)+(ad+bc)i$

$=(ac-bd)+(ad+bc)i$

나눗셈은 다음과 같이 한다.

$$\frac{a+bi}{c+di}=\frac{(a+bi)(c-di)}{(c+di)(c-di)}=\frac{(ac+bd)-(ad-bc)i}{c^2+d^2}$$

예를 들어,

$5+3i-(2+i)=(5-2)+(3-1)i=3+2i,$

$(5+3i)\times(3-i)=15-3i^2+(9-5)i=18+4i,$

$\frac{3+i}{i}=\frac{(3+i)\times i}{i^2}=-(3i-1)=1-3i.$

complex number

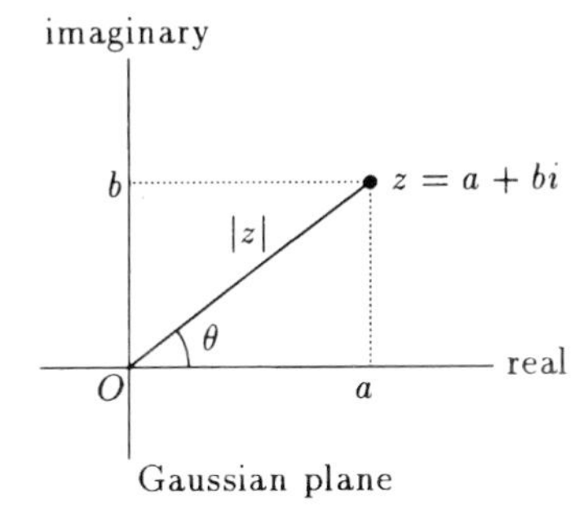

Gaussian plane

θ : argument of z

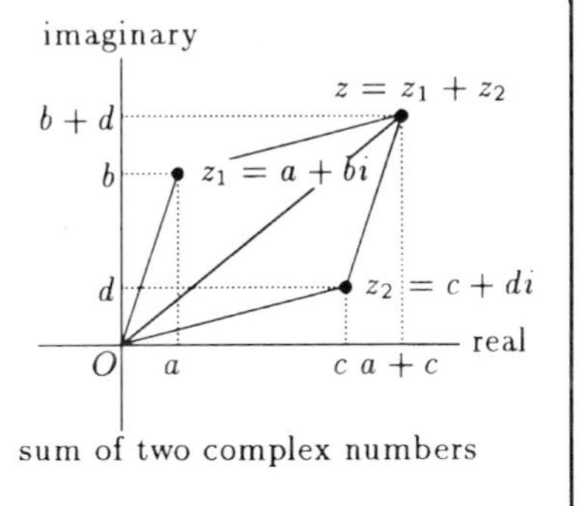

sum of two complex numbers

component **성분 (成分), 구성요소 (構成要素)**

벡터 vector 와 행렬을 구성하는 요소.

$\vec{a}=(3,4)$ *or* $\begin{pmatrix}3\\4\end{pmatrix}$일 때 $\vec{a}$는 $x-$ 성분 3, $y-$ 성분 4를 갖는다 $\vec{a}$ has a component of 3 along the x-axis and a component of 4 along the y-axis. 이는 $\vec{a}$의 시점(始點)을 원점으로 했을 때 종점(終點)이 점 (3, 4) 인 것을 나타내고 있다.

composite **합성의**

composite function **합성함수**

2개의 함수를 계속해서 작용시킬 수 있는 1개의 함수를 말한다. 함수 $f(x)$, $g(x)$에 대해 $y=f(g(x))$로 나타내는 함수를 g, f의 합성함수 composite function 라고 하고 $f \circ g$라 쓴다.

예 $f(x)=x^2$, $g(x)=x+2$ 일 때

$f \circ g(x)=f(g(x))=f(x+2)=(x+2)^2$

$g \circ f(x)=g(f(x))=g(x^2)=x^2+2$

이처럼 일반적으로 $f \circ g \neq g \circ f$ 이므로 함수의 합성은 비교환 non-commutative 이다.

composite number **합성수 (合成數)**

1과 자신의 수 이외의 약수를 갖는 수를 말한다. 즉 소수가 아닌 1보다 큰 수를 일컫는다. 합성수는 2개 이상의 소수의 곱으로 나타난다. 예를 들면 35 는 $35 = 5\times7$ 로 나타낼 수 있으므로 합성수이다. 13 은 1 과 13 이외의 약수를 갖지 않으므로 소수(素數) prime number 이다.

compound 합성의, 복합의

■ ~ fraction 번분수(繁分數)

분수의 분자 · 분모 중 적어도 하나가 분수인 복잡한 분수.

예를 들면, $\dfrac{1}{2+\dfrac{3}{4}}$ 과 같은 분수.

■ ~ statement 복합명제

두 개 이상의 명제를 결합해서 만든 새로운 명제를 말한다.

compound interest 복리(複利)

이자 계산 방식의 하나로 이자를 원금에 더해서 그 합계액을 다음 기간의 원금으로 하여 계산하는데 그 계산 방법은 다음과 같다. 원금 A, 이율 r, 기간 n일 때, 복리법에 의한 원리합계(元利合計) S는 $S=A(1+r)^n$ 이다. 즉 원금이 만원이고 연 이자가 10 % 인 경우 복리로 4년 후의 합계를 계산하면 $10{,}000\,(1+0.1)^4=14{,}641$ 이 된다. 단리(單利)와 복리(複利)의 비교표를 다음과 같이 나타낼 수 있다.

기간＼종류	단리	복리
원금	10,000	10,000
1년	10,000+1,000=11,000	10,000+1,000=11,000
2년	11,000+1,000=12,000	11,000+1,100=12,100
3년	12,000+1,000=13,000	12,000+1,210=13,310
4년	13,000+1,000=14,000	13,310+1,331=14,641

concave 오목한

→ convex

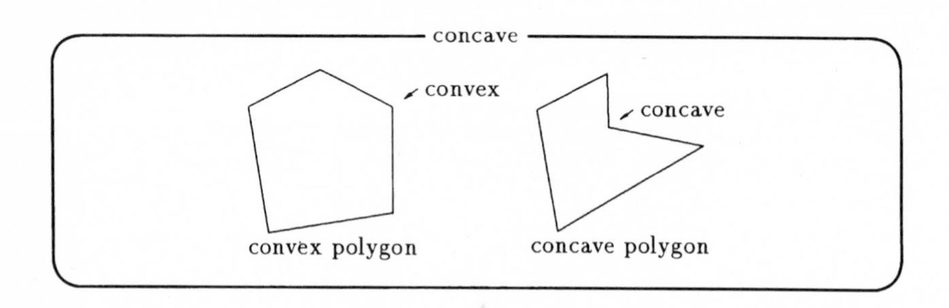

concentric **동심(同心)의**

중심(中心)이 같은 것을 말한다.

■ ~ circle 동심원(同心圓)

중심이 같은 원.

conclude **결론을 내리다**

예 This concludes the proof. 증명(證明) 끝.

conclusion **결론(結論)**

concurrent **한 점에 모이는, 공점(共點)의**

점을 공유하는 것을 말하고 동일한 점(點)을 통과하는 직선들을 공점(共點)에 있다고 한다.

condition **조건**

■ necessary ~ 필요조건

명제 A, B에 대해서 명제 A가 참이면 명제 B도 반드시 참일 때 명제 A는 명제 B를 유도한다고 하며 $A \Rightarrow B$로 표현한다. 이 때 B를 A이기 위한 필요(必要)조건이라 한다.

■ sufficient ~ 충분조건

명제 A, B에 대해서 명제 A가 참이면 명제 B도 반드시 참일 때 명제 A는 명제 B를 유도한다고 하며 $A \Rightarrow B$로 표현한다. 이 때 A를 B이기 위한 충분(充分)조건이라 한다.

예 $x=1 \Rightarrow x^2=1$이므로 $x=1$은 $x^2=1$이 되기 위한 충분조건이지만 $x^2=1$일 때 $x=1$라고 할 수 없기 때문에($x=-1$의 경우가 있다) $x=1$은 $x^2=1$이 되기 위한 필요조건은 아니다.

cone **추(錐), 뿔모양**

원추(圓錐) 또는 원뿔 circular cone 과 같은 말이다.

- **elliptic ~** 타원뿔

  밑면이 타원인 원뿔을 말한다.

- **oblique ~** 빗원뿔

  꼭지점에서 내린 수선(垂線)의 발 foot of perpendicular 이 밑면의 중심과 일치하지 않는 원뿔형을 말한다.

- **right ~** 직원뿔

  꼭지점에서 내린 직선이 밑면의 중심과 직각을 이루는 원뿔형을 말한다.

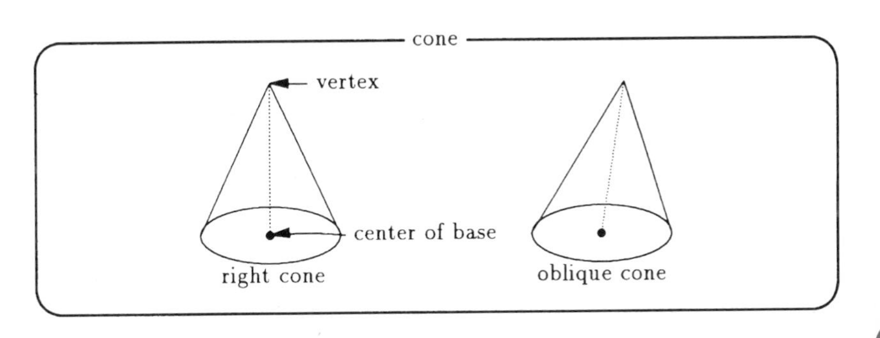

congruence **합동 (合同)**

congruent **합동 (合同) 인**

두 개의 도형이 형태와 크기를 변화시키지 않고 완전히 포개질 경우 합동이라 한다.

$\triangle ABC$와 $\triangle A'B'C'$는 $AB=A'B'$, $BC=B'C'$ $CA=C'A'$, $\angle A=\angle A'$, $\angle B=\angle B'$, $\angle C=\angle C'$ 가 동시에 성립할 때에 합동이고 $\triangle ABC\equiv\triangle A'B'C'$ 라고 쓴다. → triangle

도형의 형태가 변화하지 않는 변환을 합동변환 congruent transformation 이라 한다. 기본적인 합동변환은 평행이동 translation, 대칭이동 reflection, 회전 rotation 등이 있다. 합동변환은 이 3종류를 조합해서 만들 수 있다.

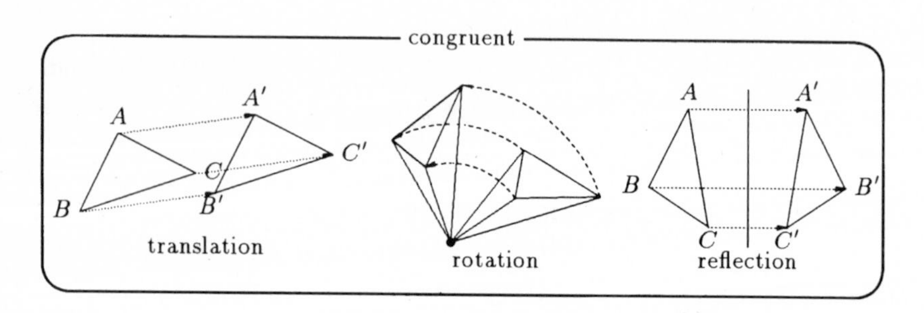

conic **원뿔의**

원뿔곡선을 뜻할 때도 있다.

conic section **원뿔곡선, 원추곡선 (圓錐曲線)**

직원뿔을 그 꼭지점을 지나지 않는 평면으로 잘랐을 때 그 단면에 생기는 평면곡선을 원뿔곡선이라 한다. 원뿔의 축에 대한 평면의 기울기가 모선(꼭지점에서 원뿔면을 따라 밑면까지 그은 임의의 선)의 기울기에 비하여 작은가, 같은가, 큰가에 따라서 각각 타원 ellipse, 포물선 parabola, 쌍곡선 hyperbola 이 된다. 또한 꼭지점을 지나는 평면으로 잘랐을 때 곡선이 아닌 두 개의 직선이 나타나는데 이들도 원뿔곡선이라 한다.

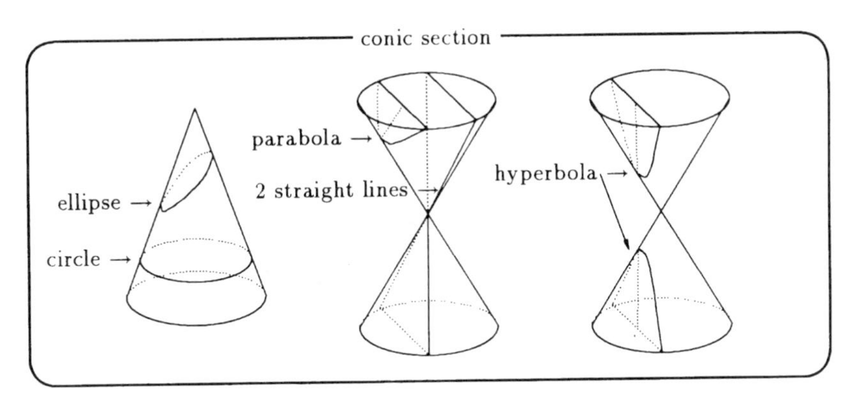

conjecture 추측(推測), 예상(豫想)

conjugate 켤레의, 공역(共役)의

두 각의 합이 360° 일 때 켤레 conjugate 라고 한다. 복소수 complex number $z=a+bi$일 때 켤레복소수 conjugate complex 는 $\bar{z}=a-bi$가 된다.

예 $2+3i$의 켤레복소수는 $2-3i$가 된다. $(2+3i)+(2-3i)=4$, $(2+3i)(2-3i)=13$이므로 이들은 이차방정식 quadratic equation $x^2-4x+13=0$ 의 해(解)가 된다. 일반적으로 실수계수의 2차방정식에서 허수해(虛數解) imaginary roots 를 가지면 그 두 근은 켤레복소수이다.

conservation 불변(不變), 보존(保存)

평행이동 translation 이나 회전 rotation 에 의해 두 점간의 거리나 각도가 변화하지 않는 것을 말한다. 보존(保存)되어진다 be conserved 라고도 한다. 이러한 불변인 성질을 불변성 conservation 이라 한다.

consistent **일치하는, 양립하는, 모순이 없는**

const. **상수 (常數)** → constant

constant **상수 (常數) ; 일정한**

변하지 않거나 정해져 있는 수를 말한다. 다항식 polynomial x^2-2x+3에 있어서 x는 변수로 여러 값을 취하지만 -2와 3은 상수이다. 특히 -2는 계수라 한다. 원주의 길이는 지름 diameter 에 비례하여 $l=\pi d$가 된다. 이 때 d는 변수이지만 π는 상수로 원주율 circular constant 이다.

constant term **상수항 (常數項)**

미지수 즉, 문자를 포함하고 있지 않는 항.

[예] $3x^2-5x-6$의 상수항은 6이 된다. x의 다항식 ax^2+bx+c 에서 a, b, c 는 상수이며 상수항은 c 이다.

construct **작도 (作圖) 하다**

construction **작도 (作圖)**

일반적으로 어떤 조건에 맞는 도형(圖形)을 그리는 일을 말하며, 기하학에서는 자와 컴퍼스만을 사용하여 도형을 그리는 일을 말한다. 작도의 기본은 다음과 같다. 첫째, 직선을 그린다.

둘째, 원을 그린다.
셋째, 직선과 직선, 원과 직선, 원과 원의 교점(交點)을 구한다.
그 외에도 '주어진 각과 동일한 각을 구한다, 합동인 3각형을 그린다, 각을 이등분한다, 선분을 수직으로 이등분한다' 등이 있다.

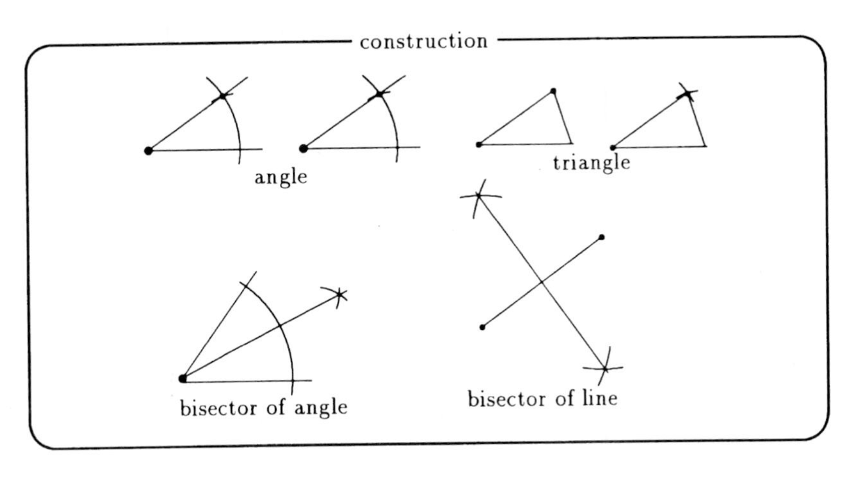

content

용적(容積) ; 내용(内容)

continuous

연속적인

한 개의 직선은 평면을 두 개의 영역으로 나눈다. 직선은 끊어짐이 없이 서로 연결되어 있기 때문에 한 쪽 영역에서 다른 쪽 영역으로 이동하려면 반드시 직선을 통과해야만 한다. 이를 직선의 연속성 continuity 이라 한다. 실수 real number 전체는 직선으로 표시되어지므로 연속적이다. 이에 비해 자연수(自然數)는 불연속적인 수(數)이므로 '이산적(離散的)' discrete 이다. 길이나 무게는 연속적인 값을 가질 수 있지만 개수(個數)나 사람 수는 이산적(離散的)인 수이다.

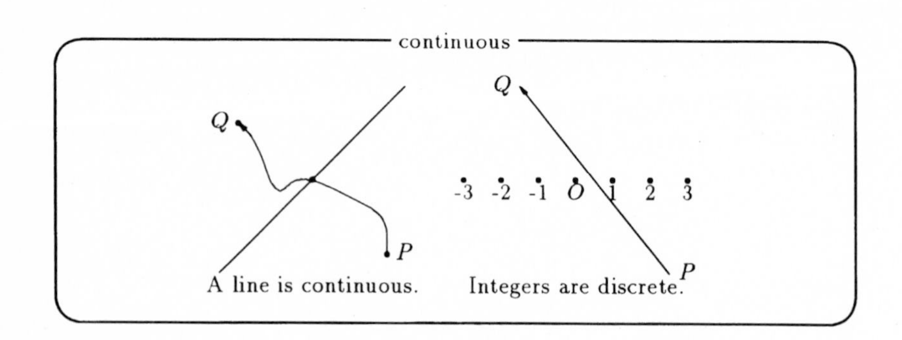

contradiction **모순 (矛盾), 불합리 (不合理)**

논리에 반(反)하고 있는 것을 모순(矛盾) contradiction 이라고 한다. 또 2개의 사항이 서로 논리적으로 반(反)하고 있을 때, 그들은 '모순되고 있다' contradict 고 한다.

contraposition **대우 (對偶)**

명제(命題) '$A \to B$(A이면 B이다)'에 대하여 명제 '$\sim B \to \sim A$(B가 아니면 A가 아니다)'를 처음 명제 $A \to B$의 대우(對偶) contraposition 라고 한다. 어느 한 명제와 그 대우는 동치(同値) equivalent 이다. 예를 들어, 명제 $x=1 \Rightarrow x^2=1$ 이 참인 경우 대우 $x^2 \neq 1 \Rightarrow x \neq 1$ 역시 참이다.

converge **수렴하다 ↔ diverge**

→ convergence

convergence **수렴 (收斂)**

n을 1, 10, 100, 1000.... 으로 무한히 크게 하면 $\frac{1}{n}$은 1, $\frac{1}{10}$, $\frac{1}{100}$, $\frac{1}{1000}$.... 로 0에 한없이 가까워진

다. 이처럼 어떤 특정값 a에 무한히 접근하는 것을 a에 수렴한다 converge to a 고 한다. 다음은 0에서 시작하여 2까지의 $\frac{1}{2}$인 1까지 진척시키고, 또 다음 나머지의 $\frac{1}{2}$까지 진척시킨다. 이처럼 나머지의 $\frac{1}{2}$의 진척을 계속하면 $1+\frac{1}{2}+\frac{1}{4}+\frac{1}{8}+....$ 가 되고 결국 2에 수렴한다.

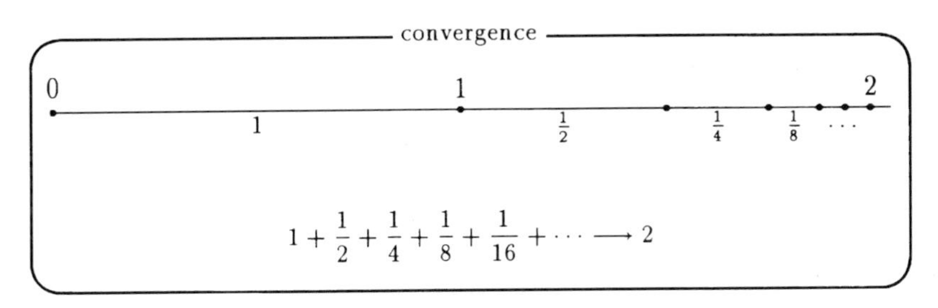

converse

역 (逆)

명제(命題) 'A이면 B이다'에 대해 'B이면 A이다'를 역(逆)이라 한다. 명제가 참이라고 해서 역(逆)이 반드시 참이라고는 할 수 없다.

명제(命題) P가 $x=1 \Rightarrow x^2=1$라고 할 때 그것의 역(逆) Q 는 $x^2=1 \Rightarrow x=1$인데, P는 참인 명제이지만 $x=-1$인 경우 $x^2=1$이므로 Q는 성립하지 않는다.

conversely

역으로

conversion

환산 (換算), 전환 (轉換)

1 inch 는 2.54cm이므로 5 inch = 12.7cm 이다. 이처럼 단위를 변화시키는 것을 환산이라 한다. 섭씨 Celsius 를 화씨 Fahrenheit 로 환산하기 위해서는 공식

formula $F = C \times \frac{9}{5} + 32$을 이용한다.

conversion table

양	단위	계산값
길이	1 in = 1/36yd	= 25.4mm
	1 ft = 12 in	= 30.48cm
	1 yd = 3ft	= 91.44cm
	1 mi = 1760 yd	≒ 1.6093km
면적	in^2	= $6.4516cm^2$
	ft^2	≒ $929.03cm^2$
	yd^2	≒ $0.83613m^2$
	acre = 4840 yd^2	≒ $4046.9m^2$
	mi^2 = 640 acre	≒ $2.5900km^2$
질량	oz	≒ 28.3495g
	lb = 16 oz	≒ 453.59237g

convex **볼록한**

↔ concave 오목한

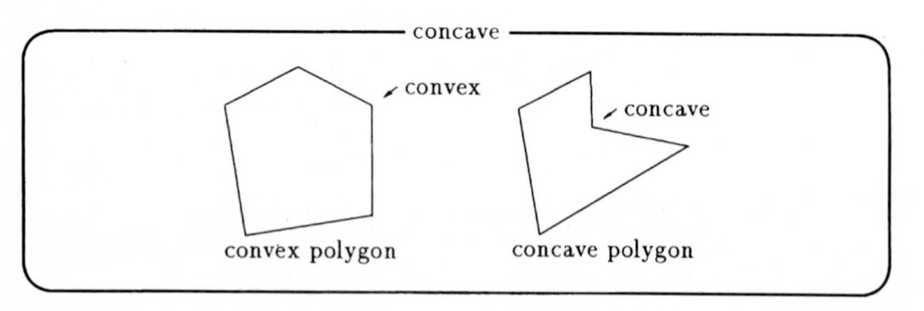

coordinates **좌표 (座標)**

직선위의 점은 실수(實數) real number 와 1 : 1 대응된다. 0에 대응하는 점을 원점 origin 이라 하고 O라 쓴다. 원점의 우측 점 A에는 선분 OA의 길이 a를 대응시키고, 원점의 좌측점 B에는 선분 OB의 길이 b에 음의 부호를 붙인 $-b$를 대응시킨다. 점 A에 대응하는 실수가 a일 때 A의 좌표 coordinate 는 a이고, $A(a)$처럼 쓴다. 이렇게 해서 만든 직선을 수직선(數直線) number line 이라 한다.

평면에 직교하는 2개의 직선을 그려 교점을 $O(0, 0)$이라 할 때, 임의의 점 P에서 각각의 축에 내린 수선(垂線)의 발의 좌표를 a, b라 한다면 P의 좌표는 (a, b)이다. → Cartesian coordinates

원점 O에서 우측으로 늘어진 반직선을 OX라 할 때, 임의의 점 P에 대해 $OP = r$, $\angle POX = \theta$를 이용하여 $P(r, \theta)$를 P의 좌표로 결정한다. 이것도 좌표의 하나로 극좌표 polar coordinate 라 한다.

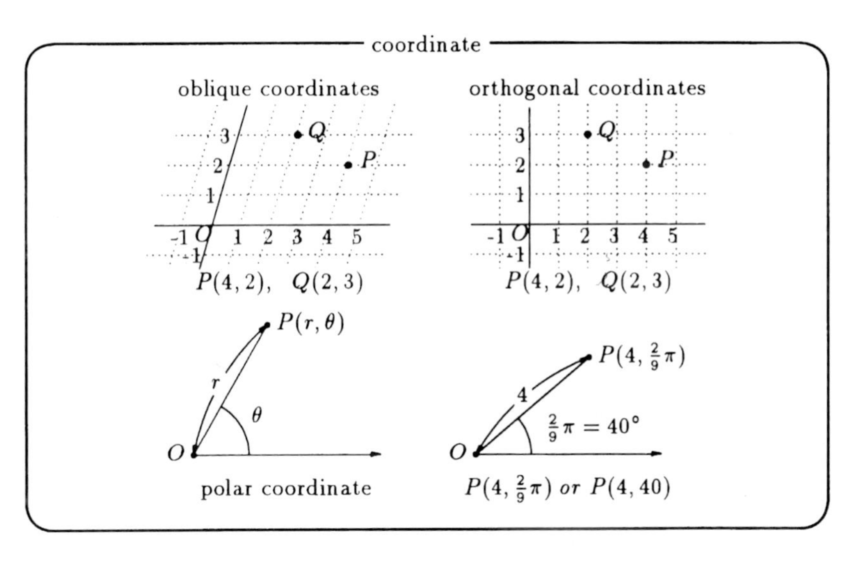

coplanar **동평면의, 공면(共面)의**

몇 개의 도형(圖形)이 동일 평면위에 있을 때 이를 "공면(共面)한다" 라고 한다.

coprime **서로 소(素)**

두 정수 사이에 1 이외의 공약수가 없을 때를 서로 소라 한다.

corner **모서리**

평면도형과 입체도형에서 2개 이상의 변(邊)과 면(面)이 모여 있는 점을 모서리 corner 라 한다. n각형에는 n개의 모서리 또는 꼭지점 vertex 이 있다.

correct **바른, 정확한**

→ correct to

correct to **소수…자리까지 정확한**

어떤 자리까지의 어림수 rounded number 를 만들 때, 그것보다 아래의 자리를 바로 위의 자리의 1로 보아 더하는 방법을 올림이라 하고, 아래의 자리를 전부 0으로 하는 방법을 버림이라 한다. 이런 방법을 사용하여 특정한 자리까지 정확한 수를 만들 수 있다. 예를 들면, 정수 14263이 주어졌을 때, "1000의 자리까지 정확한" correct to the nearest thousand 수(數) 또는 "두 유효(有效) 숫자까지 정확한" correct to two significant figure 수(數)를 만들면 14000이 된다.

correlation **상관 관계(相關 關係)**

두 변량(變量) 사이에 한 쪽이 증가하면 다른 쪽도 증가(또는 감소)하는 경향이 있을 때, 이 두 변량 사이에는 상관 관계(相關 關係)가 있다고 한다. 예를 들면, 키가 큰 사람은 작은 사람에 비하여 일반적으로 몸무게가 많다. 이와 같이 한쪽이 증가하면, 다른 쪽도 증가하는 관계를 양(陽)의 상관 관계라고 한다. 또, 어떤 제품의 생산량이 늘어나면 그 제품의 가격이 떨어지는 경향이 있듯이, 한쪽이 증가하면 다른 쪽은 감소하는 관계를 음(陰)의 상관 관계라고 한다. 두 변량 사이의 상관 관계를 표로 나타낸 것을 상관표(相關表)라 하며 그림으로 나타낸 것을 상관도(相關圖)라고 한다. 상관도(相關圖)에서는 한쪽의 수치(키)를 가로축 위에, 다른 쪽의 수치(몸무게)를 세로축 위에 나타내고, 조사 인원에 해당하는 수만큼 점을 그려 넣는다. 점이 완전히 직선 주위에 몰리면, 거의 일차함수의 관계를 나타내는 것이 된다. 특히, 이와 같이 점들이 직선에 가깝게 분포(分布)되어 있을 때에는 강한 양(陽)의 상관 관계가 있다고 한다. 또 두 변량 x, y 사이의 상관 관계의 정도를 나타내는 수치를 상관계수(相關係數)라 한다.

correspond

대응 (對應)하다

correspondence

대응 (對應)

한 집합의 원소를 다른 집합의 원소로 연결시켜 주는 것을 말한다. 두 개의 집합 A, B에서 A의 각각의 원소에 대하여 B의 원소가 정해질 때, A의 원소에 B의 원소가 대응한다고 한다. A에서 B로의 대응인 경우 A의 하나의 원소에 B의 두 개 이상인 원소가 대응할 수도 있으며 이를 일대다 대응(一對多對應) one to many correspondence 이라고 한다. 또, A의 각각의 원소에 B의 원소가 하나 대응될 경우, 다대일 대응(多對一對應) many to one correspondence 이라고 부르고, A의 원소 하나 하나에 B의 원소가 각각 한개씩 대응할 때, 이 대응을 일대일 대응 one to one correspondence 이라고 한다.

corresponding **대응(對應)하는, 일치(一致)하는**

합동(合同) 또는 같은 도형(圖形)에서 동일한 위치 관계에 있는 점이나 선분을 "대응하는" corresponding 점이나 직선이라 한다.

- ~ lines 대응선(對應線)
- ~ points 대응점(對應點)
- ~ sides 대응변(對應邊)
- ~ vertices 대응 꼭지점

corresponding lines, vertices

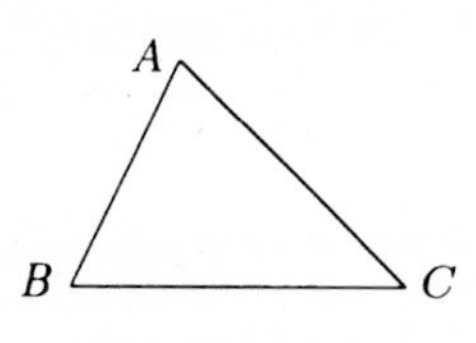

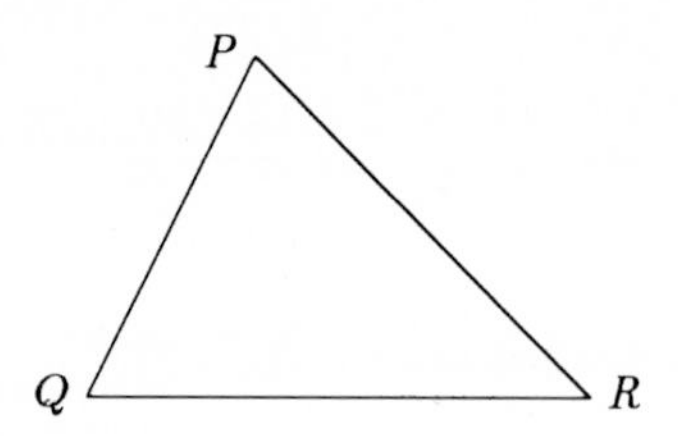

두 닮은꼴 삼각형 ABC와 PQR에서 각 꼭지점 A, B, C와 P, Q, R은 서로 대응하고, 또한 변 AB, BC, CA와 변 PQ, QR, RP도 서로 대응한다.

corresponding angle **동위각(同位角)**

어떤 도형(圖形)에서 같은 위치 관계에 있는 2개의 대응하는 각. 즉 두 직선에 다른 한 직선이 만나서 이루는 같은 위치의 각을 말함. 평행인 두 직선이 다른 한 직선과 만나서 되는 동위각은 같고, 또 동위각이 같을 때,

두 직선은 평행이다.

corresponding angles

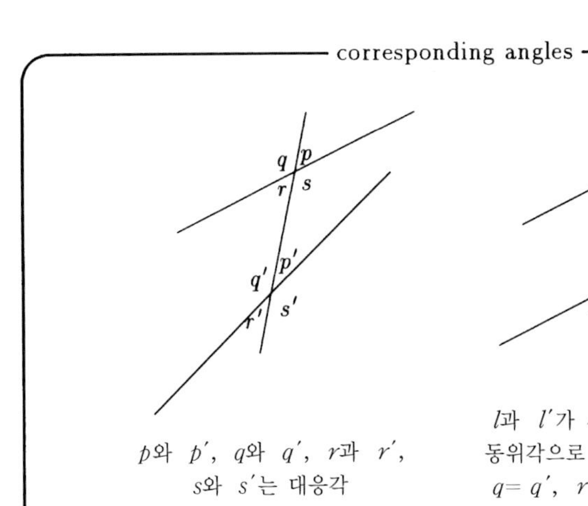

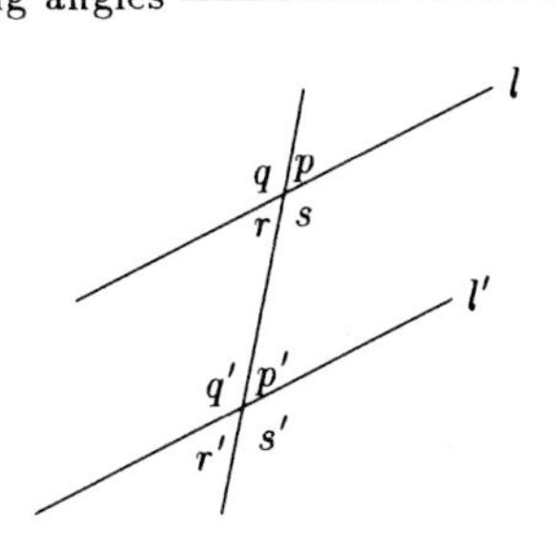

p와 p', q와 q', r과 r', s와 s'는 대응각

l과 l'가 서로 평행일 때, p와 p'는 동위각으로 $p=p'$이다. 마찬가지로, $q=q'$, $r=r'$, $s=s'$이다.

cosec (ant) **코시컨트**

어떤 각(角) θ를 한 각(角)으로 하는 직각삼각형(直角三角形)의 $\dfrac{\text{빗변}}{\text{대변}}$을 그 각의 코시컨트 cosecant 라고 하고 $\operatorname{cosec}\theta$라고 쓴다. $\operatorname{cosec}\theta=\dfrac{1}{\sin\theta}$ 이다.

cosecant

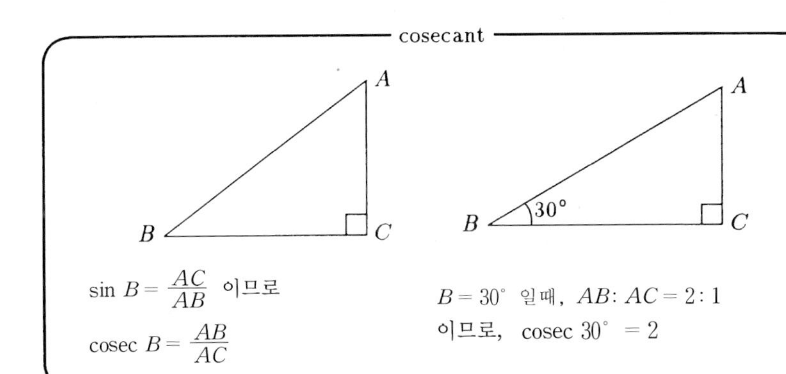

$\sin B=\dfrac{AC}{AB}$ 이므로

$\operatorname{cosec} B=\dfrac{AB}{AC}$

$B=30^\circ$ 일때, $AB:AC=2:1$ 이므로, $\operatorname{cosec}30^\circ=2$

cos (ine) **코사인**

어떤 각(角) θ를 한 각(角)으로 하는 직각삼각형(直角三角形)의 $\frac{\text{밑변}}{\text{빗변}}$을 그 각(角)의 코사인 cosine 이라고 한다. $\cos\theta$로 표시한다.

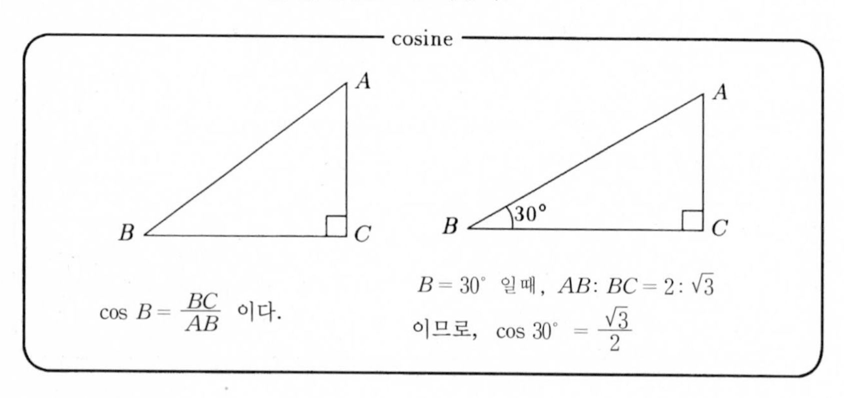

cot (angent) **코탄젠트**

어떤 각(角) θ를 한 각(角)으로 하는 직각삼각형(直角三角形)의 $\frac{\text{밑변}}{\text{대변}}$을 그 각(角)의 코탄젠트 cotangent 라고 한다. $\cot\theta$로 표시한다. $\cot\theta = \frac{1}{\tan\theta}$이다.

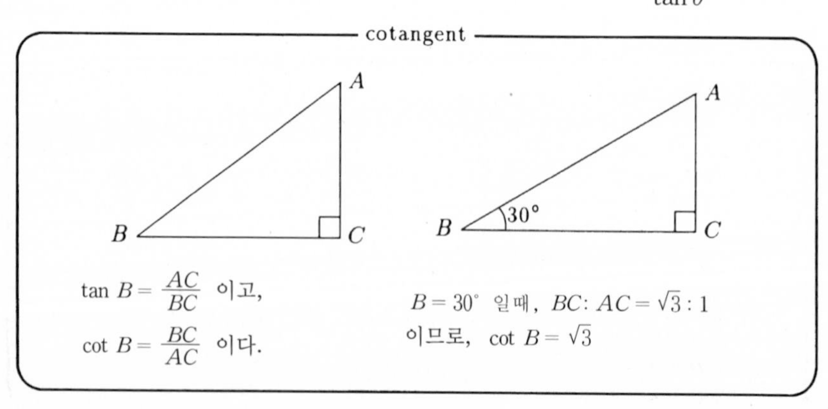

counter example **반례 (反例)**

어느 명제 statement 를 성립할 수 없게 하는 예를 그 명제의 반례 counter example 라고 한다. 명제가 참인 것을 나타내기 위해서는 증명을 하지 않으면 안 되겠지만 참이 아닌 것은 반례(反例)를 하나만 보여 주면 된다.

예 명제 : $a > b \rightarrow a^2 > b^2$

반례 : $a=2$, $b=-3$ 일 때 $a>b$이지만 $a^2<b^2$이다.

cross **십자형, 교차**

cross multiple **십자 곱셈**

분수를 포함하는 방정식에 응용한다. 예를 들면, $\frac{2x-1}{3}=\frac{5+x}{2}$를 풀려면 양변에 $2\times3=6$을 곱해서 $(2x-1)\times2=(5+x)\times3$이 되고 따라서 $4x-2=15+3x$, $\therefore x=17$이다. 이처럼 양변에 6을 곱하지만 실제로는 좌변의 분모와 우변의 분자를 곱하고 우변의 분모와 좌변의 분자를 서로 곱하는 방법을 십자 곱셈 cross multiple 이라 한다.

cross product **외적 (外積)**

공간 내의 2개의 벡터 $\vec{a}$, $\vec{b}$에 대해 $\vec{a}$, $\vec{b}$를 두변으로 하는 평행사변형의 면적을 크기로서 가지고 $\vec{a}$에서 $\vec{b}$ 쪽으로 회전시켰을 때에 나사방향으로 회전하는 방향을 갖는 벡터를 $\vec{a}$, $\vec{b}$의 외적(外積) cross product 이라 하고, $\vec{a}\times\vec{b}$라고 쓴다. $(\vec{a}\times\vec{b})\perp\vec{a}$, $(\vec{a}\times\vec{b})\perp\vec{b}$이다. $\vec{a}\times\vec{b}$와 $\vec{b}\times\vec{a}$에서는 나사방향과 반대가 되므로 $\vec{b}\times\vec{a}=-\vec{a}\times\vec{b}$가 된다.

$\vec{a}$와 $\vec{b}$가 평행($\vec{a} \parallel \vec{b}$ or $\vec{a}//\vec{b}$) 일 때, 평행사변형의 면적은 0이 되므로 $\vec{a}\times\vec{b}=\vec{0}$이다. 특히 $\vec{a}\times\vec{a}=\vec{0}$이다. $\vec{a}$와 $\vec{b}$가 이루는 각을 θ로 하면, 평행사변형의 면적은 $|\vec{a}||\vec{b}|\sin\theta$이므로,

$$|\vec{a}\times\vec{b}| = |\vec{a}||\vec{b}|\sin\theta$$

이다.

예를 들어, 기본 벡터를 $\vec{e_1}$, $\vec{e_2}$, $\vec{e_3}$ 로 하면,

$\vec{e_1}\times\vec{e_2}=\vec{e_3}$, $\vec{e_2}\times\vec{e_3}=\vec{e_1}$,

$\vec{e_3}\times\vec{e_1}=\vec{e_2}$, $\vec{e_2}\times\vec{e_1}=-\vec{e_3}$,

$\vec{e_3}\times\vec{e_2}=-\vec{e_1}$, $\vec{e_1}\times\vec{e_3}=-\vec{e_2}$ 이다.

위와 같은 결과를 이용하면, $\vec{a}=(a_1, a_2, a_3)$, $\vec{b}=(b_1, b_2, b_3)$ 일 때, $\vec{a}\times\vec{b}=(a_2b_3-a_3b_2, a_3b_1-a_1b_3, a_1b_2-a_2b_1)$ 을 얻는다.

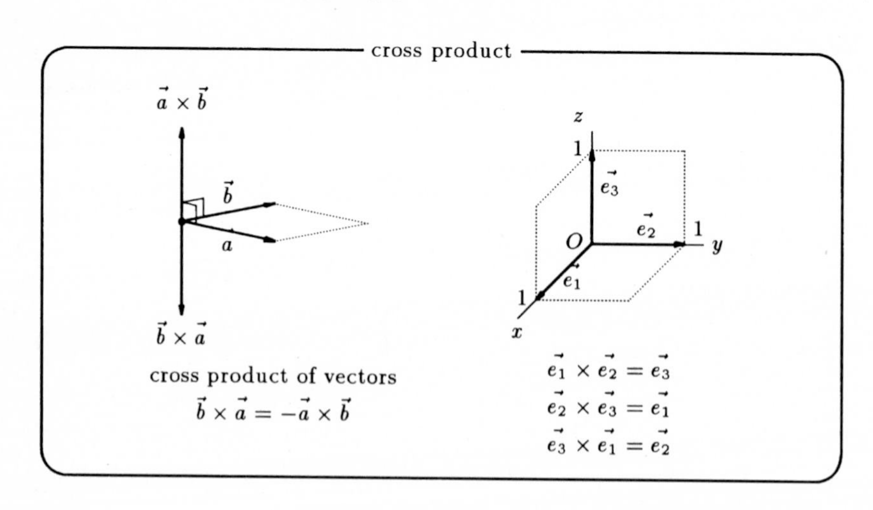

cross section **단면 (斷面)**

입체도형(立體圖形)을 한 개의 평면으로 절단했을 때 생기는 평면도형(平面圖形)을 말한다. 각기둥의 단면은 다각형(多角形)이고 구(球)의 단면은 언제나 원(圓)이다. 원뿔을 잘라 생기는 단면은 원 circle, 타원 ellipse, 포물선 parabola, 쌍곡선 hyperbola 이고, 이들을 원뿔곡선 conic section 이라 한다.

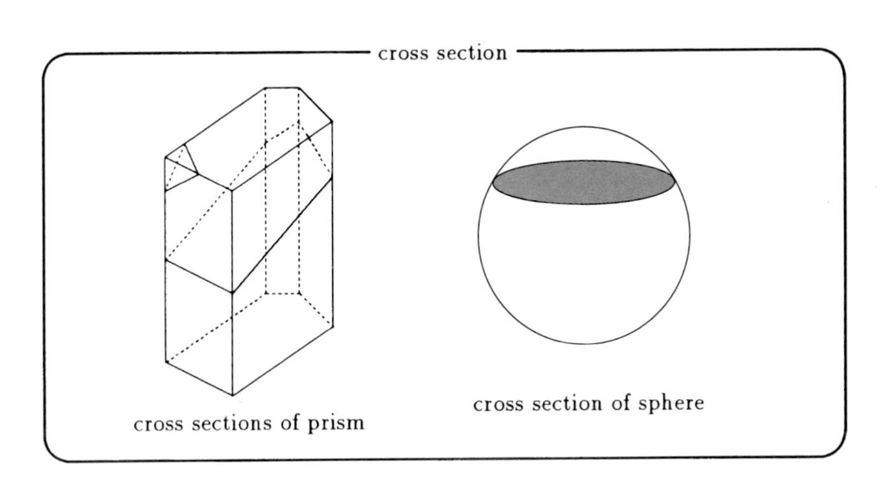

cross-sectional area **단면적(斷面績)**

cube **입방체(立方體), 입방(立方), 3승(乘)**

정육면체 regular hexahedron 라고도 한다. 전체 면(面)이 같은 크기의 정사각형인 직방체(直方體) cuboid 를 말한다. 정육면체의 한변의 길이를 a라 하면, 그 체적은 a^3, 표면적은 $6a^2$이다.

$a \times a \times a$를 a^3이라 쓰고 a의 입방 cube 이라 한다. 예를 들면, five cubed 는 $5^2 = 125$라 표시하고 한 변(邊)의 길이가 5인 입방체의 부피와 값이 같다.

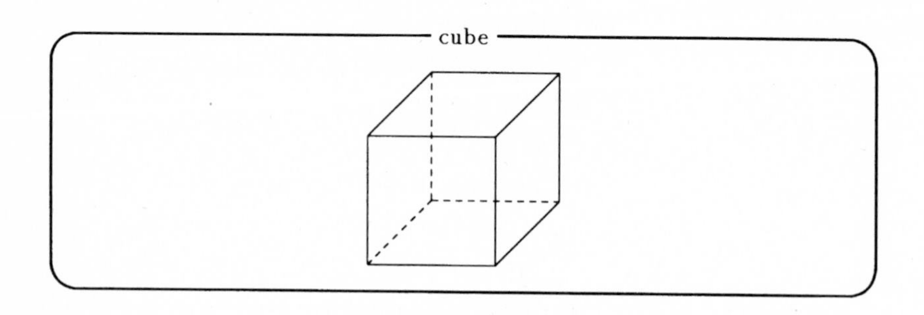

cube root **세제곱근, 3승근 (乘根)**

세제곱해서 a가 되는 수를 말한다. $2\times2\times2=8$이므로 8의 세제곱근은 2이다.

또 지수법칙 $a^x\times a^y=a^{x+y}$ 에 의해

$a^{\frac{1}{3}}\times a^{\frac{1}{3}}\times a^{\frac{1}{3}}=a^{\frac{1}{3}+\frac{1}{3}+\frac{1}{3}}=a^1=a$ 라 생각되어 지므로 a의 세제곱근은 $a^{\frac{1}{3}}$ 라고 쓴다. $4^3=64$이므로 64의 세제곱근은 4 이고, $64^{\frac{1}{3}}=4$가 된다. 1의 세제곱근을 복소수의 범위에서 생각하면 다음과 같다.

$x^3=1$일 때, $x^3-1=0$이므로 인수분해에 의해

$(x-1)(x^2+x+1)=0$

$\therefore x-1=0 \quad or \quad x^2+x+1=0$

이것을 풀면 $x=1 \quad or \quad x=\dfrac{-1\pm\sqrt{3}i}{2}$

따라서, 복소수의 범위에서, 1의 세제곱근은, 1과 $\dfrac{-1\pm\sqrt{3}i}{2}$ 이다.

$\omega=\dfrac{-1+\sqrt{3}i}{2}$ 라 하면 $\omega^3=1$, $\omega^2=\dfrac{-1-\sqrt{3}i}{2}$,

$\omega^2+\omega+1=0$가 성립한다. w를 '허수의' 1의 세제곱근이라고 한다.

cubic 3차의, 입방체의

- ~ curve 3차곡선
  3차방정식으로 나타내어지는 곡선을 말한다.

- ~ equation 3차방정식
  최고의 차수(次數)가 3인 방정식을 말한다. 예를 들면, $2x^3-4x^2+5x-3=0$과 같은 것을 말한다.

- ~ function 3차함수
  최고의 차수(次數)가 3인 함수. 예를 들면 $y=x^3-3x+1$을 말한다.

- ~ number 세제곱수
  어떤 정수(整數)를 세제곱해서 얻을 수 있는 수. 8, 27, 64, 125 등은 세제곱수이다.

cubic centimeter(cc) 세제곱 센티미터

체적, 용적의 단위. 한 변의 길이가 1cm인 입방체의 부피를 1 세제곱 센티미터라 말한다. $1cc=1cm^3$.

cubic meter 세제곱 미터

부피의 단위. 한 변의 길이가 1m인 입방체의 부피를 1 세제곱 미터라 한다. $1m=100cm$이므로 $1m^3=1000000cm^3=1000000cc$이다.

cuboid 직방체 (直方體)

모든 면(面)이 직사각형 rectangle 인 6면체 hexahedron 를 말한다. 직방체의 대면(對面)은 평행으로 같은 형태의 직사각형이다.

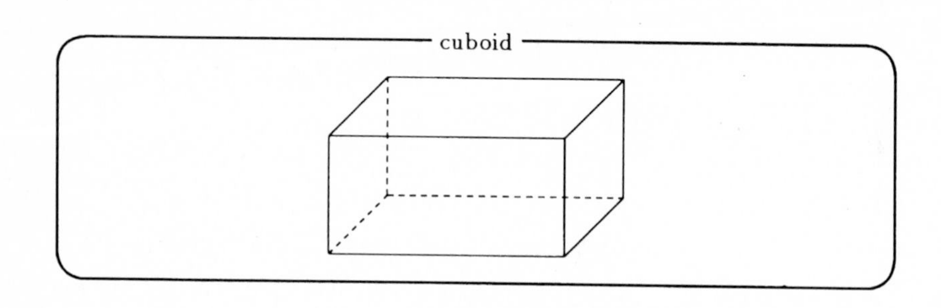

cumulative frequency **누적 도수 (累積 度數)**

도수 분포표(度數 分布表)에서 작은 계급에서 큰 계급으로 도수(度數)를 누적(累積)해 감으로써 얻을 수 있는 도수를 누적 도수 cumulative frequency 라 한다. 누적 도수는 어떤 값 이하의 도수를 조사할 때나 순위를 구할 때 이용한다. 다음 표는 어느 테스트 점수의 도수 분포와 누적도수분포를 비교한 것이다.

cumulative frequency

도수분포표

계급	도수
20 ~ 29	2
30 ~ 39	2
40 ~ 49	6
50 ~ 59	12
60 ~ 69	12
70 ~ 79	8
80 ~ 89	5
90 ~ 99	3

누적도수분포표

계급	누적도수
29 이하	2
39 이하	4
49 이하	10
59 이하	22
69 이하	34
79 이하	42
89 이하	47
99 이하	50

cup **합집합, ∪**

2개의 집합 A, B에 대해 A, B의 원소를 전부 모아서 만든 A, B집합의 합 join 을 말한다. 즉, $A =$

$\{1, 2, 3, 5\}$, $B=\{2, 4, 6, 8\}$일 때 $A \cup B=\{1, 2, 3, 4, 5, 6, 8\}$이다.

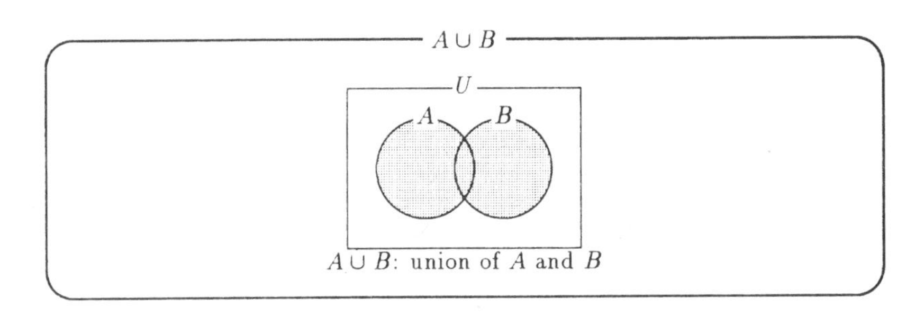

current — 흐름 ; 현재의 ; 현행의

- ~ coordinate (s) 유통좌표

일반적으로 도형의 궤적을 나타내는 방정식에 이용되어지는 변수는 x, y이고, 이들은 도형위의 점의 좌표를 나타낸다. 이를 유통좌표 current coordinates 라 한다.

curve — 곡선 (曲線)

- quadratic ~ 2차곡선

2차 방정식에서 표현하는 곡선으로 포물선 parabola, 쌍곡선 hyperbola, 타원 ellipse, 원 circle 을 생각할 수 있다. → conic section

- sine ~ 싸인곡선

$y=\sin x$의 그래프를 말한다.

$y=\cos x$의 그래프는 이 곡선을 x축의 마이너스 방향으로 $\frac{\pi}{2}$ 만큼 평행 이동한 것이다.

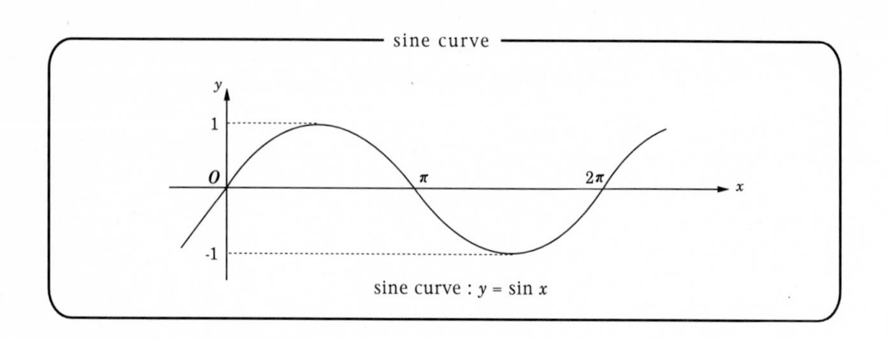

cusp **첨점 (添点)**

2개의 곡선이 접선을 공유하듯이 한 점에서 만날 때 그 점을 뾰족점, 첨점(添点)이라고 한다.

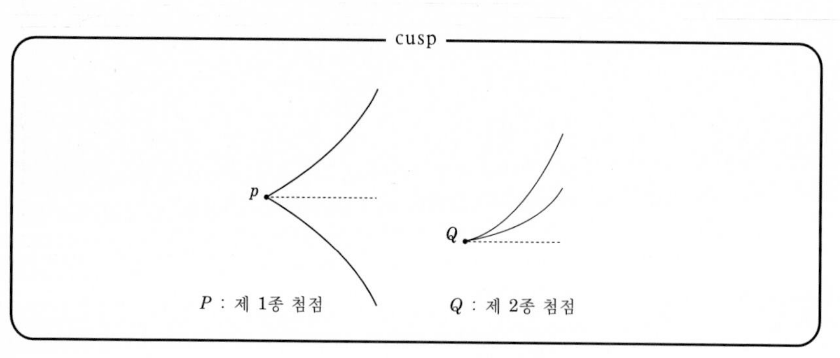

cut-off **버림**

근사값을 구할 때 구하는 자리수 아랫 자리수를 버리는 것 rounding down, rounding to zero 을 말한다.
예를 들면, 36.4759 를 소수점 둘째 자리 이하를 버리고 소수점 첫째 자리까지만 구하면 36.4 가 된다.

cyclic **순환의, 주기적 (週期的) 인**

원주(圓周)위에 배열된 숫자처럼 계속 반복되는 형태를

말한다. 예를 들면, 1 에 3을 곱해 가면 1, 3, 9, 27, 81, 243, 729, 2187, ... 의 행렬이 생기고 끝 수만 나타내면 1, 3, 9, 7, 1, 3, 9, 7, ... 처럼 1, 3, 9, 7이 반복해서 나타나게 된다.

cyclic quadrilateral 내접 사각형

한 개의 원에 내접한 사각형을 말한다. 내접 사각형의 4개의 꼭지점은 같은 원주(圓周)위에 있고 내각(內角)의 합은 180° 이다.

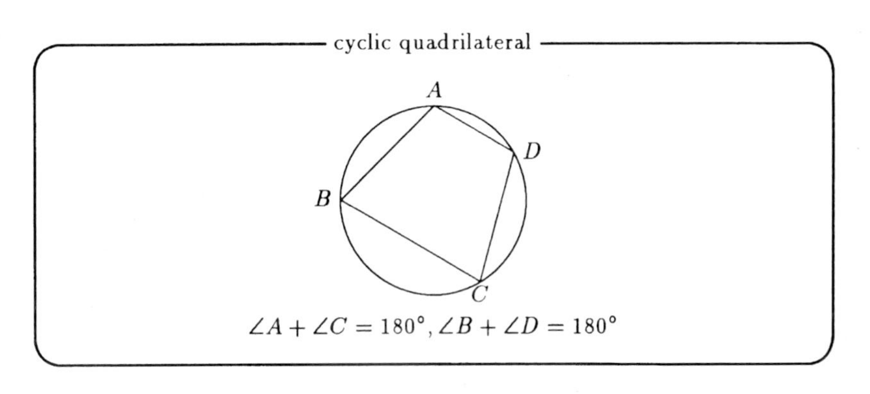

cycloid 사이클로이드

직선 위에 놓여진 한 원을 1회전 시킬 때 처음 바닥에 접해 있던 원주위의 한 점이 그리는 곡선을 말한다.

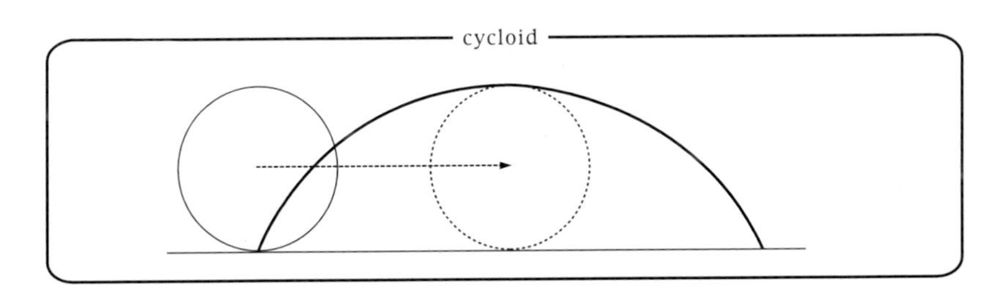

cylinder **원기둥**

밑면이 구(球)인 기둥을 말함. 밑면의 반지름이 r, 높이가 h인 원기둥의 부피를 $\pi r^2 h$이고, 겉넓이는 $2\pi r^2 + 2\pi rh$이다.

- circular ~ 원기둥

  원기둥임을 강조하고자 할 때 circular 를 붙인다.

- elliptic ~ 타원기둥

  밑면이 타원인 원기둥을 가리킨다.

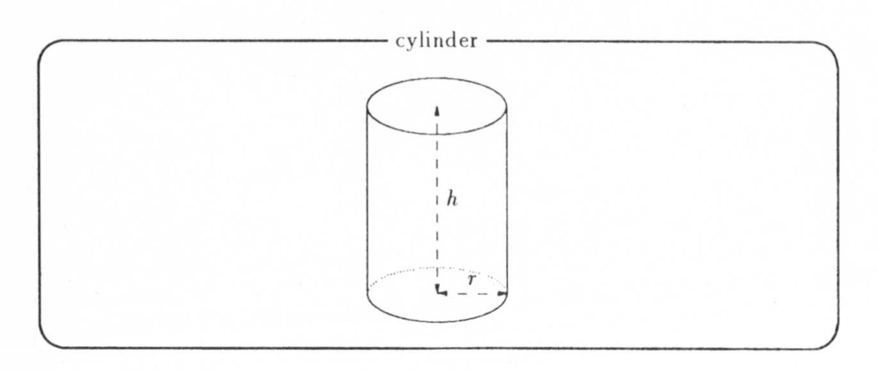

data 데이터, 자료

시행에 의해 얻어질 수 있는 정보.

deca- '10'의 뜻

decagon 10각형, 10변형

10개의 변과 10개의 꼭지점에 의해서 만들어지는 다각형.

decahedron 10면체

10개의 면 side 에서 만들어지는 다면체 polyhedron 를 말한다.

deci- '$\frac{1}{10}$'의 뜻

decimal 10진법의, 소수 (小數) 의 ; 소수 (小數)

10을 기본으로 하는 기수법을 나타낸다.

1, 10, 100, 1000 ...., $\frac{1}{10}$, $\frac{1}{100}$, $\frac{1}{1000}$ 을 사용한다. 예를 들어, 245.12는 $2\times100+4\times10+5+\frac{1}{10}+\frac{2}{100}$ 을 나타내고 two hundred and forty five point one two 라고 읽는다.

- ~ finite 유한소수

  소수점 이하가 유한개로 끝나는 소수.

- ~ infinite 무한소수

  소수점 이하가 무한대로 계속되는 소수. 무한소수 가운데 소수점 이하에 몇 개의 숫자의 배열이 반복되어

가는 소수를 순환소수 repeating decimal 라고 하고, 순환소수 외의 소수를 비순환소수 nonrepeating decimal 라고 한다. 비순환 소수는 무리수 irrational number 이다.

- nonterminating ~ = infinite decimal
- terminating ~ = finite decimal

decimal place **소수(小數) 자리**

소수점 이하의 자리를 말한다. two decimal places 라고 할 때에는, 소수점 이하를 두 자리로 표시하는 것이다. 즉, 25.4376는 25.44가 되며 25.4376 is 25.44 correct to two decimal places 라고 한다.

decreasing **감소하는**

줄어들어 가는 상태. 예를 들어, 함수 $y=\frac{1}{x}$ 에서 $x>0$일 때 x의 값이 커짐에 따라 y의 값은 작아지기 때문에 이 함수는 감소하고 있다고 한다.

deduce **추론(推論)하다** → deduction

deduction **추론(推論) ; 공제, 차감액**

어떤 가정과 조건에서 결론을 끌어내는 과정을 말한다.

definition **정의(定義)**

degree **차(次), 차수(次數), 도(度)**

1. 각도의 단위 : 1회전각을 360으로 나눈 값. 1°라고 쓴다. 1회전각=360°, 반회전각=180°, 직각=90°이다.

1°의 $\frac{1}{60}$ 을 1′ (1분), 1′ 의 $\frac{1}{60}$ 을 1″ (1초)라고 한다. 따라서, 5.2°= 5°12′ 이 된다.

2. 온도의 단위 : 온도를 측정하기 위한 단위를 한자로 나타낸 것을 말함. 1°라고 나타낸다. 섭씨 Celsius 는 어는 점을 0°, 끓는 점을 100°로 하는 단위이다. 또 화씨 Fahrenheit 에서는 어는 점이 32°, 끓는 점이 212°이다.
3. 차수 : 다항식에서 각 항의 변수에 붙어 있는 수 (거듭제곱)를 그 항의 차수 degree 라고 한다. 다항식의 최고차(次)항의 차수를 다항식의 차수 degree of polynomial 라고 한다.

예 $3x^5$의 차수는 5이고, $4x^3+2x^2+5x$의 차수는 3이다.

degree

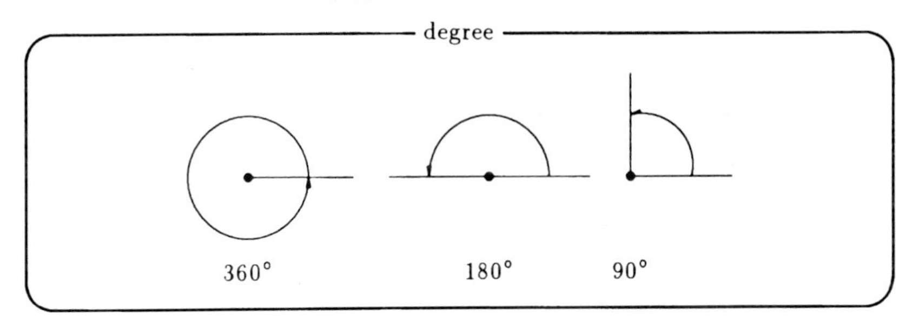

denary **10의, 10진법의**

decimal 과 같다.

- ~ scale 10진법

denomination **분모 (分母)**

분수의 선 아래에 적혀있는 수(식)을 나타낸다. 즉, 분자 numerator 를 나누는 값을 말한다. $\frac{5}{7}$ 의 분모는 7이다. 5는 $\frac{5}{7}$의 분자라고 한다. $\frac{5}{7}$는 five over seven 이라고 읽는다.

depend **종속하다**

dependent **종속하는**

변수나 사건이 다른 변수 또는 사건에 의해 영향을 받을 때를 말한다.

■ ~ events 종속사건

확률에 있어서 사건 A가 일어나는 확률이 사건 B가 일어나고 있는 상황과 그렇지 않은 상황에서 달라질 때 사건 A는 사건 B에 종속하고 있다라고 한다. 예를 들어, 하나의 당첨 제비를 포함하는 10개의 제비를 A, B 두 사람이 차례로 뽑는 것을 생각해 보자. A가 당첨되었을 때 당첨될 수 있는 제비는 남아있지 않기 때문에 B가 당첨될 확률은 0이다. 그런데, A가 당첨되지 않았을 때, 남은 9개의 제비의 안에는 아직 당첨 제비가 하나 남아있기 때문에 B가 당첨될 확률은 $\frac{1}{9}$이다. 따라서 'A가 당첨된다' 사건(事件)에 'B가 당첨된다' 사건은 종속되어 있다.

■ ~ variable 종속변수

변수 x의 변화에 따라서 변수 y도 변화할 때 변수 y를 말한다. 이 때 변수 x는 독립 변수 independent variable 라고 한다. 예를 들어, y를 한 변의 길이가 x인 정사각형의 면적이라 하면 $y=x^2$이 되고, y의 값은 x의 값에 의해 정해지므로 y는 x에 종속 depend 되어 있다.

depression 부각(俯角), 복각(伏角)

■ angle of ~ 부각, 복각
아래를 내려다보는 각도. 자신보다 밑에 대상이 있을 때 수평 방향에서 대상물까지의 각도를 말한다.

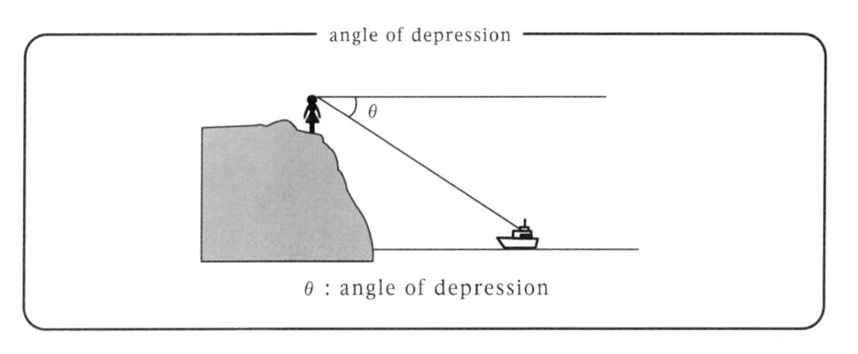

derivation 미분(微分)
= derivative

derivative 미분, 도함수(導函數)
함수에서 순간의 변화율 rate of change. $y=f(x)$를 변수 x의 함수, Δx를 x의 증가분이라고 할 때, y의 증가분 Δy는 $f(x+\Delta x)-f(x)$가 된다.
이때, $\dfrac{\Delta y}{\Delta x}=\dfrac{f(x+\Delta x)-f(x)}{\Delta x}$를 평균 변화율 average rate of change 이라고 한다. 여기서 Δx를 0에 가깝게 할 때의 평균변화율을 f의 미분 derivative 또는 미분계수 differential coefficient 라고 한다. 각 점 x에서 미분계수의 값은 x의 함수가 되기 때문에 함수 f의 도함수 derivative, derived function 라고 하며, f', $f'(x)$, y', $\dfrac{dy}{dx}$, $\dfrac{d}{dx}f(x)$처럼 쓴다. → differentiation

$y=f(x)=x^2$일 때, $f(x+\Delta x)=(x+\Delta x)^2$이므로,

$\Delta y=(x+\Delta x)^2-x^2=2x\Delta x+(\Delta x)^2$에 의해서,

$$\frac{\Delta y}{\Delta x}=\frac{2x\Delta x+(\Delta x)^2}{\Delta x}=2x+\Delta x$$

$$\therefore\ \frac{dy}{dx}=\lim_{\Delta x\to 0}(2x+\Delta x)=2x$$

따라서, $y'=f'(x)=(x^2)'=2x$이다.

일반적으로 $n\neq 0$일 때, $(x^n)'=nx^{n-1}$이다. 예를 들어, $(x^3-x^2+x)'=3x^2-2x+1$이 된다.

derive **끌어내다, 추론하다**

■ ~d function 도함수

determinant **행렬식 (行列式)**

정사각행렬 square matrix 에 대응되어진 하나의 값. 행렬식 determinant 은 정사각행렬의 원소를 어떤 규칙에 따라 곱한 것의 합이다. 2차 정사각행렬 $A=\begin{pmatrix} a & b \\ c & d \end{pmatrix}$의 행렬식은 $a\times d-b\times c$이고, $detA$, $det\begin{pmatrix} a & b \\ c & d \end{pmatrix}$ 또는 $\begin{vmatrix} a & b \\ c & d \end{vmatrix}$ 이라고 쓴다. 따라서 $\begin{vmatrix} 3 & 4 \\ 1 & 2 \end{vmatrix}=3\times 2-4\times 1=2$이다.

deviation **편차 (偏差)**

확률 변수의 값과 평균과의 차를 말함. 예를 들어, 어떤 반의 수학 시험 평균이 55점일 때, 60점과의 편차는 $60-55=5$점이고, 40점과의 편차는 $55-40=15$점이다.

■ mean ~ 평균편차

편차의 평균.

2, 4, 6, 8의 평균은 $\frac{2+4+6+8}{4}$=5이기 때문에, 각각의 편차는 3, 1, 1, 3이다. 따라서 평균 편차는 $\frac{3+1+1+3}{4}$=2 이 된다.

- standard ~ 표준편차
  편차 제곱의 평균을 분산 variance 이라고 하고 분산의 제곱근을 말한다. 2, 4, 6, 8의 편차는 각각 3, 1, 1, 3이었기 때문에 분산은 $\frac{9+1+1+9}{4}$=5가 되고 표준편차 σ는 $\sigma=\sqrt{5}\fallingdotseq 2.236$이다.

diagonal

대각선

다각형에 있어서 서로 이웃하지 않는 두 개의 꼭지점을 연결해 생겨나는 선분을 나타낸다. 하나의 꼭지점에서는 자신과 이웃하는 두 개의 꼭지점을 제외하고 각 꼭지점에 대각선을 긋는 것이 가능하다. 따라서 n각형의 각 꼭지점에서 끌어낼 수 있는 대각선은 $n-3$개이다. 따라서 n개의 꼭지점이 있기 때문에 $n\times(n-3)$개이다. 그런데 1개의 대각선을(양측의 꼭지점에서) 2번씩 세고 있기 때문에 전부 $\frac{n\times(n-3)}{2}$개의 대각선이 있는 것이 된다. 예를 들어, 오각형의 대각선의 개수는 전부 $\frac{5\times(5-3)}{2}$=5개이다.

평형사변형 parallelogram 의 대각선은 서로 다른 것을 이등분한다 bisect each other. 마름모 rhomb, rhombus 의 대각선은 서로를 수직 이등분하고 있다.

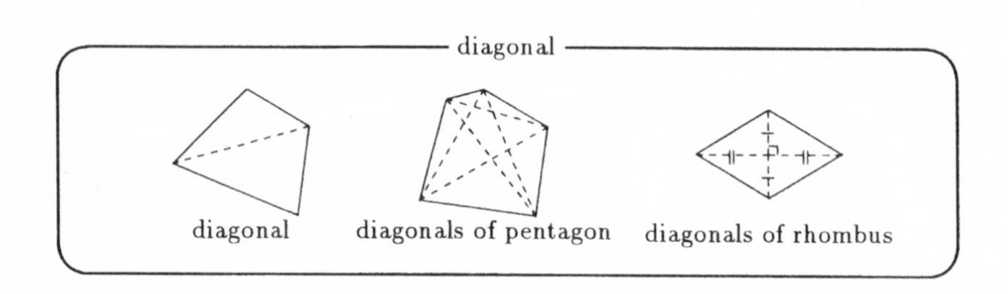

diagram **도표, 도형**

diameter **직경, 지름**

원의 중심을 통과하는 현 chord 을 말한다. 또, 지름은 반지름 radius 길이의 2배이다.

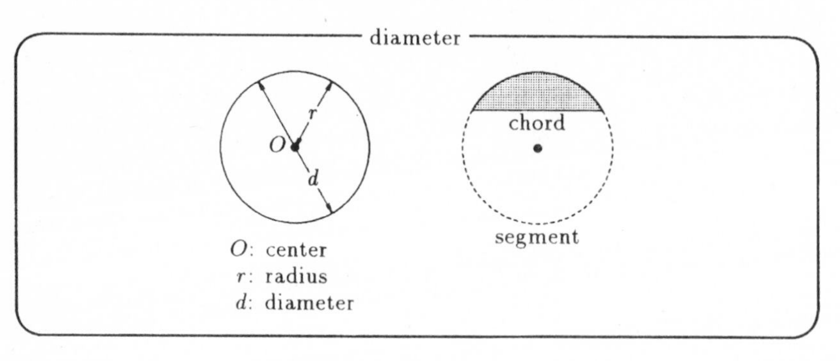

difference **차, 차분**

두 개의 수 중 큰 쪽에서부터 작은 쪽을 뺀 것을 말한다. 예를 들어, 3과 7의 차 the difference between 3 and 7 는 $7-3=4$이다. 또 26과 12의 차는 $26-12=14$이다.

differential **미분의 , 차(差)의 ; 미분**

$y=f(x)$일 때, $dy=f'(x)dx$을 f의 미분 differential

이라고 한다.

differentiate **미분하다**
도함수 derivative 를 구하는 것 → derivative

differentiation **미분하기, 미분법**

digit **자리 (수), 숫자**
10진법에 있어서 0,1,2,3,4,5,6,7,8,9를 '숫자' digit 라고 한다. 수 26은 숫자 2와 6으로 구성 되어 있다 26 has two digit 2 and 6

digital **숫자의, 계수형 (計數型) 의**
숫자로 표현된다는 뜻. 연속적인 양의 표현보다 불연속적인 수량의 표현에 이용되어진다. 바늘로 속도를 보여주는 속도계에 반해서, 속도가 숫자로 35.00 miles/h처럼 표현될 때, 이 속도계는 '디지탈' digital 이라고 한다.

dimension **차원 (次元)**
도형위의 점을 표현할 때, 필요한 원소의 (최소의) 개수를 말한다. 길이만 갖는 도형(직선 등)은 1차원, 넓이는 갖지만 부피를 갖지 않는 도형(평면 등)은 2차원, 부피를 가지는 것(공간)은 3차원이다.
예를 들어, 평면 내의 점을 표시하는 데는, 원점에서의 '가로방향의 거리'와 '세로방향의 거리'라고 하는 두 개의 원소가 필요하고, 좌표는(a, b)의 형식이 되기 때문에 2차원이다. 공간내의 점의 경우는 '가로방향', '세로방향', '높이'의 3가지 원소를 가지고 있기 때문에 3차원이다. 좌표는(a, b, c)의 형식이 된다.

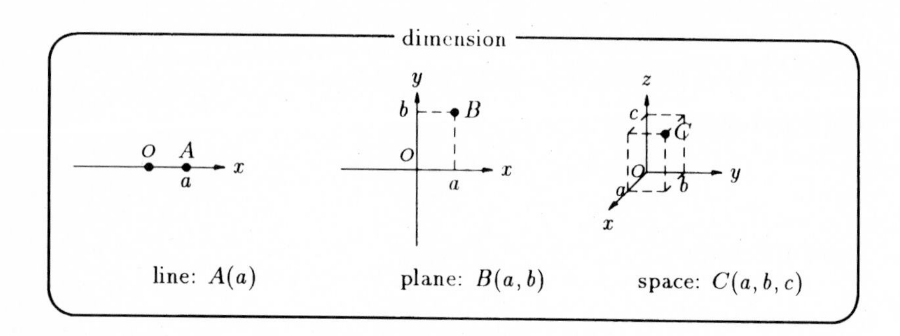

direct 향하다 ; 직접적인

■ ~ isometry 정등장(正等長) 변환

평행이동 translation, 회전이동 rotation 과 대칭이동 reflection 처럼 선분(線分)의 길이를 변화시키지 않는 변환을 나타낸다. 등장 변환 중에서 도형을 반전시키지 않는 것을 정등장변환 direct isometry 이라고 한다.

정등장 변환은 각도를 변화시키지 않기 때문에 합동변환 congruent transformation 이다.

■ ~ proportion 정비례

두 변수의 비가 일정할 때 한 쪽은 다른 쪽에 정비례한다 be in direct proportion to 라고 한다. 예를 들어 속도가 일정할 때, 움직인 거리는 시간에 비례한다 the distance travelled is in direct proportion to the time taken 처럼 표현한다. 움직이는 시간이 2배, 3배가 되면, 움직인 거리도 2배, 3배가 된다. 두 개의 변수 x, y가 비례하고 있을 때 $y \propto x$와 같이 쓴다. $y \propto x$일 때 x와 y의 비가 일정하기 때문에 $\frac{y}{x} = k$, 즉, $y = kx$라고 쓸 수 있고, 이 때, k는 비례상수 constant of variation 라고 한다.

$y=3x$일 때, y는 x에 비례하고 $x=1$일 때 $y=3$이고 $x=4$일 때, $y=12$이다. 또 $y \propto x$에서 $x=8$일 때, $y=6$이 된다면 $y=kx$에 대입해서 $6=8k$이고 $k=\frac{3}{4}$이다. 따라서 $y=\frac{3}{4}x$이고 $x=4$일 때 $y=3$이 된다.

■ ~ varaiation 정비례

direct proportion 과 같음. x와 y가 정비례하고 있을 때 x and y are in directive variation 처럼 표현한다.

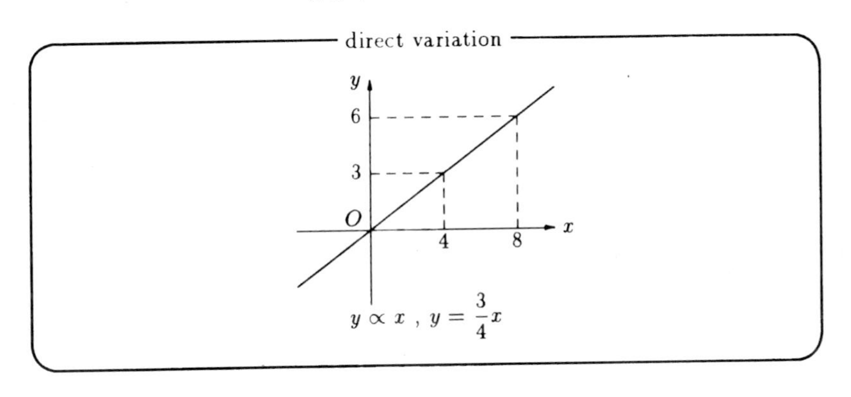

directed 방향이 있는, 유향(有向)의

■ ~ angle 유향각(有向角)

방향을 가진 각도를 말한다. 일반적으로 반시계방향 anti-clockwise, 정시계방향 clockwise 이 있다.

■ ~ (line) segment 유향선분

방향을 가진 선분을 나타낸다. 이 때 선분 BA와 선분 AB는 방향이 반대이기 때문에 다른 유향(有向) 선분이다. 유향선분은 벡터 vector 라고 생각되어진다.

■ ~ number 유향수

수에서 양(+) 또는 음(−)의 기호를 붙인 것을 나타낸다. 유향수(有向數)는 보통 수직선(數直線)상의 점으로 표현된다. 양 positive (+)의 수는 원점 O의 우측, 음 negative (−)의 수는 원점 O의 좌측에 둔다.

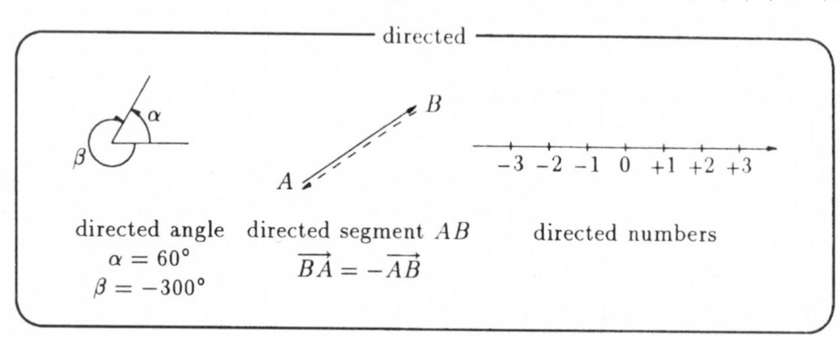

directrix **준선 (準線)**

포물선 parabola 은 한 개의 정점과 한 직선까지의 거리가 같은 점이 만드는 도형이다. 한 정점을 초점 focus, 한 직선을 준선 directrix 이라고 한다. 일반적으로 원뿔곡선 conic section 은 초점에서의 거리와 준선에서의 거리의 비 ($\frac{\text{초점에서의 거리}}{\text{준선으로부터의 거리}}$) 가 일정한 점이 만드는 도형이다. 이 일정한 비를 원뿔곡선의 이심율(率離心) 이라고 한다. 이심율 eccentricity 의 값에 의해 곡선은 포물선, 타원 ellipse, 쌍곡선 hyperbola 중에 하나가 된다. → eccentricity

준선과 초점은 포물선에서는 1쌍, 타원과 쌍곡선에는 2쌍 존재한다.

아라비아 숫자의 시초는?

➡ 우리가 지금 사용하고 있는 숫자 0, 1, 2, 3, 4, 5, 6, 7, 8, 9를 흔히 아라비아 숫자라고 하지만 아라비아인이 이들 숫자를 만든 것이 아니고, 인도에서 처음 시작한 것을 아라비아인들이 유럽으로 전한 까닭으로 그 이름이 생긴 것이다.

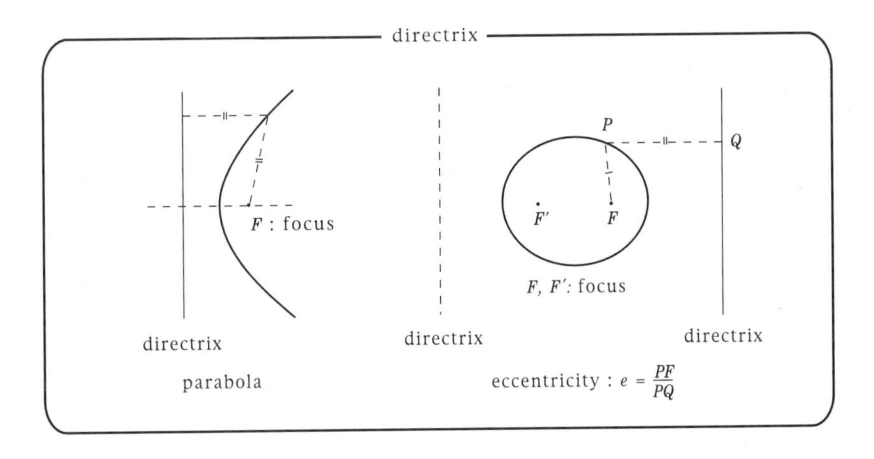

discontinuous **불연속의**

discrete **이산적(離散的)인**

갯수와 사람수처럼 수를 셀 수 있는 띄엄띄엄한 수를 말한다. 이에 대해, 선분의 길이 등은 전부 실수의 값을 갖기 때문에 연속이다. 한편, 정수는 수직선상에서 점으로 표현되므로 이산적이다.

discriminant **판별식**

2차 방정식 $ax^2+bx+c=0$의 해는, 공식

$$x=\frac{-b\pm\sqrt{b^2-4ac}}{2a}$$

으로 구할 수 있다. 근호안의 식 b^2-4ac을 2차 방정식의 판별식이라고 한다. $D=b^2-4ac$라고 놓을 때, D의 값에 의해 2차 방정식의 해의 종류를 판단할 수 있다. $D>0$일 때 $\sqrt{D}$는 실수이기 때문에 해도 실수가 된다. $D=0$일 때 $\sqrt{D}=0$이기 때문에 해는 한 개의 실수이다. $D<0$일 때 $\sqrt{D}$는 허수이므로 해도 허수이다.
요약해보면, 2차 방정식 $ax^2+bx+c=0$은
$b^2-4ac>0$일 때 2개의 서로 다른 실근 real roots
$b^2-4ac=0$일 때 중근 equal roots
$b^2-4ac<0$일 때 2개의 허근 imaginary roots
을 가진다.

disjoint **교차하지 않는, 서로 소인, 배반의**

두 개의 집합 A, B에 공통의 원소가 존재하지 않을 때, 이 두 개의 집합 A, B의 관계를 말한다. 집합 A, B가 서로 소인 경우 A와 B의 공통부분 intersection $A\cap B$은 공집합 ϕ이다. 예를 들어, $A=\{1, 3, 5, 7\}$, $B=\{2, 4, 6, 8\}$일 때 A, B는 서로 소이며 배반관계에 있다.

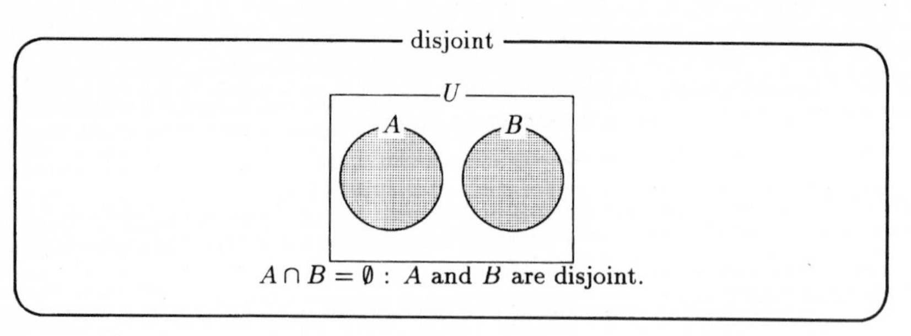

$A\cap B=\emptyset$: A and B are disjoint.

dispersion **흩어짐, 산포(散布), 분산**

시험점수의 분포를 나타내기 위해서는 평균을 자주 이용한다. 그러나 같은 평균이어도 점수분포가 평균 부분의 점수에 집중되어 있을 경우와 평균으로부터 떨어져 있는 경우로 생각할 수 있다. 이처럼 평균으로부터 떨어져 있는 모양을 흩어짐, 산포라고 한다.
흩어져 있는 정도는 평균편차 mean deviation, 표준편차 standard deviation 등을 이용하여 표시할 수 있고 흩어져 있는 모양은 산포도 measure of dispersion 로 나타낼 수 있다. → deviation

displace 교체하다, 이동시키다, 치환하다

displacement 이동, 변위(變位)

점과 도형 등을 다른 장소로 움직이게 하는 것을 말한다. 이동은 일반적으로 거리와 방향으로 나타낸다. 동쪽으로 4km 이동하고, 계속해서 북쪽으로 3km 이동하는 것을 벡터로 표시하면 $\begin{pmatrix}4\\3\end{pmatrix}$의 이동으로 나타내기도 한다.

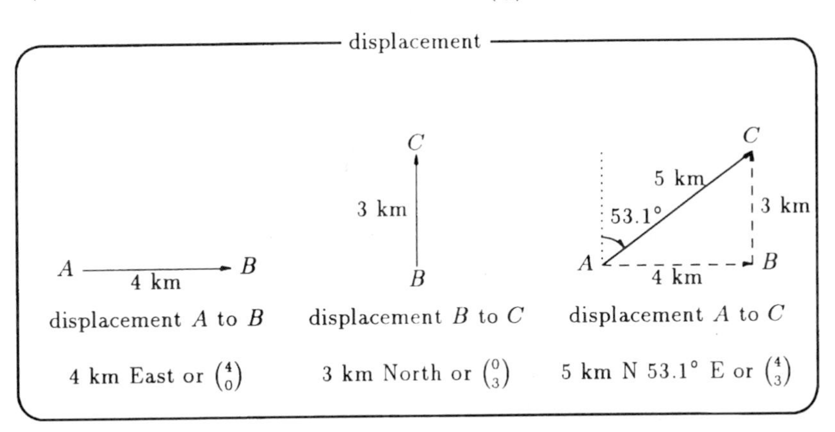

disproof 반증(反証)

어떠한 사항이 틀려있는 것의 증명을 말한다.

disprove 반증하다

distance 거리

두 점 A, B를 연결하는 선분 AB의 길이를 두 점 A, B 사이의 거리라고 한다. 점과 직선 사이의 거리는 점에서부터 직선에 내린 수선의 길이이다.
일반적으로, 두 개의 도형의 거리는 각각 도형 위의 임의의 점 P, Q를 찍었을 때의 거리 PQ의 최소값이다.
예 The distance between A and B is two inches.

distribution **분포**

어떤 측정값 등에서 수치의 빈도(도수) 상태를 말한다.

■ frequency ~ 도수 분포

오른쪽의 표는 여자 40명의 핸드볼 던지기의 결과를 모은 것이다. 각 계급에 들어가는 사람 수를 도수라고 하고, 각 계급의 중앙의 값을 계급값이라고 한다. 이 표에 의해 핸드볼 던지기의 도수 분포를 알 수 있다.

frequency table

거리(m)	계급값	도수
8 ~ 10	9	2
10 ~ 12	11	3
12 ~ 14	13	7
14 ~ 16	15	12
16 ~ 18	17	10
18 ~ 20	19	4
20 ~ 22	21	1
22 ~ 24	23	1

■ normal ~ 정규 분포

오른쪽의 도수 분포는 중앙에 사람 수가 집중해 있고 끝으로 갈수록 사람 수가 적어지고 있다. 이러한 벨형 bell-shaped 의 분포를 정규 분포라고 한다. 큰 집단의 시험 점수와 신장 분포 등은 정규분포를 이룬다.

distributive **분배의**

곱셈(×)과 덧셈(+)에 관해, 분배법칙 $a \times (b+c) =$

$a \times b + a \times c$이 성립하고, 이 때 곱셈은 덧셈에 대해 분배적이다 The operation × is distributive over + 라고 한다. 곱셈은 뺄셈에 대해서도 분배적이다.
다항식의 곱셈은, 분배법칙을 몇 번 사용해서 다음과 같이 계산한다.

$$\begin{aligned}(2x+3)\times(4x-5) &= 2x\times(4x-5)+3\times(4x-5)\\ &= 2x\times 4x-2x\times 5+3\times 4x-3\times 5\\ &= 8x^2+2x-15\end{aligned}$$

diverge

발산하다

n을 무한히 크게 할 때, $\frac{1}{n}$은 0에 수렴한다. 수렴하지 않을 때는 발산한다고 한다. n을 무한히 크게 할 경우, n^2도 무한히 커져가고 이 때 n^2은 양의 무한대 $(+\infty)$로 발산한다고 한다. 또 $-n^2$은 무한대로 작아지고 음의 무한대 $(-\infty)$로 발산한다. $1-2+3-4+5-6+\ldots.$의 최초의 1, 2, 3, ...항까지의 합은, 각각 1, −1, 2, −2, 3, −3 ....이 됨으로 이 합은 수렴하지 않는다. 따라서 이 합은 발산한다.
그런데 이 합은 양의 무한대까지도, 음의 무한대까지도 발산하지 않고 수렴도 하지 않는다.

dividend

피제수 (被除數)

나누어 지는 수를 말함. 나눗셈 $a \div b$에 있어서 a가 피제수, b가 제수 divisor 이다.
또, 주식 등의 이익배당을 dividend 라고 한다.

divisibility

정제성 (整除性)

정수가 정수로 나누어 떨어지는 성질을 말한다.

division **나눗셈, 제법 (除法)**

곱셈의 역 연산을 말하며 $a \div b$는 방정식 $b \times x = a$의 해 x를 구하는 연산이다.
정수는 나눗셈에 관해 닫혀있지 않다. 즉 정수의 범위에서는 나눗셈의 결과가 정수가 되지 않을 수도 있다. 유리수는 나눗셈에 관해 닫혀있다. 나눗셈의 결과 분수 fraction 의 형태로 $a \div b = \frac{a}{b}$처럼 쓰여진다.

나눗셈에는 예를 들어서, $24 \div 6 = 4$는 '24개를 6개로 나누어, 4개씩' 이라는 사고와 '24가운데 6이 4개 들어있다' 라고 하는 사고방식이 있다.

divisor **제수, 인수, 약수**

나누는 수를 말함. 나눗셈 $a \div b$에 있어서, a가 피제수, b가 제수이다. 또, '3은 6의 약수이다' 라고 할 때는 나누어 떨어지는 수의 의미로 인수 factor 와 같다 1, 2, 3 and 6 are divisors of 6.

dodeca- **12의 뜻**

dodecagon **12각형**

12개의 변과 각을 가지는 다각형을 나타낸다.

dodecahedron **12면체**

5개 밖에 없는 정다면체 regular polyhedron 의 하나로 정 12면체가 있다. 정 12면체는, 12개의 동일한 정 5각형 regular pentagon 로부터 생기는 다면체로서 20개의 꼭지점 vertices 과 30개의 변 edges 을 갖는다.

domain

정의역 (定義域)

함수가 독립변수로 쓸 수 있는 영역의 값들을 나타낸다. 예를 들어, 집합 $A=\{1, 2, 3\}$로부터 집합 $B=\{1, 2, 3, 4, 5, 6\}$로의 함수 function f가 $f(x)=2x$로 정의되어있다고 하면 집합 A를 정의역, 집합 B를 공역 co-domain 이라고 한다. 또, f의 상(像) $\{2, 4, 6\}$을 f의 치역 image set, range 이라고 한다.

함수 $y=\sqrt{x}$의 정의역은 $\{x \mid x \geq 0\}$이고 이 때 y가 취하는 값의 범위인 $\{y \mid y \geq 0\}$이 치역이 된다.

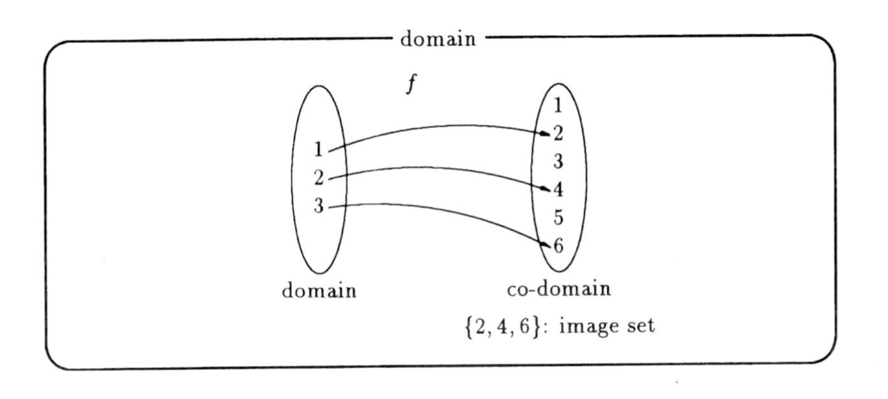

dot product

내적 (内積) (=inner product)

벡터 $\vec{a}$, $\vec{b}$가 이루는 각을 θ라고 할 때 $|\vec{a}|\,|\vec{b}|\cos\theta$을 벡터 $\vec{a}$, $\vec{b}$의 내적 dot product 이라고 하고 $\vec{a}\cdot\vec{b}$라고 쓴다.

$\vec{a}=(a_1, a_2, a_3)$, $\vec{b}=(b_1, b_2, b_3)$일 때

$\vec{a}\cdot\vec{b}=a_1b_1+a_2b_2+a_3b_3$ 이다.

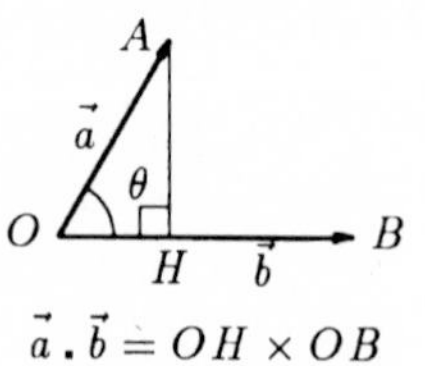

(2, 2)
a
45°
(3, 0)
b

$\vec{a} \cdot \vec{b} = OH \times OB$
$= OA \times OB \times \cos\theta$

$OA = 2\sqrt{2},\ OB = 3,\ \theta = 45°$
$\vec{a} \cdot \vec{b} = 2\sqrt{2} \times 3 \times \frac{1}{\sqrt{2}} = 6$

dual **쌍대 (雙對) 의, 쌍대적인, 이중의**

예를 들어, 삼각형의 세 변의 중점을 선분으로 연결하면 새로운 삼각형이 만들어진다. 이처럼 두 개의 도형을 쌍대 다각형 dual polygon 이라고 한다. 쌍대 평면도형은 점을 직선으로, 직선을 점으로 바꾸어 놓으면 만드는 것이 가능해진다.

또, 정다면체의 각 면의 중심을 서로 연결시키면 다른 정다면체가 생겨나는데 이것들은 쌍대다면체 dual polyhedra 라고 불리워진다.

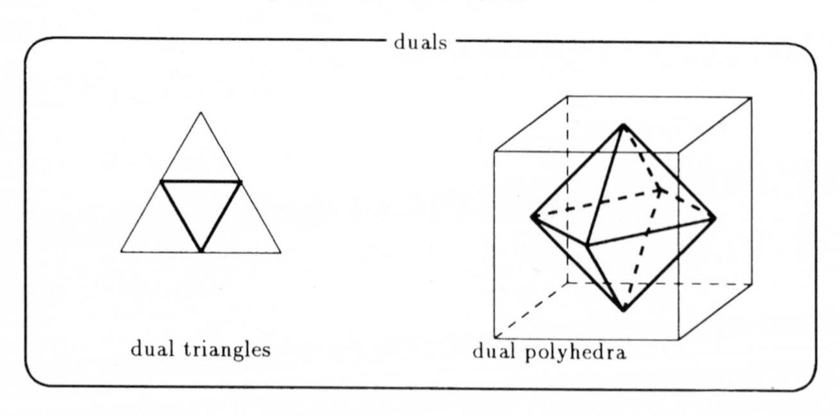

dual triangles

dual polyhedra

duodecimal **12진법의**

12를 기본으로 하는 기수법을 말한다. 12진법은 1, 12, $12^2 \ldots \frac{1}{12}, \frac{1}{12^2} \ldots$을 사용한다. 12진법에서 123.9는 $1\times12^2+2\times12+3\times1+9\times\frac{1}{12}$을 의미하므로 10진법에서 171.75이다. 12진법에서는 10과 11을 표시하는 기호가 필요하게 되는데 그것들은 각각 'T'와 'E'로 표현하는 경우가 많다. 예를 들어, 5T는 10진법으로는 $5\times12+10=70$이다. 또, E2는 10진법으로 $11\times12+2=134$가 된다.

e

자연대수의 밑

n을 무한대로 크게 했을 때의 $\left(1+\frac{1}{n}\right)^n$의 극한을 e라고 쓰고, 자연로그의 밑 base of logarithm 이라고 한다. 즉,

$$e=\lim_{n\to\infty}\left(1+\frac{1}{n}\right)^n$$

실제로 $e=2.71828...$이다. 함수 $y=e^x$의 그래프 위의 점 (0, 1)에 있어서 접선의 기울기는 1이 된다.

eccentricity

이심율 (離心率)

포물선은 한 정점 F와의 거리 PF와 한 정직선 L과의 거리 PQ가 같은 점 P가 그리는 도형이다. 이 때, 한 정점 F를 포물선의 초점 focus, 한 정직선 L을 준선 directrix 이라고 한다. 일반적으로 원뿔곡선 conic section 은 초점에서의 거리와 준선에서의 거리의 비인

$$\frac{\text{초점에서의 거리 } PF}{\text{준선에서의 거리 } PQ}$$

가 일정한 점 P가 그리는 도형이다.

이 일정의 비 $e=\frac{PF}{PQ}$를 원뿔곡선의 이심율이라고 한다.

원뿔곡선은 이심율 e의 값에 의해 다음의 3가지 종류로 나눠질 수 있다.

$e<1$일 때 타원

$e=1$일 때 포물선

$e>1$일 때 쌍곡선

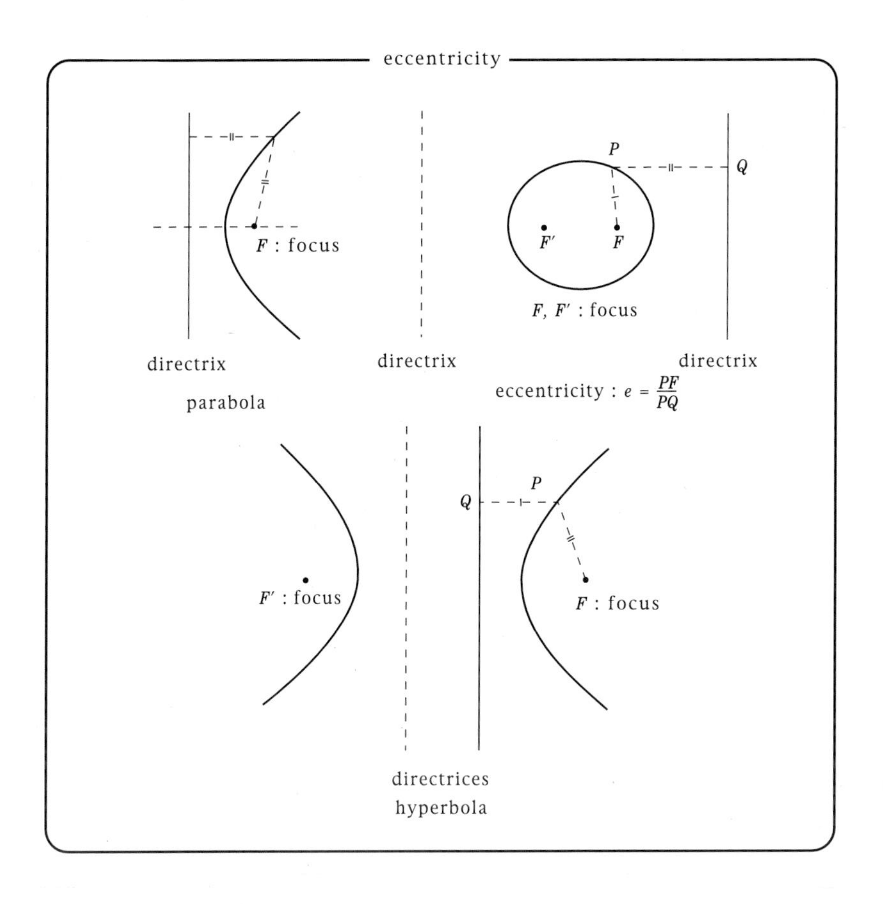

ecenter

방심 (傍心)

삼각형의 방접원의 중심을 말함. 방심은 삼각형의 한 개의 내각의 이등분선과 나머지 두 각에서 외각의 이등분선의 교점이다.

→ ecircle

ecircle

방접원 (傍接圓)

삼각형의 한 변과 다른 두 변의 연장선에서 삼각형의 바깥에서 접하는 원을 방접원이라 한다. 한 개의 삼각형에 세 개의 방접원을 그릴 수 있다. 방심은 한 변에 대한 내각의 이등분선과 그 내각에 대한 두 외각의 이등분선의 교점이다.

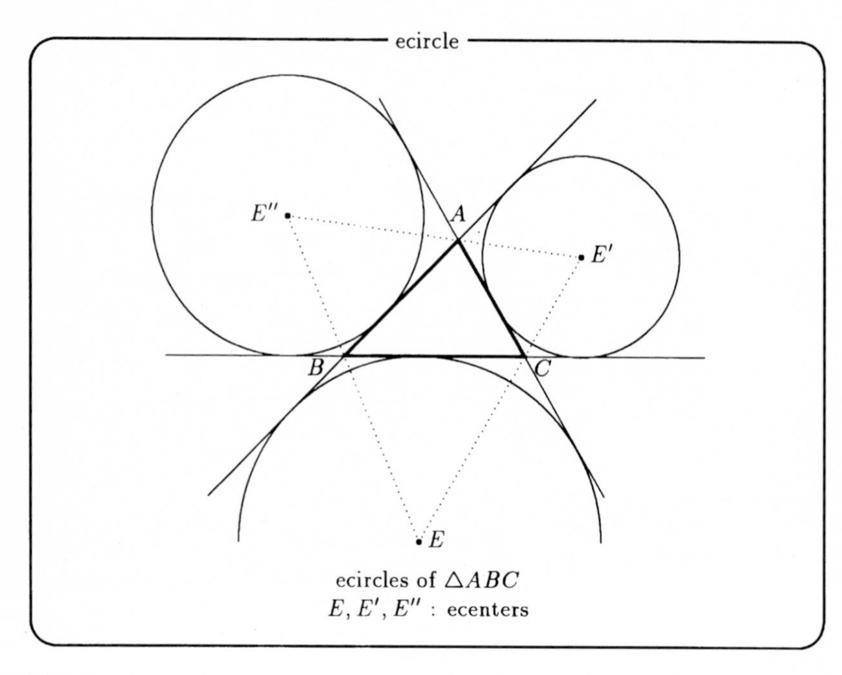

ecircles of $\triangle ABC$
E, E', E'' : ecenters

edge

변, 모서리

다면체 polyhedron 의 두 개의 면 face 이 서로 만나는 선분을 말한다. 2개 이상의 변이 만나는 점은 꼭지점 vertex 이라고 한다.

e.g.

예를 들면

element

원소

[matrix] 행렬을 구성하는 하나 하나의 수(문자)를 말함.

예를 들면, 행렬 $\begin{pmatrix} a & b \\ c & d \end{pmatrix}$의 원소는 a, b, c, d이다.
또, 가로의 배열을 행 row, 세로의 배열을 열 column 이라 한다. 위의 예에서 b는 1행 2열의 원소(성분) the element in the first row, second column 라 한다.
[set] 집합에 속한 하나 하나를 집합의 원소 element of a set 라 한다. a가 집합 A의 원소일 때, $a \in A$라고 쓴다.
예를 들어, 10 이하의 양의 짝수의 집합을 B라고 하면 $B=\{2, 4, 6, 8, 10\}$이므로 $4 \in B$, $7 \notin B$이다.

elevation

입면도(立面圖), 정면도(正面圖)

입체를 정면에서 본 그림을 말한다. 측면에서 본 그림은 측면도 side elevation, 후방에서 본 그림은 후방도 rear elevation 라 한다. 평면도는 정확히 위에서 본 그림이다.

■ angle of ~ , ~ angle 앙각(仰角)
물체를 위로 올려다볼 때, 그 방향의 수평면방향으로부터의 각도를 말한다.

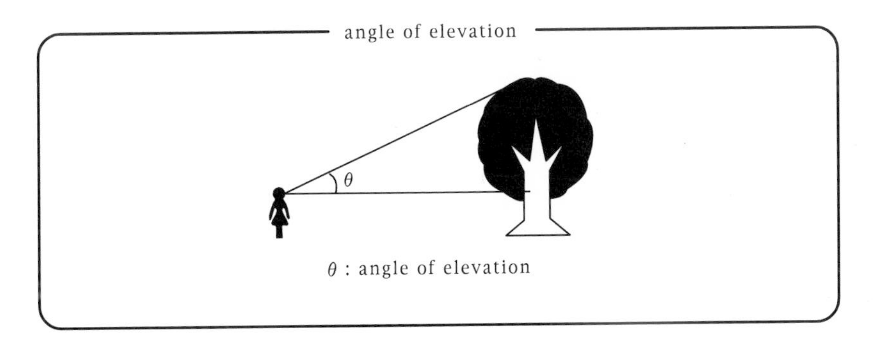

eliminate

소거하다

elimination **소거, 소거법**

ellipse **타원**

두 개의 정점 F, F'에서의 거리의 합 $PF+PF'$가 일정한 점 P가 그리는 곡선을 말한다. 정점 F, F'를 타원의 초점이라고 한다. F, F'를 각각 $(c, 0)$, $(-c, 0)$라고 하고, 거리의 합을 $2a$라고 할 때에 타원의 방정식은 $b^2=a^2-c^2$이라 두면 $\frac{x^2}{a^2}+\frac{y^2}{b^2}=1$이 된다.

또, 이 타원을 x축으로부터 잘라낸 부분을 장축 major axis 이라고 부른다. 장축, 단축의 길이는 각각 $2a$, $2b$이다. 게다가 타원은 장축, 단축에 관해서 대칭(따라서 원점에 관해서도 대칭)인 도형이다. 타원은 원뿔곡선의 하나로, 원뿔을 비스듬한 평면으로 잘랐을 때 생기는 곡선이고 또 이심율 eccentricity e는 1보다 작다. → **conic section, eccentricity**

【강 건너기】 한 농부가 한 마리의 여우와 한 마리의 산양, 그리고 양배추를 갖고 여행하고 있었지요. 강을 만났으나 다리가 없었답니다. 이 강을 건너려면 한 가지밖에 가지고 갈 수 없었답니다. 그러나 여우와 산양을 남겨 두면, 산양은 여우에게 잡아먹히게 되고, 산양과 양배추를 남겨두면 산양이 양배추를 먹어 버린다고 합니다. 이 농부가 모두 무사히 건너려면 어떻게 하면 좋을까요?

➡ 우선 산양을 데리고 강을 건넌다. 산양을 강 건너편에 놓아두고 되돌아 와서 여우를 데리고 건너간다. 여우를 반대편 강변에 놓아두고 산양을 데리고 돌아온다. 다음 산양을 놓아두고 양배추를 가지고 건너가서 강변에 두고 되돌아와서 산양을 데리고 건너면 된다.

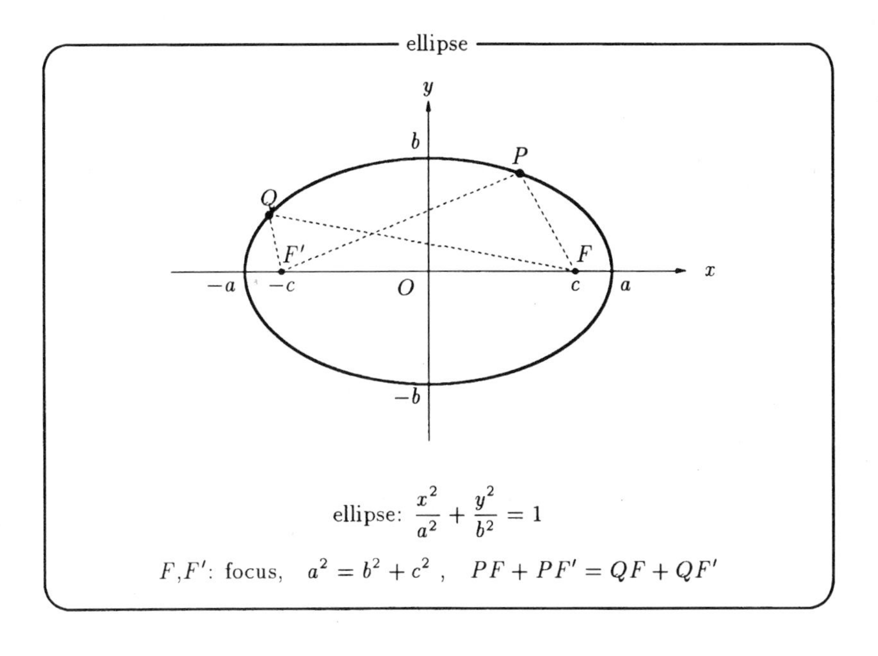

elliptic 타원의

■ ~ cone 타원뿔
바닥면이 타원인 뿔을 말한다.

■ ~ cyliner 타원기둥
바닥면이 타원인 기둥을 말한다.

empty 비어 있는

■ ~ event 공사건(空事件)
아무 일도 일어나지 않는 사건을 나타낸다. 공사건의 확률은 0이다.

■ ~ set 공집합
원소를 하나도 가지지 않는 집합을 말하고 ∅로 나타낸

다. 예를 들어, A={1, 3, 5}, B={2, 4, 6}일 때 A와 B에는 공통원소가 없기 때문에 $A \cap B = \emptyset$이다.

enlarge **확대하다**

→ enlargement

enlargement **확대**

도형을 일정 배율로 늘리는 것을 말한다. 한 점 C를 정하고 도형상의 모든 점 P에 대해서 $CP' = r \times CP$가 되는 점 P'을 직선 CP위에 두었을 때 점 C를 확대의 중심 center of enlargement, r을 확대 배율 scale factor of enlargement 이라고 한다. 또, 점 P'를 점 P의 상(像)이라고 한다.

확대는 그 중심과 배율에 의해서 정해진다. 배율이 1보다 작을 때 도형은 축소되지만, 이 경우도 enlargement를 이용한다. $r < 0$일 때 확대된 도형은 중심 C에 대해서 원래의 도형에 반대측에 생긴다. 따라서 이 경우 도형은 180° 회전된 형태가 된다.

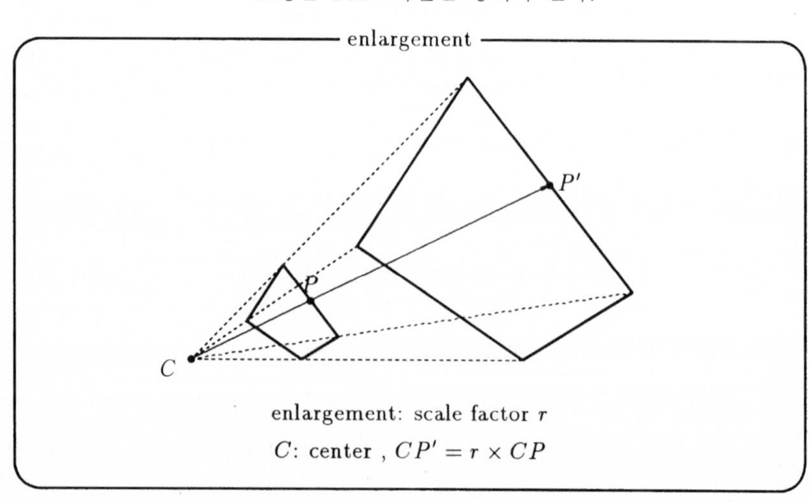

enneagon 9각형

enneahedron 9면체

ensemble 집합
= set

enumerate 수를 세다, 열거하다

envelope 포락선(包絡線)

어떤 곡선 군 group 의 모든 곡선이 일정한 곡선에 접해 있을 때 그 곡선을 곡선 군의 포락선이라 한다.

예를 들어, x축에 접하는 원 $(x-t)^2+(y-1)^2=1$을 생각해 보자.

t를 연속적으로 변화시킬 때, 방정식은 원의 족(族)을 정의한다. 이 원족(圓族)의 포락선은 직선 $y=2$이다.

길이가 일정한 선분 PQ의 끝점 P, Q가 각각 x축의 양의 부분, y축의 양의 부분에 있도록 움직이게 할 때에 선분 PQ의 전부에 접한 곡선을 그릴 수 있다. 아래 오른쪽 그림에 나타난 곡선이 직선 족의 포락선이다.

【풀】 넓이가 10km²인 어떤 목장에서 작년에는 200마리의 젖소를 길렀다. 이 소들은 1년에 $2km^2$의 목초지의 풀을 뜯어먹는다고 한다. 목초지의 여유가 있어 금년에는 300마리의 젖소를 더 키우려고 했다. 그렇다면 이 소들이 이 목장의 풀을 모두 뜯어먹으려면 몇 년이 걸릴까?

➡ 몇 년이 지나도 풀을 모두 뜯어먹을 수 없다. 1년이 지나면 풀은 다시 자란다.

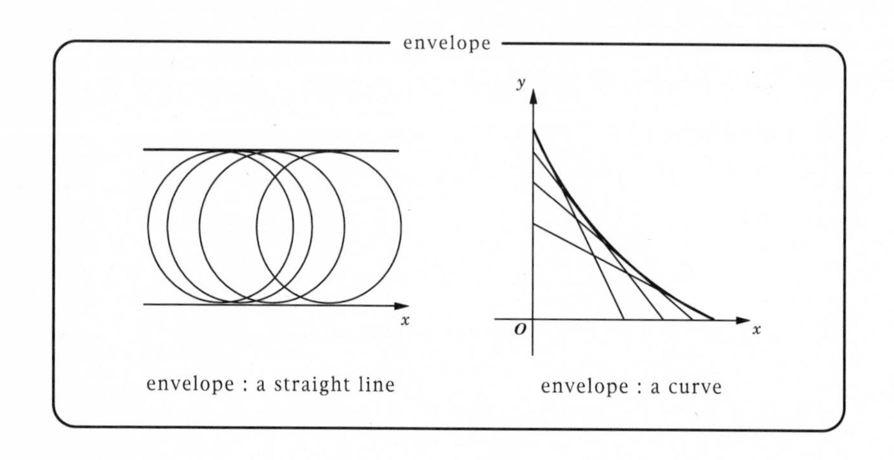

epicycloid **외파선 , 외(外) 사이클로이드, 에피사이클로이드**

한 개의 원을 다른 한 개의 원에 외접시키면서 회전시킬 때, 그 외접된 원의 원주위의 한 점이 그리는 도형을 말한다.

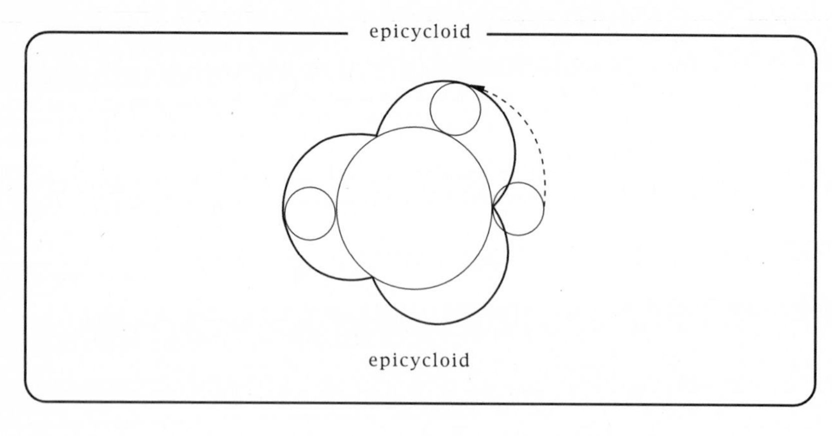

e.q. → equals, equality, equation, equivalence

equal **동등한, 같다**

두 개의 수량 a, b가 같은 값을 가지고 있을 때를 뜻하고 $a=b$라고 쓴다. 예를 들어, $3^2=9, 6\div3=2$이다.
또, 두 개의 식 f, g를 변형해서 같은 식이 될 때 같다 equal 라고 하고 $f=g$ 라고 쓴다. 예를 들어, $ab-ac=a(b-c)$, $(a+b)^2=a^2+2ab+b^2$이다.
두 개의 집합 A, B는 완전히 같은 원소로 구성 될 때 같다 equal 라고 하고 $A=B$라고 쓴다.
$A=\{1, 2, 3\}$, $B=\{3, 2, 1\}$일 때, $A=B$이다.

equality

등식 (等式)

같은 수량과 식을 등호를 이용하여 연결한 것을 말한다.
$\frac{1}{2}=\frac{4}{8}$, $a^2-b^2=(a+b)(a-b)$등은 등식의 예이다.

equation

방정식 (方程式)

등식 가운데, 어떤 특정의 값에 대해서만 성립하는 것을 말한다. 방정식은 '어떤 미지수가 만족하고 있는 등식'이라고 할 수 있다. 미지수의 개수와 차수, 또한 형식과 표현에 의해 분류되어 다음과 같은 종류가 있다.

- cubic ~ 3차 방정식

  3차식으로 표현되는 방정식을 말한다. $x^3+2x^2-4x-8=0$은 3차방정식이다. 좌변이 $(x+2)^2(x-2)$로 인수분해가 되어 이 방정식의 답은 $x=\pm2$가 된다.

- differential ~ 미분방정식

  도함수에 의한 방정식을 말한다. 예를 들어, 직선상을 운동하고 있는 물체의 가속도 acceleration a와 속도 velocity v사이에는 미분방정식 $\frac{dv}{dt}=a$가 성립한다. t는 시간을 나타낸다.

■ ~ with n unknowns n원(元) 방정식

미지수 unknown 를 n개 포함하는 방정식을 말한다. $2x+3y=5$는 2원 방정식이다. 이 방정식의 해는 무한히 많다.

■ exponential ~ 지수(指數) 방정식

지수에 미지수를 포함하는 방정식을 말한다. $2^{2x+1}=32$은 지수 방정식이다. $32=2^5$이기 때문에, $2x+1=5$에 의해 $x=2$이다.

■ fractional ~ 분수 방정식

분수식을 포함하는 방정식을 뜻한다. $\frac{3x+1}{x-1}=5$는 분수 방정식이다. 분모를 제거해서, $3x+1=5(x-1)$에 의해서 $x=3$을 얻게 된다.

■ irrational ~ 무리 방정식

무리식을 포함하는 방정식을 말한다. $\sqrt{4x+1}=3$ 은 근호 ($\sqrt{\ }$) 안에 미지수 x를 포함하고 있기 때문에 무리 방정식이다.

$3=\sqrt{9}$ 이기 때문에, $4x+1=9$에 의해서 $x=2$이다.

■ linear ~ 1차 방정식

최고차 항의 차수가 1인 방정식을 말한다. $7x-1=4x+11$은 1차 방정식이다. $7x-4x=11+1$이기 때문에 $3x=12$이므로 $x=4$가 된다.

■ quadratic ~ 2차 방정식

최고차 항의 차수가 2인 방정식을 말한다. $x^2-3x-4=0$은 2차방정식이다. 좌변을 인수분해 해서 $(x-4)(x+1)=0$이 되기 때문에 $x=4$ 또는 $x=-1$이다.

- **quartic ~** 4차 방정식
  최고차 항의 차수가 4인 방정식을 말한다.

- **simultaneous ~s** 연립방정식
  2개 이상의 미지수가 들어있는 방정식이다. 2개 이상의 방정식을 짜맞추어서 해를 구해야 한다. 두 개의 방정식 $x+2y=5$, $3x+y=5$는 연립방정식 simultaneous equations 이다. 후자의 양변을 2배 해서 $6x+2y=10$, 거기에 앞의 식을 빼서 $6x-x+2y-2y=10-5$에 의해서 $5x=5$ 즉, $x=1$이 된다. 두 번째 식에 의해 $y=2$. 따라서 해는 $x=1$, $y=2$가 된다.

equator **적도 (赤道)**

지구를 북극 north pole 과 남극 south pole 을 연결하는 직선에 수직임과 동시에 지구의 중심을 지나는 평면으로 자를 때 생기는 원을 '적도'라고 한다. 적도는 대원 great circle 의 하나이다. 적도와 평행한 평면으로 자를 때 생기는 원은 위선 line of latitude 이라고 한다.

【짝수】 연속되는 세 짝수를 더하였더니 60 이 되었다. 이 때 가장 작은 짝수는 얼마인가?

➡ 18 [a+(a+2)+(a+4)=60 a = 18] ?

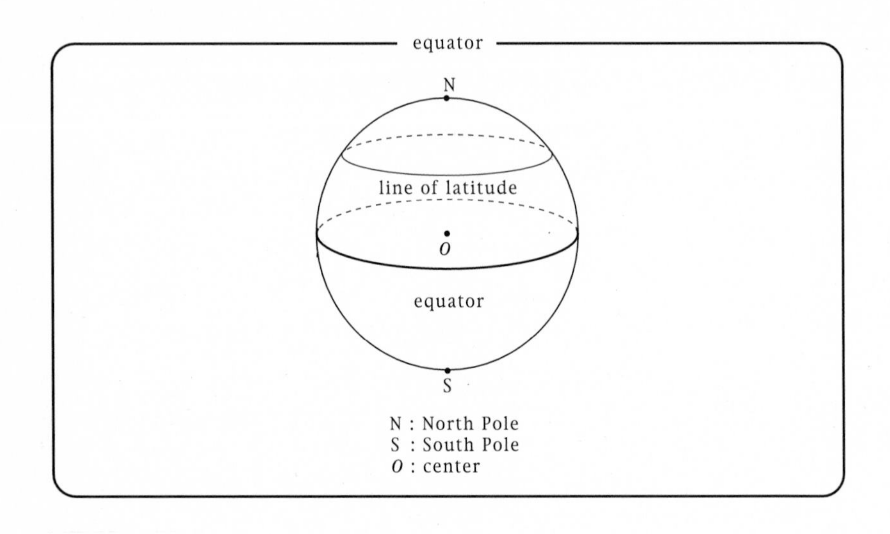

equi- '같은~'의 뜻

equiangular **등각의**

각이 같을 때를 말한다. 또, 완전히 각이 같은 다각형도 equiangular 이라고 한다.

equidistance **등거리**

equidistant **등거리의**

포물선 parabola 등의 궤적을 구할 때 또는 지도의 도법에 있어 잘 쓰인다.

equilateral **등변의 ; 등변형**

변이 같은 것 또는 변이 같은 도형을 나타낸다.

- equilateral polygon 등변다각형

모든 변의 길이가 같은 다각형

- equilateral triangle 정삼각형

  정삼각형의 3개의 각은 전부 60˚로 같다.

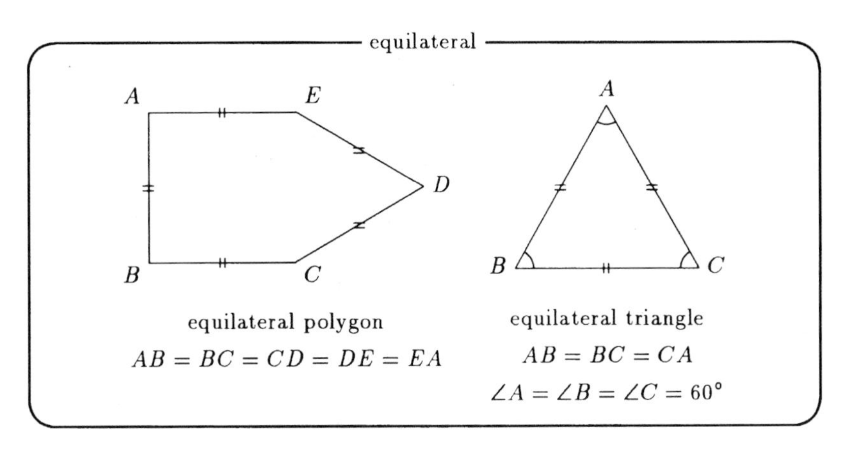

equilibrium

평형 ; 균형

서로 반대로 작용하는 힘이 같아서 움직이지 않는 상태에 있을 때를 말한다. 이 때를 평형 상태에 있다 be in equilibrium 라고 한다.

- stable ~ 안정 평형

  어떤 것이 원래의 위치에서 조금만 움직여도 다시 제위치로 돌아올 때의 상태를 말한다. 입방체를 평면 위에 놓을 때 입방체는 안정 평형의 상태 be in stable equilibrium 가 된다.

- unstable ~ 불안정 평형

  어떤 것이 평형 상태에 있어도 조금 움직이면 원래의 위치로부터 이탈해 버릴 때를 말한다. 공 ball 을 한 점으로 지탱하고 있을 때를 불안정 평형의 상태에 있다 라고 한다 be in unstable equilibrium

equivalence 동치(同値), 동등, 등가

→ equivalent

equivalent 동치(同値)인, 동등한, 같은

완전히 동일한 값이거나 내용을 갖을 때 두 대상의 관계를 말한다.

일반적으로 두 항의 관계에 있어서

1. $a \sim a$,
2. $a \sim b$이면 $b \sim a$,
3. $a \sim b$, 동시에 $b \sim c$ 이면 $a \sim c$

의 3가지가 성립할 때, 관계 ~를 '동치관계' equivalent relation 라고 한다. a, b에 관해서, $a \sim b$가 성립할 때 a, b는 동치(同値)라고 한다.

equivalent fraction 동치 분수

2개의 값이 같은 분수를 말한다. $\frac{4}{6}$, $\frac{6}{9}$, $\frac{8}{12}$는 전부 $\frac{2}{3}$로 동치이다 be equivalent to. 분수의 계산 결과는 동치인 기약 분수 irreducible fraction 로 해놓지 않으면 안된다. $\frac{1}{5}+\frac{2}{7}=\frac{7}{35}+\frac{10}{35}=\frac{17}{35}$이기 때문에, $\frac{1}{5}+\frac{2}{7}=\frac{17}{35}$이 된다.

Eratosthenes' sieve 에라토스테네스의 체

어떤 수가 소수(素數)인 것을 확인하기 위해서는 몇 개의 수로 그 수를 나누어 볼 필요가 있다. 예를 들어, 100까지의 소수를 전부 발견하기 위해서는 하나 하나 수를 조사해 보아야 하기 때문에 엄청난 계산량이 된다. 그리스의 철학자 에라토스테네스는 계산을 많이 필요로 하지 않는 '에라토스테네스의 체'라고 불리는 다음과 같은

소수 찾는법을 발견했다.
100까지의 수를 쓰고 2에 동그라미 표를 하고 2의 배수 부분을 지운다. 다음 3에 동그라미를 치고 3의 배수 부분을 지운다. 4는 이미 지울 필요가 없기 때문에 다음 수는 5이다. 여기서 5에 동그라미 표시를 하고 5의 배수를 지운다. 이와 같은 방법으로 이 조작을 진행시키면 간단하게 100까지 소수를 발견할 수 있다. 수를 체 sieve 에 걸름으로써 합성수가 떨어져 나가고 소수만이 남게 되는 것이다. 이것이 에라토스테네스의 체이다.

error

오차

근사값 approximation 과 참값의 차(差)를 말한다. 참의 길이가 6.34cm인 것을 측정했더니 6.35cm였다. 이 때의 오차는 6.35cm−6.34cm=0.01cm이다. 오차의 크기 즉, 오차의 절대값을 '절대 오차' absolute error 라고 한다. 또, 오차(E)의 참 값(A)에 대한 비율($\frac{E}{A}$)을 '상대 오차' relative error 라고 하고 상대 오차를 퍼센트로 나타낸 것을 '백분율 오차' percentage error 라고 한다. 예를 들어, 10cm인 것을 측정해서 10.2cm를 얻었다면 오차는 0.2cm, 상대 오차는 $\frac{0.2}{10}$=0.02이고, 백분률 오차는 2%이다.

escribe

방접시키다

삼각형의 한 변과 다른 두 변의 연장선에 접하게 하는 것을 말한다.

■ ~ d circle 방접원

estimate

추정값, 평가

측정 등의 근사값을 말한다. 또 계산 등의 결과를 근사값으로 구하는 경우 그 근사값을 나타낸다.

자신의 보폭을 알고 있다면 걸음 수에 의하여 거리를 추정값으로 구할 수 있다. 예를 들어, 보폭이 80cm인 사람이 역까지 걸어서 500보라고 한다면 역까지의 추정치는 400m가 된다.

51m×39m의 토지 면적은 10자리까지 어림수를 이용하여 50×40=2000㎡라고 생각할 수 있다. 이 2000이 51×39의 추정값이다.

estimation **추정, 개산(概算)**

추정값을 구하는 것. 또는 어림수를 이용하여 계산하는 것을 말한다.

Euclidean **유클리드의**

그리스의 수학자 유클리드 Euclid 는 기하학을 체계적으로 정리하고 '원론' Element, Stoikeia 을 저술했다. 이 원론을 기본으로 한 기하학을 '유클리드 기하학' Euclidean geometry 이라고 한다. '유클리드 기하학의' 또는 '유클리드 기하학적인'이라는 의미로도 Euclidean 을 이용한다.

Euclid's algorithm **유클리드 호제법**

→ mutual, algorithm

Euler's formula **오일러의 공식**

일반적으로 다면체 polyhedron 에 있어서 V를 꼭지점 vertex 의 수, E를 변 edge 의 수, F를 면 face 의 수라고 하면 $V-E+F=2$가 성립되는데 이 공식을 말한다.

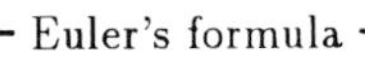

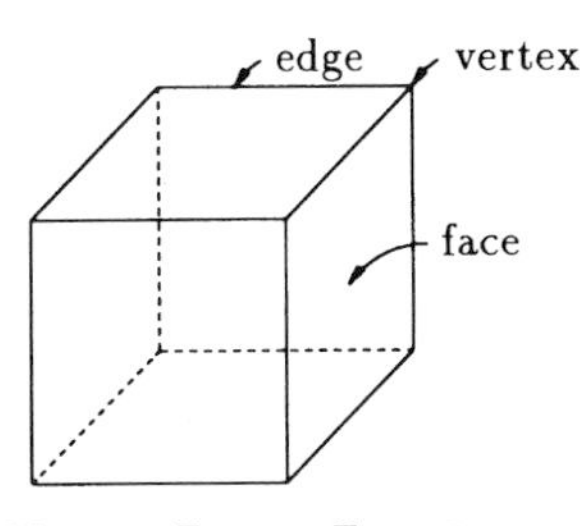

$V = 8,\ F = 6,\ E = 12$

$V - E + F = 2$

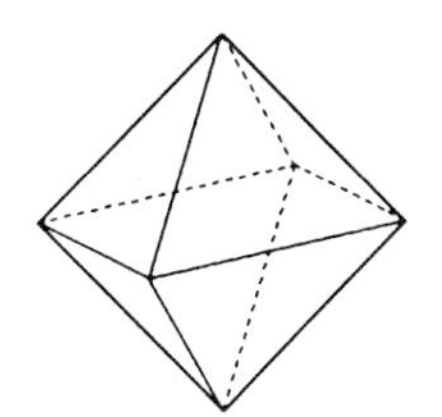

$V = 6,\ F = 8,\ E = 12$

$V - E + F = 2$

evaluate

값을 구하다

식 등의 값을 구할 때를 말한다. 예를 들어, 'Evaluate $3a+5b$ when $a=2$, $b=6$'은 '$a=2$, $b=6$일 때 $3a+5b$의 값을 구하시오'의 뜻이고 계산을 하면 $3a+5b= 3\times2+5\times6=36$이다.

evaluation

값을 구하는 것, 계산

even

짝수의

2로 나누어 떨어지는 정수를 말한다. 짝수는 n을 임의의 정수로써 $2n$의 형태로 쓸 수 있다. 2, 4, 6,...은 짝수이다.

evens

반반의

일어날 확률이 $\frac{1}{2}$인 사건(事件)을 말한다. 즉, 일어날 확률과 일어나지 않을 확률이 같은 경우이다.

event

사건 (事件)

어떤 시행 trial 에 있어서 일어날 수 있는 모든 경우의 각각을 말한다. 예를 들어, 주사위를 던지는 행위에 있어서 '짝수의 눈이 나온다'는 하나의 '사건'이고 눈의 수가 2, 4, 6 중 어느 한가지 일 때 사건이 '일어났다' 라고 한다.
주사위를 던지는 행위에 있어서 1, 2, 3, 4, 5, 6의 수가 나올 확률은 각각 같게 $\frac{1}{6}$이라고 생각되어진다. 이 때, 이들 사건이 일어나는 것은 같은 정도로 확실하다 equally likely to happen 라고 하며 확률이 같은 사건은 같은 정도로 확실한 사건 equally likely event 이라고 한다.

- **complementary ~** 여사건(餘事件)

'어떤 사건 A가 일어나지 않는다' 라고 하는 사건을 사건 A의 '여사건'이라고 하고, A^c 라고 쓴다. '짝수의 수가 나온다'의 여사건은 '홀수의 수가 나온다' 이다.

- **compound ~** 복합 사건

몇 개의 사건을 조합시킨 사건을 말한다. 예를 들어 '짝수의 눈이 나오거나 3의 배수의 눈이 나온다'는 복합 사건이다.

- **dependent ~** 종속 사건

어떤 사건 A가 일어날지 말지가 다른 사건 B의 확률에 영향을 줄 때 사건 B를 사건 A의 종속사건이라고 한다.

- **elementary ~** 근원(根元) 사건

단 하나의 결과로 구성된 사건을 말한다. 크기가 다른 두 개의 주사위를 던지는 행위에 있어 나올 수 있는 경우의 수는 6×6=36 가지이다.

큰 주사위 수가 a, 작은 주사위 수가 b일 때 (a, b)라고 쓰면 각각의 (a, b)는 근원 사건이다.

- **empty ~ 공사건(空事件)**
  '아무것도 일어나지 않는다' 라고 하는 사건을 말한다. 공사건은 근원 사건을 한 개도 포함하지 않는다.

- **exclusive ~ 배반 사건(排反事件)**
  두 개의 사건 A, B에서 한 쪽이 일어나면 다른 쪽은 일어나지 않을 때 서로 '배반이다' exclusive 라고 한다. 또 사건 A와 사건 B가 서로 배반이면 이들은 배반사건이라 부른다. '2 이하의 수가 나온다' 사건과 '4이상의 수가 나온다' 사건은 동시에 일어나지 않기 때문에 배반이다. '짝수가 나온다' 사건과 '3의 배수가 나온다' 사건은 6이 나오면 동시에 일어나기 때문에 배반이 아니다.

- **independent ~ 독립 사건**
  두 개의 사건이 종속되어 있지 않을 때를 말한다. 즉, 사건 A가 일어나거나 안 일어나거나에 상관하지 않고 사건 B가 일어나는 확률이 일정할 때 사건 B는 사건 A와 독립한다고 하며 그 사건을 '독립 사건'이라고 한다.

- **whole ~ 전(全)사건**
  어떤 시행에 있어서, 생각할 수 있는 모든 사건을 말한다. 전사건의 확률은 1이다.

excenter **방심(傍心)**
방접원의 중심을 말한다. → ecenter

exception **예외**

exchange 교환하다, 교환

■ ~ rates 교환 비율, 환율

외국을 여행할 때에는 통화를 그 나라의 유통 화폐 currency 로 교환하지 않으면 안되는데 국가간의 유통 화폐의 가치 관계를 표현한 것을 말한다. 미화와의 관계를 예로 들면, 1달러를 구입하기 위해서 지불해야 할 원화의 양을 환율이라고 한다.

excircle 방접원

삼각형의 한 변과 다른 두 변의 연장선에 동시에 접하는 원을 말한다. → ecircle

expand 전개하다

식의 괄호를 벗기는 것 remove the brackets 을 말한다. 전개를 하기 위해서는 '분배법칙'을 이용한다.

$(x+y)^2=x^2+2xy+y^2$

$(x+y)(x-y)=x^2-y^2$

$(ax+b)(cx+d)=acx^2+(ad+bc)x+bd$

$(x+y)^3=x^3+3x^2y+3xy^2+y^3$ 등의 공식이 있다.

이러한 공식을 이용해서 $(x+3)^2$과 $x(x+3)(x-1)$을 전개하면,

$(x+3)^2=x^2+6x+9$,

$x(x+3)(x-1)=x(x^2+2x-3)=x^3+2x^2-3x$이 된다.

expansion 전개

전개 혹은 전개한 결과를 expansion 이라고 한다.

■ bionomial ~ 이항 전개

특히 이항식 binomal 의 n승 $(a+b)^n$을 전개한 것

을 '이항 전개'라고 한다.

$(a+b)^2=a^2+2ab+b^2$

$(a+b)^3=a^3+3a^2b+3ab^2+b^3$

$(a+b)^4=a^4+4a^3b+6a^2b^2+4ab^3+b^4$

$(a+b)^5=a^5+5a^4b+10a^3b^2+10a^2b^3+5ab^4+b^5$

·········이다.

expectation

기대값, 기대

주사위를 던져, 나온 수의 100배의 상금을 받을 수 있다고 한다면 한번 주사위를 던져 받을 수 있는 상금은 평균으로 얼마 정도 되는 것일까? 1, 2, 3, 4, 5, 6의 수에 대해 100, 200, 300, 400, 500, 600의 상금을 받을 수 있고 각각의 수가 나올 확률은 $\frac{1}{6}$이기 때문에 받을 수 있는 상금의 경우 평균은

$$\frac{100+200+300+400+500+600}{6}=350$$

이 된다. 따라서 받을 수 있는 상금은 350원이라고 기대할 수 있다. 이것을 기대값이라고 한다. 이 게임에 참가하기 위해 400원이 든다고 하면, 기대되는 상금쪽이 적기 때문에 참가하지 않는 것이 좋다.

explict

명백한, 양 –

■ ~ function 양함수

$y=f(x)$의 형태의 함수를 나타낸다. $y=x^2+3x+1$은 양함수이다. 이 함수는 x의 값을 알면 직접 구해진다. $x=2$이면 $y=2^2+6+1=11$이다. 이에 대해, $xy+y=3x-1$같은 함수에서 y의 값은 x의 값을 알아도 직접 구할 수 없다. $x=3$일 때 $3y+y=9-1$

이 되기 때문에 이것을 풀어서 $y=2$를 구해야 한다. 이러한 함수를 음함수 implicit function 라고 한다.

exponent

지수 (指數), 거듭지수

a^n이라고 쓸 때 n을 지수라고 말하고 a를 밑 base 이라고 한다.

■ law of ~s 지수 법칙

지수에 관해서는, 다음과 같은 지수 법칙이 성립한다.

1. $a^m \times a^n = a^{m+n}$

2. $\dfrac{a^m}{a^n} = a^{m-n}$

3. $(a^m)^n = a^{mn}$

4. $(ab)^n = a^n b^n$

5. $\left(\dfrac{a}{b}\right)^n = \dfrac{a^n}{b^n}$

$a^{-n} = \dfrac{1}{a^n}$이라고 정하면, 지수 법칙은 모든 정수에 대해서도 성립한다. 이 때, 지수 법칙의 (2), (5)는 각각 (1), (4)의 특별한 경우가 된다. 따라서 지수 법칙은 일반적으로 (1), (3), (4)를 가르킨다. 지수는 모든 수에 대해서 정의되고 모든 수에 대해서 지수 법칙이 성립하고 있다.

$2^3 \times 2^5 \div 2^7 \times (2^2)^3 = 2^{3+5-7+6} = 2^7 = 128$이다.

exponential

지수 (指數) 의

■ exponential function 지수 함수

$y = a^x$의 형태로 쓸수 있는 함수.

a는 정해진 수이고 밑 base 이라고 한다. 또 변수

x를 지수에 포함하는 $y=3^{2x-1}$같은 함수를 지수 함수 라고 한다.

expression

식(式), 표시

수학의 대상이 되는 것을 수, 기호, 문자 등을 사용해 표시한 것을 말한다. $3x-2$, x^2+y^2, $\sin x$, $\log(2x+5)$, $e^{x-1}+5$ 등은 식이다.

■ congruence ~ 합동식

a를 p로 나눈 나머지와 b를 p로 나눈 나머지가 같을 때 'a와 b는 p를 법으로 하여 합동이다' 라고 하며 $a \equiv b \pmod{p}$라고 쓴다. 이것을 '합동식' 이라고 한다. $29-14=15$이고 15는 5의 배수이기 때문에, $29 \equiv 14 \pmod{5}$이다.

■ intergral ~ 정식

미지수가 양의 누승으로 된 항의 합으로서 표시된 식을 말한다. x^{-n}과 $\frac{x+1}{x^2-2}$와 같은 음수제곱이나, 분수식을 포함하는 것은 정식이 아니다.

$6x^3-5x^2+4x-8$, x^2y-y^2+2은 정식이다.

■ linear ~ 1차식

1차항과 상수항으로서 구성되는 정식을 말한다.

$x-2y+3z$는 1차식이다.

exterior

외부의 , 밖의

■ ~ angle 외각

다각형의 한 변의 연장과 이웃한 변으로 만들 수 있는 다각형의 각을 말한다. 이것에 대해 이웃해 있는 두 변이 만드는 각을 내각 interior angle 이라 한다.

삼각형에 있어서 '외각은 나머지 두 개의 내대각의 합과 같다'가 성립한다.

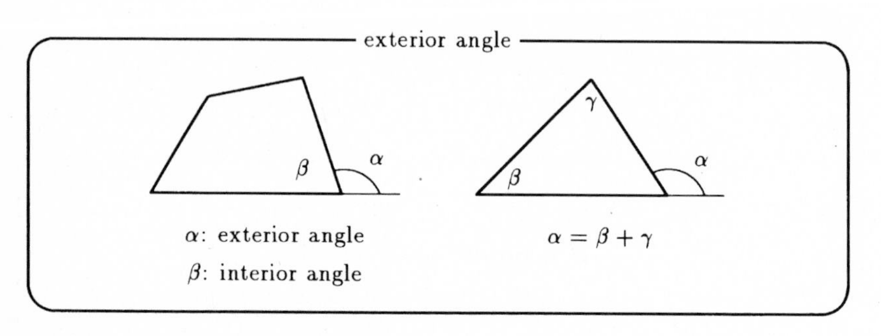

extraction

개방

근호 root 를 벗기는 것을 말한다.

- **extraction of square root** 개평(開平)

  근호($\sqrt{\ }$)를 이용해서 표현된 수의 값을 구해서 근호를 벗기는 것을 말한다. $\sqrt{9}$를 개방하면 3이다. 또 $\sqrt{2}$를 개방하면 1.41421356......이 된다.

face

면(面), 표면

입체도형의 표면으로, 평면이 되는 것을 말한다. 면은 3개 이상의 변 edge 으로 둘러 싸여져 있는 부분이다. 또한, 이웃해 있는 두 개의 면은 한 개의 변을 공유한다.

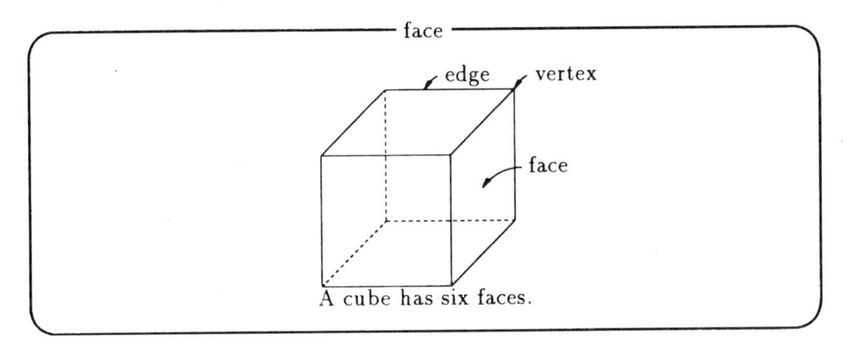

faciend

피승수(被乘數)

곱셈 $a \times b$에 있어서, 수 a를 말하고 b는 승수 multiplier 라고 한다.

factor

인수(因數), 인자(因子)

어떤 정수 whole number n을 나누어서 떨어지는 정수를 n의 인수라고 한다. 인수는 양의 범위에서 생각하는 경우가 많다.

두 개의 인수 (즉, 1과 자기자신)밖에 가지고 있지 않은 수를 소수 prime number 라 하고 소수가 아닌 수는 합성수 composite number 라 한다. 예를 들어, 3의 인수는 1과 3의 두 개 뿐이기 때문에 3은 소수이나 8의 인수는 1, 2, 4, 8이므로 합성수이다.

- common ~ 공통인수

  두 개 이상의 수에서 각 수의 인수 중 공통의 인수를

말한다. 예를 들어, 6의 인수는 {1, 2, 3, 6}, 9의 인수는 {1, 3, 9}이므로 6과 9의 공통인수는 1과 3이다.

■ ~ theorem 인수정리

$f(x)$를 정식(整式)으로 할 경우, '$f(a)=0$이면, $f(x)$는 $x-a$로 나누어 떨어진다' 가 성립한다. 이것을 '인수정리'라고 한다. 예를 들어, $f(x)=x^3-7x+6$일 때, $f(1)=1-7+6=0$이 성립하고 있기 때문에 $f(x)$는 $x-1$로 나누어떨어진다. 실제로 $f(x)\div(x-1)=x^2+x-6$이다.

■ prime ~ 소인수

소수의 인수를 말한다. 12의 인수는 1, 2, 3, 4, 6, 12이기 때문에, 12의 소인수는 2와 3이다. 이 소인수를 이용해서 $12=2^2\times3$이라고 쓰는 것이 가능하다. 이처럼, 수를 소수의 곱의 형태로 쓰는 것을 소인수분해 factorization into prime factor 라고 한다.

factorial

팩토리알, 계승, 연속적으로 곱한 값

1부터 정수 n까지 모든 정수의 곱을 말하고 $n!$ 이라고 쓴다.

$3!=1\times2\times3=6$, $4!=1\times2\times3\times4=24$,
$5!=4!\times5=24\times5=120$, $n!=1\times2\times3\times4\times......n$이다.

factorization

인수분해

수와 식을, 그 인수의 곱의 형태로 쓰는 것을 말한다. 예를 들어, $24=2\times12$ 라고 쓰는 것도 인수분해이다. 12는 다시 $4\times3=2\times2\times3$으로 분해 될 수 있기 때문에 $24=2\times2\times2\times3=2^3\times3$으로 인수분해된다. 일반적으로 인수분해는 더 이상 인수분해 될 수 없는 상황까지 행한다.

인수분해의 기본은 공통인수 common factor 를 발견하는데 있다. 공통인수가 간단하게 발견되지 않을 때에는 항을 적당히 짜맞추어서 grouping 생각한다.

$$\begin{aligned} x^3-3x^2-4x+12 &= x^2(x-3)-4(x-3) \\ &= (x^2-4)(x-3) \\ &= (x+2)(x-2)(x-3) \end{aligned}$$

2차식의 인수분해는 전개공식 expansion formular 을 역방향으로 한

1. $x^2+2ax+a^2=(x+a)^2$
2. $x^2-y^2=(x+y)(x-y)$
3. $(x+a)(x+b)=x^2+(a+b)x+ab$
4. $(ax+b)(cx+d)=acx^2+(ad+bc)x+bd$

을 이용한다.

$x^2-6x+9=(x-3)^2$

$4x^2-9=(2x+3)(2x-3)$

$x^2-3x-4=(x-4)(x+1)$

3차의 공식에는 다음과 같은 것이 있다.

1. $x^3+3ax^2+3a^2x+a^3=(x+a)^3$
2. $x^3-3ax^2+3a^2x-a^3=(x-a)^3$
3. $x^3-a^3=(x-a)(x^2+ax+a^2)$
4. $x^3+a^3=(x+a)(x^2-ax+a^2)$

이들의 공식을 사용할 수 없을 때인 고차식의 인수분해는 쉽지가 않기 때문에 인수정리 factor theorem 를 이용해서 인수를 발견하는 것이 좋다.

$f(x)=x^3-7x+6$일 때 $f(1)=0$ 이므로, 인수정리에 의해 $f(x)$는 $x-1$로 나누어진다. 나누기를 해서, $f(x)\div(x-1)=x^2+x-6$이 되기 때문에, $f(x)=(x-1)(x^2+x-6)=(x-1)(x-2)(x+3)$을 얻을 수 있다.

■ ~ into prime factors 소인수 분해

수를 소수의 곱으로 분해하는 것을 말한다. 소인수 분해를 하기 위해서는 주어진 수를 계속해서 소수로 나누어 가고 1이 될 때까지 계속한다. 주어진 수는 나온 소수의 곱이 된다. 소인수 분해는 일의적(一意的)인 것으로 알려져 있다(즉, 1가지 방법 밖에 소인수 분해가 될 수 없다).

$$\begin{array}{r|l} 2 & 60 \\ \hline 2 & 30 \\ \hline 3 & 15 \\ \hline 5 & 5 \\ \hline & 1 \end{array}$$

$\therefore\ 60=2^2\times3\times5$

factorize

인수분해하다

인수의 곱으로 분해하다. → factorization

Fahrenheit

화씨

온도를 측정하는 단위의 하나로 어는점 freezing point을 32°, 끓는점 boiling point 을 212°로 한 것을 말한다. 섭씨 Celsius 는 어는점이 0°, 끓는점이 100°이므로, 섭씨와 화씨의 환산식은 $C=(F-32)\times\frac{5}{9}$이 된다.

fair

바른, 치우침이 없는

동전을 던졌을 때 앞이 나올 확률과 뒤가 나올 확률은 각 각 $\frac{1}{2}$이고 서로 같다. 이 때 동전은 '바르다, 치우침이 없다'라고 한다. 예를 들어, 숫자 1이 나오기 쉬운 주사위는 1이 나오는 쪽에 치우쳐 있는 unfair 주사위라고 하고 바른 fair 주사위에서는 1부터 6까지의 숫자가 나올 확률은 전부 $\frac{1}{6}$로 같다.

false **거짓의, 틀린**

어떤 명제 statement 가 바르지 않을 때를 말한다. 예를 들어, 어떤 명제 '$x^2>4$이면 $x>2$이다'는 $x=-3$일 때 $x^2=9>4$가 되기 때문에 옳지 않고 거짓이다.

falsity **거짓**

family **족(族), 군(群)**

같은 성질을 가진 개체를 모은 것을 말한다. 예를 들어, r이 임의의 실수 값을 취할 때 방정식 $x^2+y^2=r^2$으로 나타내어지는 곡선은, 원점을 중심으로 하는 동심원 concentric circles 이 만드는 족(族)을 구성한다. 또, k를 변화시킬 때 직선 $y=kx-k$의 족(族)은 모두 정점 (1, 0)을 지나간다.

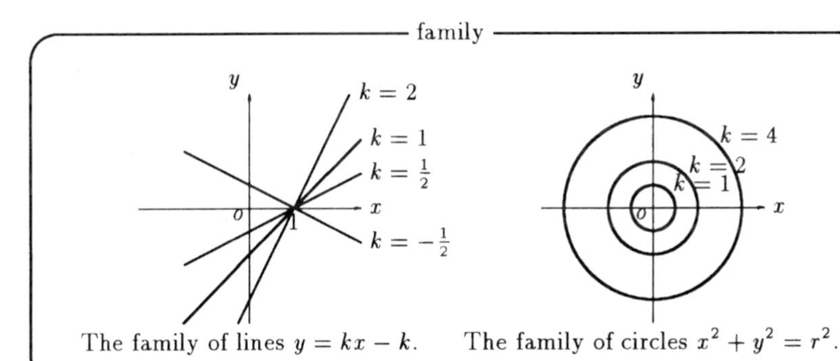

The family of lines $y = kx - k$. The family of circles $x^2 + y^2 = r^2$.

Fibonacci sequence **피보나치 수열**

$n \geq 3$일 때, $a_n=a_{n-1}+a_{n-2}$으로 정의되어진 수열 sequence 을 말한다.

$a_1=1$, $a_2=3$ 일때의 피보나치 수열은, $a_3=a_1+a_2=1+3=4$, $a_4=a_2+a_3=3+4=7$,...이므로, 1, 3, 4, 7, 11, 18, ...이 된다.

$a_1=1$, $a_2=1$ 일 때의 피보나치의 수열은 1, 1, 2, 3, 5, 8이고 자연계에서 많은 예를 볼 수 있다. 해바라기 씨의 수와 솔방울 비늘 열의 수, 파인애플 열매 등이 그 예이다. 또 n이 무한히 커질 때 항의 비(比) $\frac{a_{n+1}}{a_n}$은 황금 분할의 비 golden ratio 에 수렴한다.

figurate number **도형수 (圖形數)**

점을 배열하여 삼각형, 사각형 등의 정다각형을 만들 때 필요한 모든 점의 개수를 총칭해서 말한다. 예를 들어, 1, 4, 9 ...은 정사각형을 만들 수 있기 때문에 4각수 square number 라 하고 3각수 traiangle number 는 1, 3, 6, 10, ... 이고 삼각형의 형태를 만드는 수이다.

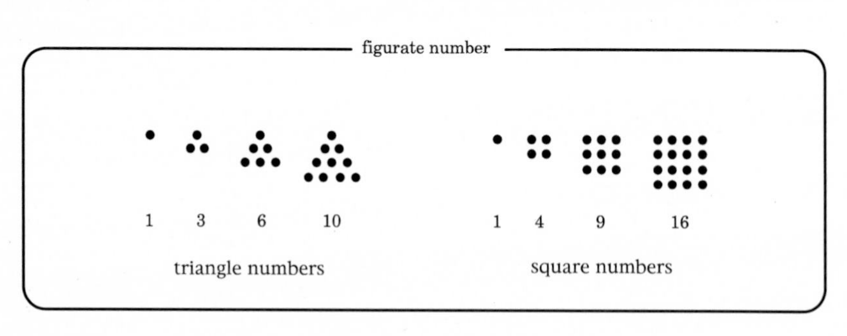

figure **도형, 도식 ; 숫자 ; 자리**

finite **유한의**

한계가 있는 수(數)(갯수)를 말한다. 유한한 수는 끝까지 셀 수 있다. 예를 들어, 집합{1,2,3,4,5}는 유한집합

finite set 이고 끝까지 셀 수 없는 집합은 무한집합 infinite set 이다. 모든 짝수의 집합은 무한집합 infinite set 이다.

flip

뒤집다, 반전하다

도형을 뒤집으면 반전된 도형이 만들어진다. 특히, 도형에서 직선을 기준선으로 뒤집으면 flip over a line 대칭의 도형이 만들어진다.

flow chart

순서도

계산 등의 일련의 절차를 선, 또는 화살표로 연결해 보여주는 그림을 말한다. 각 순서는 순서의 종류에 따라 둘러싸 상자의 형태가 달라진다. '시작'과 '끝'은 긴원, 일반적 순서는 '직사각형', 판단(yes or no)에 의한 분기(分岐)는 '마름모꼴로 표시된다.

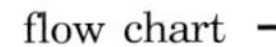

다음은 x의 절대값을 구하는 순서도이다. x가 양수나 0이면 그대로 x를 인쇄하고 x가 음수이면 부호를 반대로 한 x를 인쇄하므로 $|x|$를 구할 수 있다.

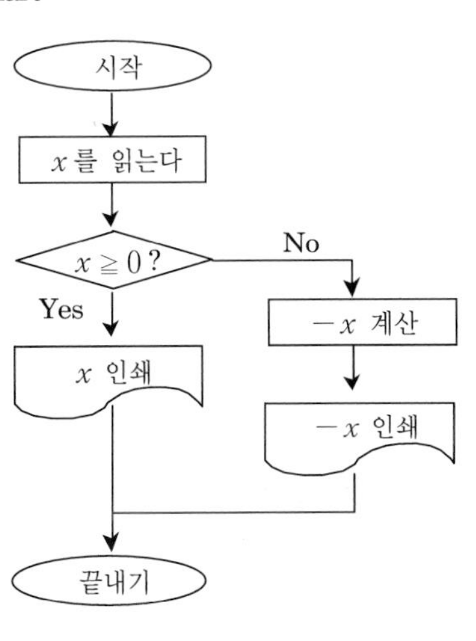

focus

초점

포물선 parabola 은 한 개의 정직선과 한 개의 꼭지점에서의 거리가 같은 점들의 자취로 나타낸다. 여기서 이 꼭지점을 초점이라 말하고 정직선을 준선 directrix 이라 한다.

일반적으로 원뿔 곡선 conic section 은 초점에서의 거리와 준선에서의 거리의 비

$$\frac{\text{초점에서의 거리}}{\text{준선에서의 거리}}$$

가 일정한 점이 만드는 도형이다. 이 일정비를 원뿔 곡선의 이심율 eccentricity 이라고 한다. 이심율의 값에 의하여 곡선은 포물선 parabola, 타원 ellipse, 쌍곡선 hyperbola 중에 하나가 된다. → eccentricity

준선과 초점은 포물선에서는 한 쌍, 타원과 쌍곡선에서는 두 쌍이 존재한다.

또, 타원과 쌍곡선은 각 각 두 개의 초점으로부터 거리의 합, 세 개의 초점으로부터의 거리의 차가 일정한 점이 그리는 도형이기도 하다. 포물선(면)의 초점에 광원(光源)을 두면, 빛은 포물선(면)의 축에 평행하게 나아간다. 이 성질은 회중전등과 파라볼라 안테나에 이용되어진다.

【달팽이의 여행】 깊이가 3m되는 우물 바닥에 있던 한 마리의 달팽이가 우물 밖으로 나오려고 하는데, 낮 동안 30cm만큼 기어올라오고 밤사이 20cm를 미끄러진다고 하자. 이 달팽이가 우물 밖으로 기어 나오는 데는 며칠이 걸릴까?

➡ 28일 [이 달팽이는 결국 하루에 10cm씩 올라가는 셈이다. 그렇다고 해서 30일이라고 생각해서는 안 된다. 28일째 아침에는 270cm 올라와 있으므로 28일 낮 동안에 30cm를 오르면 우물 끝에 다다른다.]

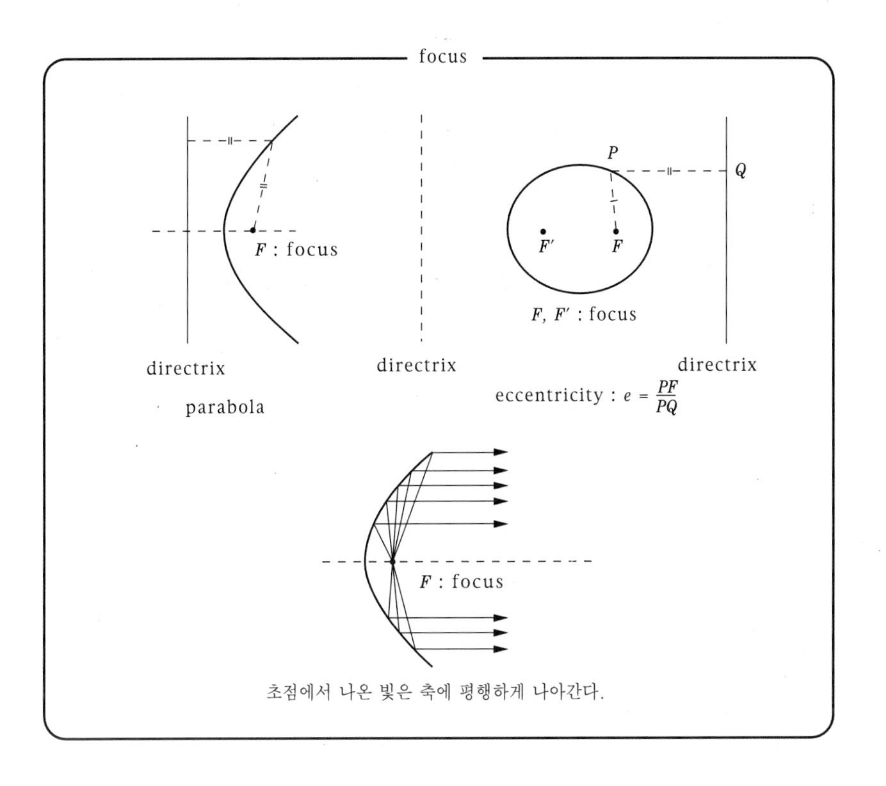

foot (feet)

피트

길이를 나타내는 하나의 단위이고, 성인의 발을 기준으로 길이를 잰 것을 나타낸다.

1 foot=12 inches≒30.48cm

1 yard=3 feet, 1mile≒5280 feet

이다.

- **~ of perpendicular** 수선(垂線)의 발

  한 점 A에서 일직선 L에 내린 수선 perpendicular 과 L의 교점을 말한다. 또는 평면에 수직인 선이 평면과 만나는 점을 나타내기도 한다.

formula **공식**

몇 개의 변량 사이에 성립하는 관계를 기호와 식을 사용해서 일반적으로 나타내는 것을 말한다. 예를 들어, 2차 방정식 $ax^2+bx+c=0$의 해 solution, root 는 공식

$$x=\frac{-b\pm\sqrt{b^2-4ac}}{2a}$$

으로 구할 수 있다. 또 삼각형의 넓이를 구하는 공식 formula for finding the area of a triangle 은

S=밑변×높이÷2

이다.

formulate **공식화하다**

four-square **정사각형의 ; 정사각형, 4각**

fraction **분수 (分數)**

전체에 대한 일부분을 표현하는 수이고, 한 개의 선분의 위, 아래에 정수를 쓴 것을 말한다. 예를 들어, 전체를 5개로 나눈 것의 하나의 양은 $\frac{1}{5}$ a fifth 이라고 표시되고, 3개의 양은 $\frac{3}{5}$ three fifths 이라고 표시된다.

분수의 선 위의 수는 분자 numerator, 선의 밑에 수는 분모 denominator 라고 한다. 분수는 분자÷분모의 결과라고도 생각할 수 있다. 즉 $a\div b=\frac{a}{b}$이다.

대분수(帶分數) mixed number 는 정수와 분수의 합으로 나타내어지는 수이고 예를 들어, $2+\frac{1}{4}$는, $2\frac{1}{4}$로 표시한다. 여기서 1이란 전체를 4개로 나눈 가운데 전부

(4개)이므로, $1=\frac{4}{4}$라고 생각할 수 있다. 따라서 $2\frac{1}{4}$ $=\frac{9}{4}$가 되며 이 경우를 가분수 improper fraction 라고 한다.

분수의 분모, 분자에 같은 수를 곱해도 분수의 값은 변하지 않는다. 이것을 이용해서 분수의 덧셈과 뺄셈은 분모를 공통으로 통분해서 계산한다.

$$\frac{1}{3}+\frac{2}{5}=\frac{1\times5}{3\times5}+\frac{2\times3}{5\times3}=\frac{5}{15}+\frac{6}{15}=\frac{11}{15}$$

$$2\frac{1}{2}-\frac{2}{3}=1\frac{3}{2}-\frac{2}{3}=1\frac{9}{6}-\frac{4}{6}=1\frac{5}{6}$$

곱셈, 나눗셈은 다음과 같이 한다.

$$\frac{3}{4}\times\frac{5}{6}=\frac{3\times5}{4\times6}=\frac{15}{24}=\frac{5}{8}$$

$$\frac{3}{4}\div\frac{5}{6}=\frac{3}{4}\times\frac{6}{5}=\frac{18}{20}=\frac{9}{10}$$

또, 비를 분수로 나타낼 수 있는데 예를 들어, 3 : 5는 분수 $\frac{3}{5}$로 표시되고, 이것은 전항의 후항에 대한 비율을 나타내고 있다. 즉, 전항은 후항의 $\frac{3}{5}$이다.

fractional **분수의, 끝수의**

frequency **도수 (度數), 빈수 (頻數); 진동수 (振動數)**

예를 들어, 주사위를 120번 던졌을 때에 1이 나올 횟수를 조사했더니 23번이었다. 이 값을 수 1에 대한 도수라고 한다. 통계에 있어서 여러 가지 분포를 조사했을 때에 어떤 사건이 일어나는 횟수를 도수라고 한다. 도수는 다음과 같은 도수분포표 frequency table 로 나타내는 것이 일반적이다. 이것은 여자 40명의 핸드볼 던지기의 결과이다.

frequency

frequency table

거리(m)	계급값	도수
8 ~ 10	9	2
10 ~ 12	11	3
12 ~ 14	13	7
14 ~ 16	15	12
16 ~ 18	17	10
18 ~ 20	19	4
20 ~ 22	21	1
22 ~ 24	23	1

frequency polygon **도수 분포 다각형**

도수 분포의 결과를 꺾은선 그래프로 나타낸 것을 말한다. 위 표의 도수 분포 다각형은 다음과 같다.

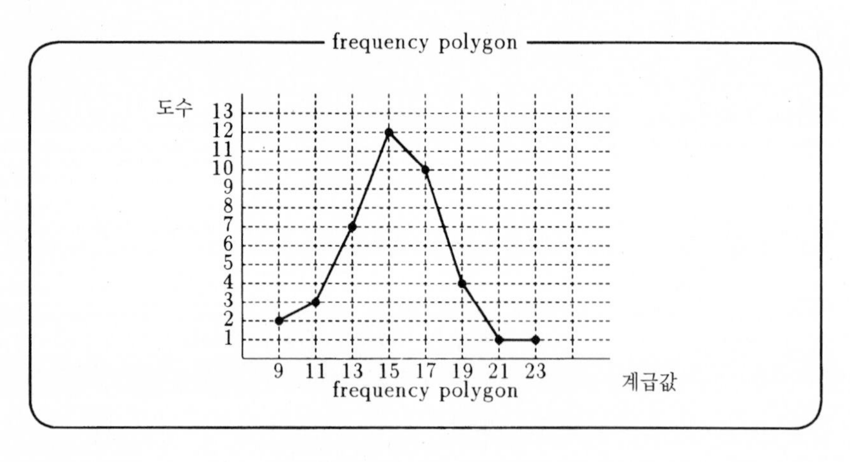

frequency polygon

frustum **원뿔대, 각뿔대**

원뿔이나 각뿔의 머리 부분을 밑면에 평행한 평면으로 잘랐을 때 생기는 입체를 말한다.

■ ~ of a cone 원뿔대

원뿔의 머리를 잘라놓은 것을 말한다. 원추대는 등변사다리꼴을 회전시켜 생긴 입체이다.

- **~ of pyramid** 각뿔대

  각뿔을 밑면에 평행하고 꼭지점을 지나지 않는 평면으로 잘라 꼭지점을 가진 쪽의 부분을 없앤 입체. 각뿔대나 원뿔대를 막론하고, 상하 양면 사이의 거리를 높이라고 한다.

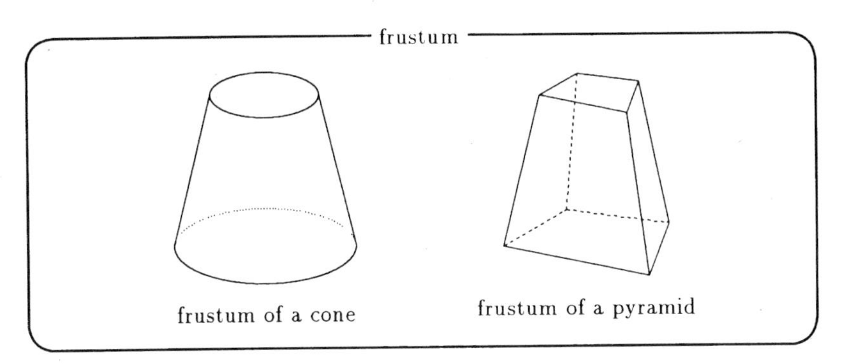

function

함수

집합 set A의 모든 원소 element 에 대해서 집합 B의 원소가 하나씩 대응하고 있을 때 이 대응(또는 이 규칙)을 집합 A에서 집합 B로의 함수라고 한다. 이 때 집합 A를 이 함수의 정의역 domain, 집합 B를 공역 co-domain 이라고 한다.

일반적으로 함수는 문자 f를 이용해서 나타낸다. 또 함수 f에 의해 집합 A의 원소 x에 대응되는 집합 B의 원소 y를 x의 상(像)이라 하고 $f(x)$라고 쓴다. 예를 들어, $A=\{1, 2, 3\}$, $B=\{1, 2, 3, 4, 5, 6\}$, $f(x)=2x$라고 정의될 때, $f(1)=2$, $f(2)=4$, $f(3)=6$이다. 여기서 모든 상의 집합을 치역 image set, range 이라고 한다.

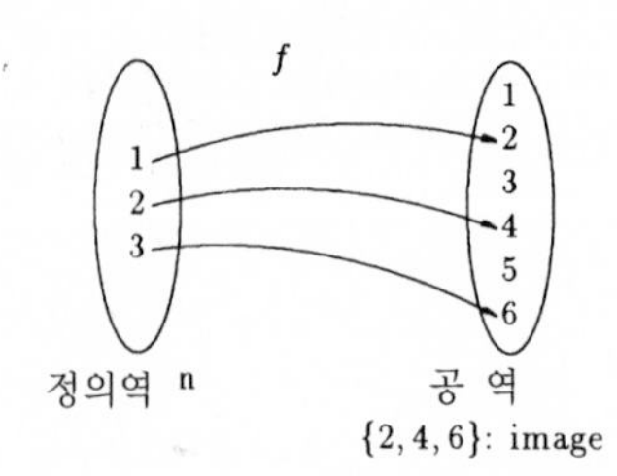

함수는 일반적으로 x의 식으로 정의된다(위의 예에서는 $f(x)=2x$이다). 자연수 전체에서 자연수 전체로의 함수 g가, $g : x \to 3x-1$ 으로 정의되어 있을 때, $g(1)=2$, $g(2)=5$, ... $f(x)=3x-1$이고, g의 치역은 '3으로 나누면 2가 남는 수'가 된다.

함수는 그래프를 이용해서 표현되는 경우가 많다. 함수 $y=f(x)$의 그래프는, x와 그의 상(象) y의 조합으로 표시된 모든 점(x, y)의 집합이다.

예를 들어, 2차 함수 quadratic function, 3차 함수 cubic function 의 그래프는 다음과 같이 된다. 그래프를 사용하면 함수 값의 변화를 한 눈에 볼 수 있다.

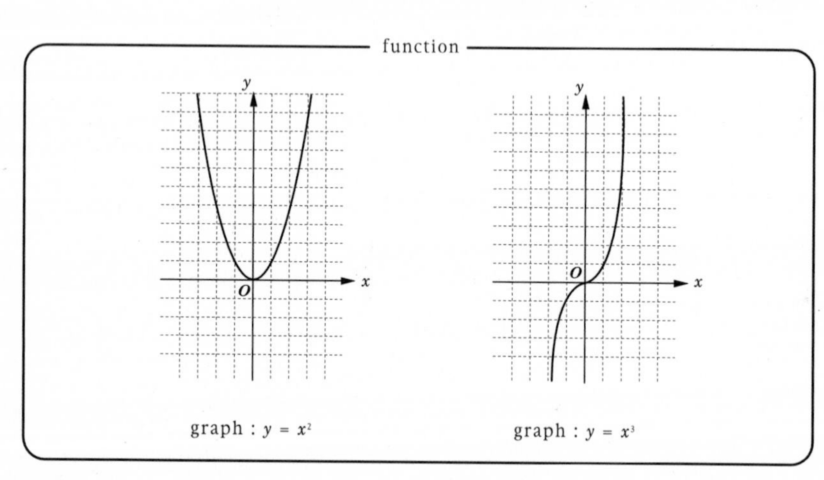

gain

이익 (利益)

한 개에 1000원 하는 물품을 100개 사들여 하나에 1200원에 판다고 했을 때 90개가 팔렸다. 이 때 매입이 10만원이고 매출이 10만 8000원이므로 8000원 이익이 된다.

G.C.D.

최대 공약수

→ greatest common divisor

G.C.M.

최대 공약수

= greatest common measure → greatest common divisor

generalize

일반화하다

몇 개의 예에 의한 결과가 모든 경우에 적용되는 결과로 도출되어질 때를 말한다.
예를 들어, 반지름이 1인 원의 넓이는 3.14이지만 이 결과를 일반화하면 원의 넓이는 반지름×반지름×3.14가 된다. 원의 반지름을 r, 넓이를 S라고 하면 이 결과는 $S=r\times r\times 3.14$라고 쓰는 것이 가능하다. 이렇게 해서 원의 넓이가 공식 formula 으로 얻어 질 수 있다.

generate

생성하다

공식이나 규칙에 의해서 목적하는 것을 만들어 내는 것을 말한다. 특히 수열의 각 항은 일반항에 의해서 생성된다. 예를 들어, n번째의 홀수는 $2n-1$로 얻어질 수 있기 때문에 8번째의 홀수는 $2\times 8-1=15$이다. 또 수열 $\{a_n\}$이 $a_1=1$, $a_{n+1}=a_n+n$으로 정의되어 있으면 제 2항은 $a=a_1+1=1+1=2$, 제 3항은 $a_3=$

$a_2+2=2+2=4$처럼 생성된다.

geometric **기하학의**

geometric mean **기하 평균**

직사각형의 넓이를 변화시키지 않고 정사각형으로 변환할 때의 한 변의 길이를 직사각형 두 변의 기하평균 geometric mean 이라고 한다. 직사각형의 두 변을 a, b라고 하면 넓이는 ab이므로 같은 넓이의 정사각형의 한 변 x는 $x^2=ab$를 만족한다. 따라서, $x=\sqrt{ab}$을 가진다. 그러므로 두 수 a, b의 기하평균은 $\sqrt{ab}$가 된다.

예를 들어, 6과 24의 기하평균은 $\sqrt{6\times24}=\sqrt{144}=12$이다. 또, 산술평균(算術平均) arithmetic mean 은 $\frac{6+24}{2}=15$이고, 산술평균이 기하평균 보다 크다.

일반적으로, $\frac{a+b}{2}\geq\sqrt{ab}$가 성립한다.

geometric progression **등비수열(等比數列), 기하수열(幾何數列)**

서로 이웃해 있는 항의 비가 일정한 수열을 말한다. 등비수열 $\{a_n\}$의 첫째항을 a, 항의 비를 r이라고 할 때, 모든 자연수 n에 대해서 $\frac{a_{n+1}}{a_n}=r$ 즉, $a_{n+1}=a_nr$이 성립하므로

$a_2=a_1\times r=ar,$

$a_3=a_2\times r=ar\times r=ar^2$

$a_4=a_{3\times r}=ar^2\times r=ar^3$

이 된다. 따라서 $a_n=ar^{n-1}$을 얻는다.

a를 첫째항 the first term, r을 공비 common ratio

between the term 라고 한다. 예를 들어 첫째항 1, 공비 2의 등비수열은 1, 2, 4, 8, 16...이 되고 제 n항은 $1\times2^{n-1}=2^{n-1}$이다. 이 수열 최초의 n항의 합은 2^n-1이 되는데 이것은 등비수열의 최초의 n항의 합 S_n의 공식 $S_n=\frac{a(r^n-1)}{r-1}$에서 얻어질 수 있다.

geometry

기하학 (幾何學)

도형의 성질과 도형 사이에 성립하는 관계에 대해 연구하는 수학의 한 분야를 말한다. 여기에는 유클리드가 정리한 보통의 기하학인 유클리드 기하(Euclidean), 구면상의 성질에 대해 조사하는 구면기하 같은 비유클리드 기하(non-Euclidean), 도형의 형태가 아니고 선의 연결 모양에 주목한 위상기하학(topology)같은 여러 가지 기하학이 있다.

global

대역 (大域)의

국소적(局所的) local 이 아니라, 크게 물건을 보는 관점을 말한다.

globe

구, 지구

gnomon

노먼

평행사변형의 한 각에서 모양이 같은 평행사변형을 없앤 도형을 나타낸다.

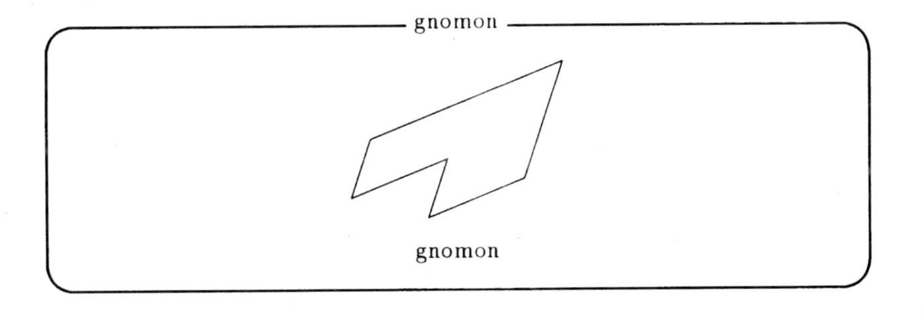

-gon — **-각형**

다각형 polygon 에서와 같이 '-각형'이라고 할 때 이용한다.

goniometer — **각도계**

googol — **10의 100승**

$= 10^{100}$

grade — **도**

90°를 100등분한 각도를 말한다.

gradient — **기울기, 경사**

직선에서 수평방향 horizon direction 의 증가분에 대한 수직방향 vertical direction 의 증가분의 비율을 말한다. 이것은 수평방향 1에 대한 수직방향의 증가분과 같다. 수평방향으로 100m 이동했을 때 5m 올라간 직선의 기울기는 5÷100=0.05이다. 내려가는 언덕일 때는 경사가 (−)의 값을 갖는다. 곡선의 경사는 곡선상 각각의 점에서의 접선의 기울기로 정의된다. 도로의 경우, 실제로는 수평방향의 거리가 측정하기 어렵기 때문에 도로에 연한 거리에 대한 도로의 올라간 거리의 비로 표시하는 때가 많다.

【생선구이】 우리 집의 생선구이 기구는 생선을 2마리밖에 넣을 수 없다. 게다가 한쪽 면을 굽는 데 5분 걸린다. 생선을 3마리(두 면 모두) 굽는 데 가장 빨리 구우려면 어떻게 하면 될까요?

➡ 15분에 전부 구울 수 있다 [생선을 A, B, C라 하자. 먼저, A, B의 한쪽 면을 굽자. 그런 후, A와 C의 한쪽을 굽는다. 이제, B와 C의 한쪽 면을 굽는다.]

gradient

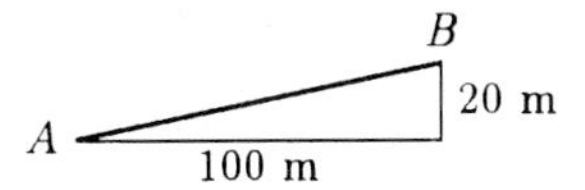

The gradient of the slope is 0.2.

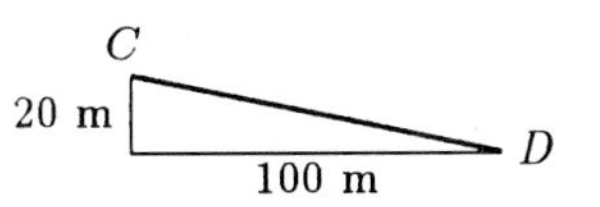

The gradient of the slope is -0.2.

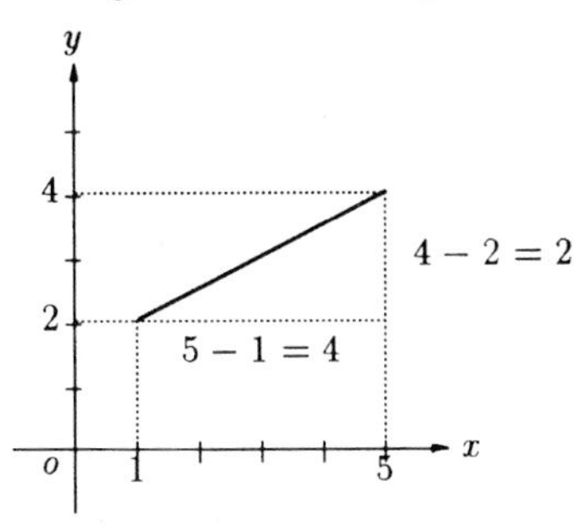

gradient: $\frac{2}{4} = \frac{1}{2}$

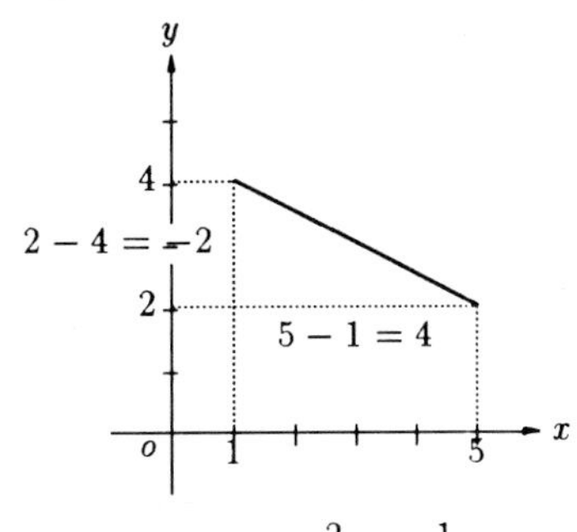

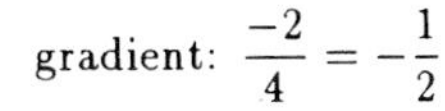

gradient: $\frac{-2}{4} = -\frac{1}{2}$

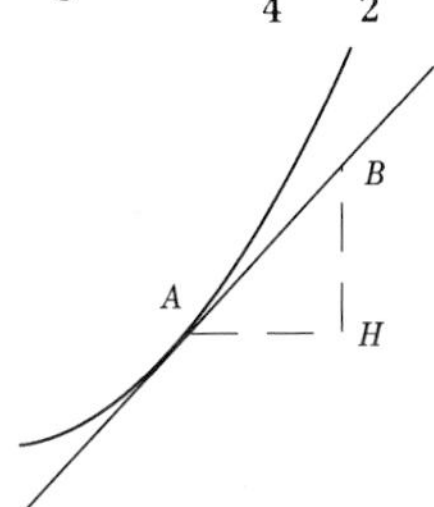

곡선 위의 점 A에 있어서, 곡선의 기울기는 점 A에서의 접선 AB의 기울기이다.

Gradient of tangent at $A = \frac{BH}{AH}$.

gram (g)

그램

무게의 단위의 하나로 킬로그램(kg)의 1000분의 1을 나타내고, 1g이라고 쓴다. 1kg=1000g

graph

그래프, 도식(圖式)

수량과 성질 등을 도형을 이용하여 표시한 것을 말한다. 형태를 눈으로 봐서 확인할 수 있기 때문에 그래프는 여러 가지 문제에서 유효한 수단이 된다. 그래프는 여러 가지 종류가 있어 각 문제에 적합한 것을 사용하면 된다. 주로 막대 그래프 bar graph, bar chart, 봉(棒)그래프 block graph, 좌표 그래프 coodinate graph, 선 그래프 line graph, 사상도 mapping diagram, 그림 그래프 pictogram, 원 그래프 pie chart, pie graph 가 있다. 함수 값의 변화를 조사하는 데에는 그래프가 아주 적합하다. 함수 $y=f(x)$의 그래프는 대응하는 두 수 x, $y=f(x)$를 좌표가 가지는 점(x, y)의 집합$\{(x, y) \mid y=f(x)\}$로 정의한다. 이와 같은 그래프를 좌표 그래프라고 하며 간단한 그래프의 예로서 $y=x^2$, $y=x^3$을 들 수 있다.

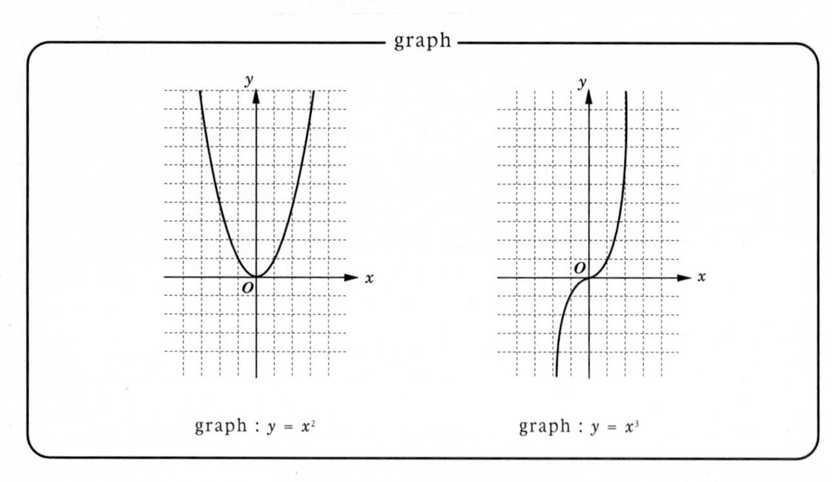

gravitation 인력(引力) (작용), 중력(重力)

gravity 중력(重力), 인력(引力)

지구가 물체를 잡아당기는 힘이다. 일반적으로 만유인력이라고도 한다.

- center of ~ 중심(重心)

삼각형의 각 꼭지점과 대변의 가운데 점을 연결하는 직선은 한 점에서 교차한다. 이 점을 삼각형의 중심(重心)이라 하고 균일한 재질로 된 삼각형을 이 중심으로 받치면 수평으로 균형이 잡힌다.

- ~ acceleration 중력 가속도
  중력에 의해 생기는 가속도를 말하고, g로 표시한다. $g=9.8m/s^2$이다.

great circle

대원(大圓)

구 sphere 를 평면으로 자를 때 생기는 원 중 제일 큰 원을 '대원'이라고 한다. 대원은 구의 중심을 통과하는 평면으로 자를 때 생기는 원이다. 또한 대원 이외의 원은 '소원' small circle 이라고 한다.

구면상의 두 점을 지나는 대원은 한 개 밖에 없다(그 두 점과 구의 중심을 지나는 평면으로 자르면 좋다). 또 구면상의 임의의 두 점 간을 이동할 때, 그 두 점을 통과하는 대원을 따라서 이동하는 것이 가장 짧은 것으로 알려져 있다.

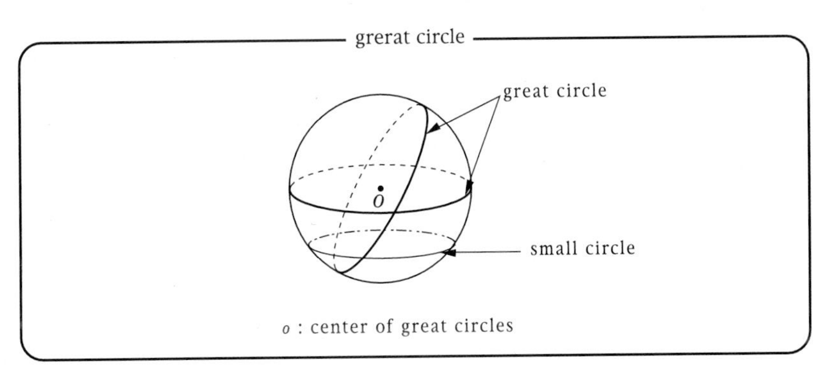

greater than

보다 크다

수 a가 양 positive 일 때 $a>0$이라고 쓴다. 두 수 a, b에 대해서 $a-b>0$가 성립할 때 'a는 b보다 크다' 라고 하고 $a>b$ a is greater than b 라고 쓴다. a가 b보다 크거나 또는 같을 때 $a \geq b$로 나타내고, 'a는 b 이상 greater than or equal to 이다' 라고 한다. x가 실수일 때는 $x^2 \geq 0$이다.

greatest common divisor (G.C.D.) **최대공약수 (最大公約數)**

어떤 수의 공통 약수 중에서 가장 큰 약수를 말한다. 예를 들어, 12의 약수는 1, 2, 3, 4, 6, 12이고 8의 약수는 1, 2, 4, 8이므로 12와 8의 공약수는 1, 2, 4이다. 따라서 12와 8의 최대 공약수는 4이다. 최대 공약수를 표현하는 단어로서는 **greatest common divisor, greatest common measure, highest common factor** 같은 것이 있다. 이것은 차례로 G.C.D., G.C.M., H.C.F.라고 줄여서 쓰기도 한다.

group **군 (群)**

집합 G의 모든 원소에 대해, 2항 연산 $*$가 정의되어 있고, 다음의 성질을 만족할 때 G는 연산 $*$에 관해 군(群) group 을 이룬다고 한다.

1. 모든 원소 a, b에 대해서 $a*b$는 G의 원소이다 (G는 $*$에 관해 닫혀있다).
2. 모든 원소 a, b, c는 $(a*b)*c=a*(b*c)$가 성립한다($*$에 대한 결합법칙이 성립한다).
3. 모든 원소 a에 대하여 $a*e=e*a=a$가 성립하는 원소 e가 존재한다 (항등원 identity element e가 존재한다).

4. 각 원소 a에 대해 $a*b=b*a=e$를 만족시키는 원소 b가 존재한다. 이 때 b를 a의 역원 inverse 이라고 하고 a^{-1}이라고 쓴다.

정수 전체는 연산 +에 관해서 군(群)이다(항등원은 0, n의 역원은 $-n$이다).
0을 제외한 유리수 전체 Q는, 연산 ×에 관해서 군(群)이다(항등원은 1, a의 역원은 $\frac{1}{a}$ 이다).
집합 $P=\{1, 2, 3, 4\}$의 연산 $*$을 $a*b=a\times b$를 5로 나눈 나머지로 정의를 했다면,
$2*3=1$, $3*4=2$ 이 된다. 이 때 P는 $*$에 관해 군이 된다(항등원은 1이다).

grouped data

그룹으로 분류된 자료

다양한 자료는 계급으로 분류되어 정리되는 경우가 많다. 특히 체중이나 신장처럼 연속적인 실수값을 취하는 경우에 많이 쓰인다.
예를 들어, 오른쪽 표는 여자 40명의 핸드볼 던지기의 결과를 폭 2m로 하는 계급으로 분류한 분포표이다. 계급의 대표값으로써 계급의 중앙값을 취하고 이것을 계급값이라고 한다. 이 표에서는 각각의 자료의 정보는 볼 수 없지만 분포 모습은 쉽게 파악할 수 있다. 이것을 계급으로 나뉘어져 분류된 자료라고 말한다.

frequency table

거리(m)	계급값	도수
8 ~ 10	9	2
10 ~ 12	11	3
12 ~ 14	13	7
14 ~ 16	15	12
16 ~ 18	17	10
18 ~ 20	19	4
20 ~ 22	21	1
22 ~ 24	23	1

growth

증대, 성장

■ ~ curve 성장곡선

아이들의 각 연령에 대한 키의 크기를 그래프로 표시한 것을 말한다. 연령이 높아지면 키가 커지고, 곡선의 기울기가 클수록 성장 속도가 빠르다.

half line **반직선**

한 점에서 한쪽으로 향하여 무한히 뻗어있는 직선을 말한다. 직선 AB는 두 점 A, B를 지나 양쪽으로 뻗어있는 직선이고, 반직선 AB는 점 A에서 점 B쪽으로만 뻗어있는 직선이다. 점 A는 반직선의 끝점 boundary of half line 이라 한다.

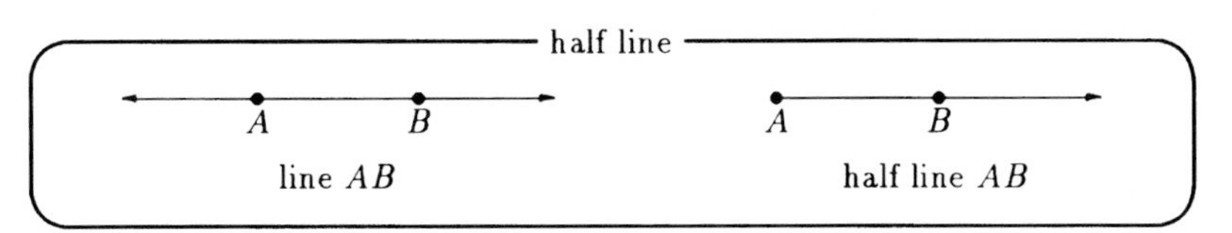

halt **정지하다 ; 정지**

halve **이(등)분하다**

2개의 부분으로 나누는 것을 말한다.

happy number **행복수**

각 자리의 숫자를 제곱해서 서로 더해보는 조작을 반복할 때 최후에 1이 되는 수를 말한다. 예를 들면, 86은 $8^2+6^2=100$, $1^2+0^2+0^2=1$이고, 23은 $2^2+3^2=13$, $1^2+3^2=10$, $1^2+0^2=1$이므로 두 수 모두 행복수이다. 4는 $4 \rightarrow 16 \rightarrow 37 \rightarrow 58 \rightarrow 89 \rightarrow 145 \rightarrow 42 \rightarrow 20 \rightarrow 4$ 로 자기 자신에게 돌아와 버리기 때문에 행복수가 아니다. 이와 같은 수를 슬픈수 sad number 라 한다.

harmonic **조화된**

■ ~mean 조화평균

양수 a, b에 대해서 $\frac{1}{a}$과 $\frac{1}{b}$의 평균의 역수를 뜻한다.

$$\frac{1}{c}=\frac{\frac{1}{a}+\frac{1}{b}}{2}=\frac{a+b}{2ab}$$ 이므로 $c=\frac{2ab}{a+b}$이다.

이 때 $\frac{1}{a}, \frac{1}{c}, \frac{1}{b}$는 등차수열 arithmetic progression 을 이루고 있다.

예를 들면, 4, 2의 조화평균은 $\frac{2\cdot4\cdot2}{4+2}=\frac{8}{3}$이다. 실제, $\frac{1}{4}, \frac{3}{8}, \frac{1}{2}$은 공차가 $\frac{1}{8}$인 등차수열로 되어 있다.

■ ~progression 조화수열

등차수열의 역수가 만드는 수열을 말한다. 등차수열 1, 2 ,3, 4...의 역수 1, $\frac{1}{2}, \frac{1}{3}, \frac{1}{4}$.. 은 조화수열의 대표적인 예이다.

h.c.f

최대공약수

가장 큰 공약수를 말한다. → greatest common divisor

hectare

헥타르

면적을 측정하는 단위의 하나. 100m×100m의 정사각형의 면적을 1헥타르 hectare 라 한다. 1헥타르는 100아르 ares 이고 10,000제곱미터(㎡)와 같다. 따라서 1아르 ares 는 한 변이 10m 인의 면적, 즉 100㎡이다.

helix

나선, 나사

3차원의 나선 spiral 을 말한다. 나선은 원주의 측면위의 곡선이고 코일 용수철 같은 곡선이다. 또 원뿔 측면위를 지나가며 감는 곡선도 helix 라 한다.

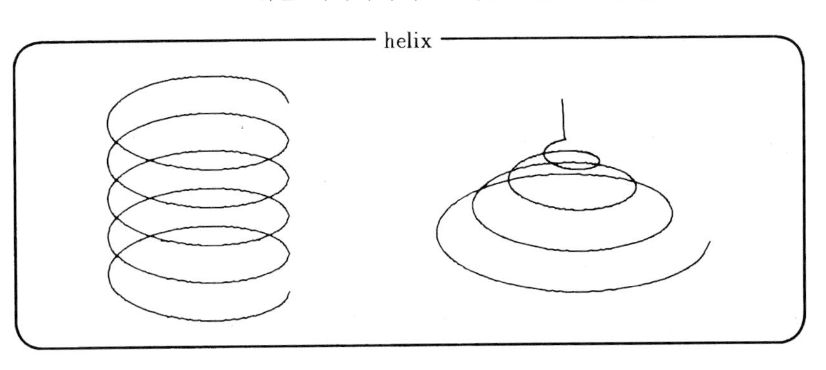

hemi- '반(半)'의 의미

hemicycle **반원(半圓)**
원을 그 중심을 지나는 직선으로 자르면 반원 hemicycle 이 만들어진다.

hemisphere **반구(半球)**
구 sphere 를 그 중심을 지나는 평면으로 자를 때 생기는 곡면을 말한다. 잘린 부위는 대원이라 한다.

hepta- '7'의 의미

heptagon **7각형**
7개의 꼭지점과 7개의 변이 만든 다각형을 말하며 septagon 이라고도 한다.

Hero(n)'s formula **헤론의 공식**
세 변의 길이를 알고 있을 때 삼각형의 넓이 area 를 구하는 다음 공식을 말한다. 삼각형의 세 변의 길이를 a,

b, c라 하고, $s=\dfrac{a+b+c}{2}$라 두면 면적 A는

$$A=\sqrt{s(s-a)(s-b)(s-c)}$$

로 구할 수 있다.

예를 들어, 세 변이 5, 12, 13의 삼각형의 면적은

$$s=\frac{5+12+13}{2}=15$$

이므로

$$\sqrt{15(15-5)(15-12)(15-13)}=\sqrt{900}=30$$

이다. 실제로 이 삼각형은 빗변을 13으로 하는 직각 삼각형이고 면적은 $\dfrac{12\times5}{2}=30$이 되고, 헤론의 공식에 의한 결과와 일치하고 있다.

hexa- **'6'의 의미**

hexadecimal **16 진법**

16을 기수 base 로 하는 기수법을 말한다. 컴퓨터 등에서 자주 사용된다. 0부터 9까지의 숫자와 A부터 F까지의 알파벳으로 16개의 기호를 사용한다. A에서 F까지는 10진법의 10에서 15까지에 해당한다. 16진법에서 abc라고 쓰여있는 수는, $a\times16^2+b\times16+c$를 나타낸다. 예를 들어, 16진법의 $2B$는, 10진법으로 $2\times16+11=43$이다. 역으로 10진법의 245는 $245\div16=15$이고 나머지 5이므로 $245=15\times16+5$가 되고 16진법으로 $F5$라고 표시된다.

hexagon **6각형**

hexahedron **6면체**

6개의 면으로 된 입체를 말한다. 입방체(立方體) cube

는 정 6면체 regular hexahedron 이다.

histogram

히스토그램, 막대그래프

도수를, 구간을 밑변으로 하는 직사각형(長方形)의 면적으로 표시하는 막대 그래프를 말한다. 구간의 폭을 반드시 동일하게 할 필요는 없고, 그 구간으로 표시된 계급의 도수가 그 구간을 밑변으로 하는 직사각형의 면적이 되도록 직사각형을 만들면 된다. 구간의 길이를 일정하게 한다면 도수는 직사각형의 높이로 표현된다.

histogram

오른쪽의 분포표는 어느 고등학교 3학년여자 50명의 넓이뛰기 기록 결과를 모아놓은 것이다. 이 표를 근간으로 히스토그램을 그리면 다음과 같다.

frequency table for long jump

거리(cm)	계급값	도수
240 ~ 260	250	1
260 ~ 280	270	1
280 ~ 300	290	2
300 ~ 320	310	5
320 ~ 340	330	14
340 ~ 360	350	12
360 ~ 380	370	11
380 ~ 400	390	3
400 ~ 420	410	1

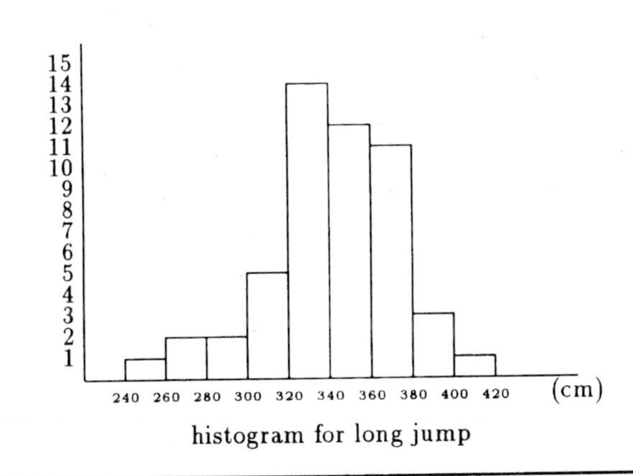

histogram for long jump

Hooke's law **훅의 법칙**

'용수철과 고무밴드의 늘어남은 거기에 더해지는 힘에 비례한다' 라는 법칙을 말한다. 예를 들어, 5kg의 추를 매달았을 때 1cm 늘어난 용수철에 10kg의 추를 매달면 용수철은 2cm가 늘어나게 된다. 이 때 추의 무게를 F, 용수철의 늘어난 길이를 l이라 하면, $l= 0.2F$가 성립한다.

horizon **수평선, 지평선**

horizontal **수평의**

수평선 또는 수평면에 평행인 것을 말한다. 추를 달았을 때에 생기는 직선은 수직선 vertical line 이 된다. 직선과 평면이 수직선에 수직일 때 '그것들은 수평이다' 라고 한다. 좌표축은 보통 수평방향을 x축, 수직방향을 y축으로 한다.

hyperbola **쌍곡선**

두 개의 정점에서 거리의 차가 일정한 점이 그리는 도형을 말한다. 이 두 정점을 쌍곡선의 초점 focus 이라 한다. 초점의 좌표를 $(\pm c, 0)$로 하고 일정한 거리의 차를 $2a$라 하면 쌍곡선의 방정식은 $b^2= c^2- a^2$을 이용해서 $\frac{x^2}{a^2}-\frac{y^2}{b^2}=1$이 된다.

이 쌍곡선은 x를 무한히 크게 할 때 $y>0$이고 직선 $y=\pm\frac{b}{a}x$에 한없이 가까워 진다. 이와 같은 직선을 쌍곡선의 점근선 asymptote 이라 한다. 쌍곡선은 2개의 점근선($y=\pm\dfrac{b}{a}x$)을 가지는데 2개의 점근선이 직각으로 교차할 때를 직각쌍곡선 rectangular hyperbola 이라 한다. 분수함수 $y=\dfrac{k}{x}$의 그래프는 x축, y축을 점근선으로 하는 직각쌍곡선이다. 또 쌍곡선은 이심율 eccentricity 이 1보다 큰 원뿔곡선 conic section 으로도 정의된다.

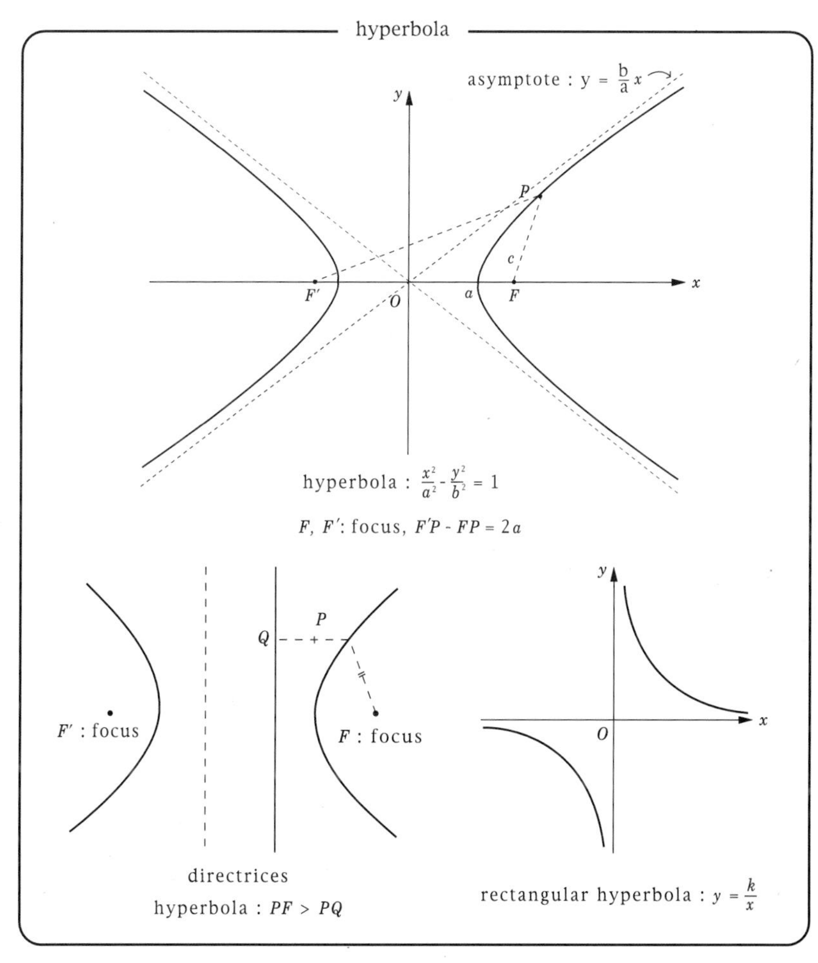

hypo- '아래', '이하'의 의미

hypocycloid 내 (内) 싸이클로이드

원을 다시 한 개의 원에 내접시키면서 회전시킬 때 원주 위의 한 점이 그리는 도형을 말한다.

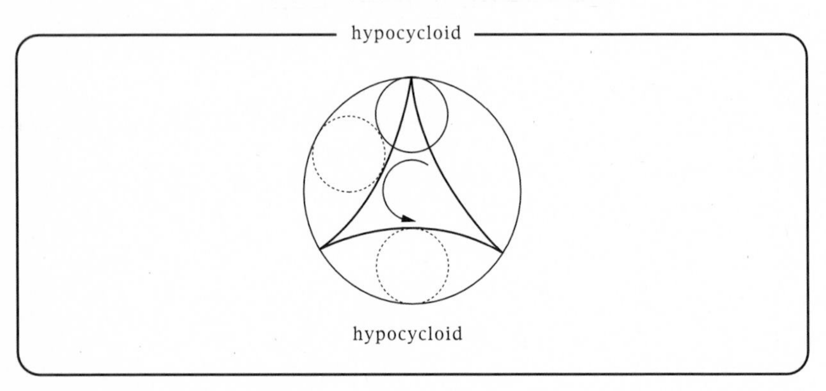

hypotenuse 빗변

직각 삼각형 rectangular triangle 의 최대변을 말한다. 빗변은 직각의 대변 opposite side 이다. 또 피타고라스의 정리 Pythagorean theorem 에 의해 빗변의 제곱은 다른 두 변의 제곱의 합과 같다.

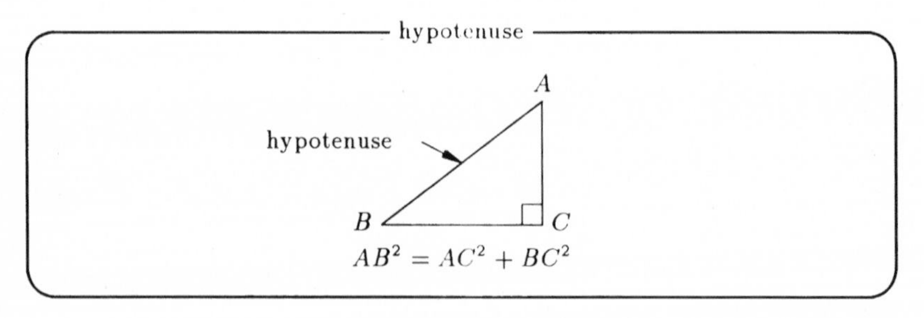

hypothesis 가설, 가정

뉴튼은 사과가 나무에서 떨어지는 것을 보고 '지구가 사과를 잡아당기고 있다'고 추측했다. 이처럼 자연의 관찰에 의해 옳다고 생각되는 사항을 가설이라 한다. 뉴튼은 이 가설에서 만유인력을 발견했다. 과학은 실험과 관찰 및 이미 알고 있는 이론에서 추측되는 한 개의 가설을 세우고 (필요하면 수정도 덧붙여서) 그것을 실증한다. 수학의 증명에는 처음에 전제로서의 가정 hypothesis, assumption 이 있고 이것들에서 출발해서 공리 axiom, 정리 theorem 를 이용하여 결론 consequence 을 도출시킨다.

i **허수단위**

$\sqrt{-1}$을 i라고 쓰고 허수단위 imaginary unit 라고 한다. $i^2=-1$이며 따라서, 방정식 $x^2+1=0$의 해 solution 는 $x=\pm i$가 된다. → complex number

icosahedron **20면체**

20개의 면 faces 을 갖는 다면체 polyhedron 를 말한다. 정 20면체 regular icosahedron 가 존재하고 그 면은 전부 정삼각형 equilateral triangle 이며 12개의 꼭지점 vertices 과 30개의 변 edges 을 갖는다. 정 20면체를 각 꼭지점에 모인 5개 변의 중점을 지나는 평면으로 자르면 정오각형과 정육각형이 되는 축구공 같은 형태가 나온다.

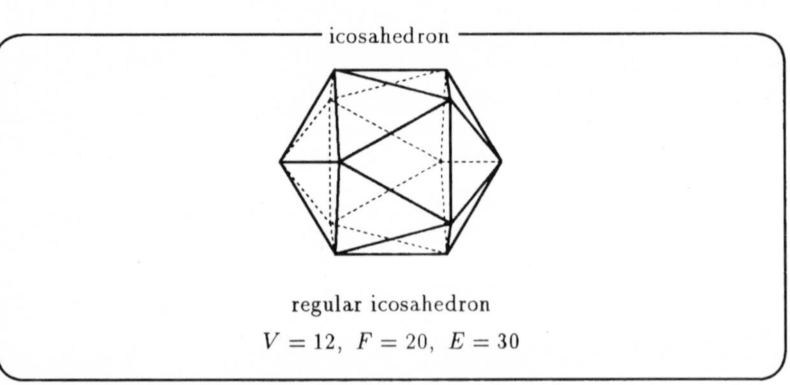

regular icosahedron

$V=12,\ F=20,\ E=30$

identical **동일한, 항등의**

완전히 같은 것을 말한다. 예를 들어, 동일한 도형은 형태도 크기도 모두 같은 (합동인)도형이다.

■ ~ equation 항등식

임의의 변수값에 대하여 항상 성립하는 등식을 말한다. 항등식의 좌변과 우변은 모두 같은 식으로 변형이 가능하다. 예를 들어, $(x+y)^2 = x^2 + 2xy + y^2$는 항등식이다.

■ ~ transformation 항등변환
아무 것도 변화시킬 수 없는 변환을 말한다.

identity **항등, 항등식, 항등원**

이항 연산 등에서 아무 것도 변화시킬 수 없는 작용소(作用素)를 말한다. 예를 들어, $a+0=0+a=a$ 이므로 수에 0을 더해도 수는 변화하지 않는다. 따라서 0은 덧셈에 있어서 항등원이다. 또 곱셈에서 항등원은 1이다.

평행이동 translation 을 $\begin{pmatrix} a \\ b \end{pmatrix}$로 나타낼 때 평행이동의 합성은 덧셈에 대응한다.

$\begin{pmatrix} 0 \\ 0 \end{pmatrix}$은 $\begin{pmatrix} a \\ b \end{pmatrix} + \begin{pmatrix} 0 \\ 0 \end{pmatrix} = \begin{pmatrix} a \\ b \end{pmatrix}$을 만족시키기 때문에 항등원이다.

또 원점을 중심으로 하는 회전을 $R(\alpha)$라고 하면 $R(\alpha)$와 $R(\beta)$의 합성은 $R(\alpha+\beta)$이 된다. $R(\alpha+0°) = R(\alpha)$, $R(\alpha+360°) = R(\alpha)$이므로 0° 또는 360°의 회전은 항등원이다. 이들은 모두 항등변환 identical transformation 이 된다.

행렬 matrix 의 곱셈은

$$\begin{pmatrix} a & b \\ c & d \end{pmatrix}\begin{pmatrix} s & u \\ t & v \end{pmatrix} = \begin{pmatrix} as+bt & au+bv \\ cs+dt & cu+dv \end{pmatrix}$$

로 정의된다. 이 곱셈에 관한 항등원은 $\begin{pmatrix} 1 & 0 \\ 0 & 1 \end{pmatrix}$이고 항등행렬 또는 단위행렬이라 한다.

if and only if **~일 때 또한 그 때에 한해서**

'A 이면 B가 성립'하고, 'B이면 A가 성립'할 때 'B일 때 또한 그때에 한해서 A이다' A if and only if B 라고 한다.
예를 들어 A, B를 2개의 집합으로 할 때 $A \subseteq B$ 이며 $A \supseteq B$일 때 그리고 그 때에 한해서 $A = B$가 성립하며 이들은 A set A is equal to a set B if and only if $A \subseteq B$ and $A \supseteq B$ 처럼 표현한다.
if and only if 를 iff 로 간단하게 적는 경우도 있다.

iff

~ 일 때 또한 그 때에 한해서

= if and only if

image

상(像)

함수 f에 의해 x에 대응되어지는 원소 y를 x의 f에 의한 '상' image 이라 한다. 예를 들어, $f(x)=x+2$일 때 수 3의 상(像) $f(3)$은 5이다. f의 정의역 domain 에 포함되는 전체 x의 상(像)의 집합을 f의 치역 image set 이라 한다. 점 A를 변환 f에 의해 변환시킨 후의 점을 A의 '상' image 이라 하고 A' 라고 쓴다. 예를 들어, 원점을 기준으로 90° 회전시킬 때 점 (1, 2)에 대한 상은 (−2, 1)이다.

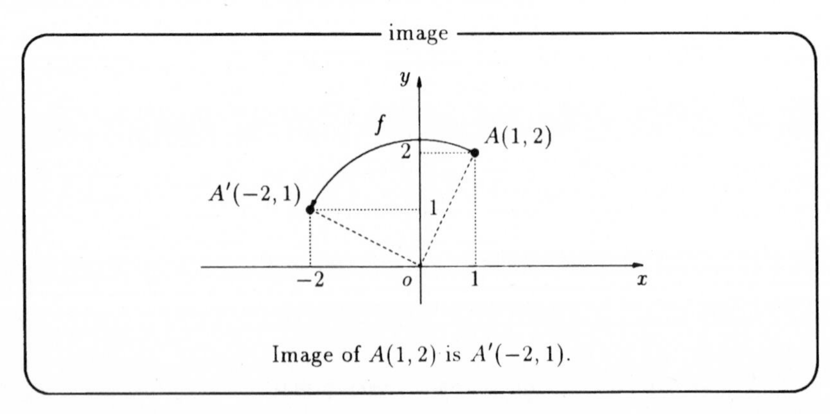

Image of $A(1,2)$ is $A'(-2,1)$.

imaginary 상상 속의, 허(虛)의, 허수(虛數)의

- **~ axis** 허축(虛軸)

  복소수 $a+bi$를 점(a, b)로 표시하는 복소평면 complex plane 에 있어서 세로축(y축)을 허수축 imaginary axis 이라고 한다. 허수축의 성분으로 복소수의 허수 부분 imaginary part 을 표시한다. → complex number

- **~ root** 허근(虛根)

  방정식의 허수(虛數)의 해를 말한다.

  2차 방정식 $ax^2+bx+c=0$의 해는 판별식 discriminant $D=b^2-4ac$가 음수일 때 허수가 된다.

- **~ unit** 허수 단위

  $\sqrt{-1}$을 i라고 쓰고 '허수단위' imaginary unit 라고 한다. $i^2=-1$이다.

imaginary number 허수(虛數)

허수 부분 imaginary part b가 0이 아닌 (i.e. $b\neq 0$) 복소수 complex number $a+bi$를 말한다. $1+2i$, $5-3i$ 등은 허수이다. 특히 $a=0$일 때를 순허수라고 한다. $4i$는 순허수이며 순허수를 간단히 허수라고 하는 경우도 있다.

implicit 간접적인, 숨어있는, 음(陰)의

$y=5x-2$라고 쓸 때 y는 x에 의해 명백하게 explicitly 으로 표시되어 있다. 즉, y값은 우변에 x값을 대입함으로써 직접적으로 구할 수 있다. 그러나, $x^2+y^2=9$처럼 쓰여진 경우, y값은 x값에 의해서 직접적으로

구할 수는 없다. 이와 같은 경우를 간접적 또는 음(陰)적 implicit 이라고 한다 → explicit

■ ~ definition 간접적 정의

간접적으로 표현된 정의를 말한다.

■ ~ function 음함수(陰函數)

음의 형태로 표시된 함수를 말한다. 예를 들어 $y=3x+1$의 형태가 아닌 $xy+3y=2x+5$, $x^4+y^4=16$ 등의 형태로 표시된 함수를 말한다.

imply

포함하다, 이끌어내다

조건 A에서 B가 도출될 때 A implies B 처럼 표현한다. 이 경우, A가 의미하는 사항 중에 B 의 사항이 포함되어져 있다는 느낌이 강하다. 따라서 'A일 때, 당연한 것처럼 B가 성립한다'는 분위기가 있다.

improper

고유한 것이 아닌, 특이한, 가(假)

원래 proper 의 것이 아닐 때를 말한다.

■ ~ fraction 가분수(假分數)

분자 numerator 가 분모 denominator 보다 큰 분수 fraction 를 말한다. 예를 들어, $\frac{5}{3}$, $\frac{7}{2}$ 은 가분수이다. 이에 대하여, 1보다 작은 분수를 진분수 proper fraction 라고 하며 $\frac{1}{4}$, $\frac{12}{125}$ 는 진분수이다.

가분수는 대분수 mixed number 로 고쳐 쓸 수 있다. $\frac{5}{3}=1\frac{2}{3}$, $\frac{7}{2}=3\frac{1}{2}$ 이다. 가분수는 과분수(過分數)라고 쓰기도 한다.

incenter

내심 (内心)

삼각형의 내접원 incircle 의 중심을 말한다. 내심은 3개의 내각 interior angle 의 이등분선 bisector 의 교점이다. → incircle

inch (inches)

인치

길이의 단위이고, 1피트 foot 의 $\frac{1}{12}$ 을 1인치 inch 라 말한다. 1 inch = 2.54cm이다.

incircle

내접원 (内接圓)

삼각형의 세 변의 안쪽에 접하는 원을 말한다. 어떤 삼각형도 단 하나의 내접원을 갖는다. 내접원의 중심을 내심 incenter 이라 하고 내심은 세 변에서의 거리가 같은 점이고 3개의 내각 interior angle 의 2등분선 bisector 의 교점이다.

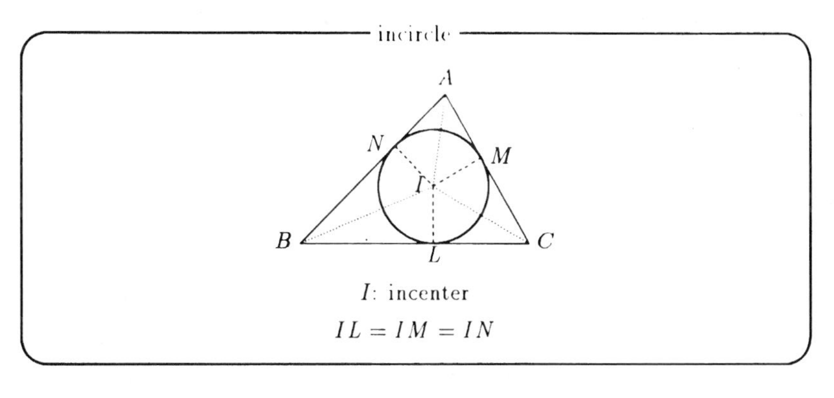

I: incenter

$IL = IM = IN$

independent

독립의

변수와 사건이 다른 변수 등의 영향을 받지 않을 때를 말한다. 독립이 아닌 때는 종속 dependent 이라고 한다. → dependent

■ ~ event 독립 사건

사건 event A가 일어날 확률이 사건 B가 일어나는 것과 상관없이 일정할 때 사건 A와 B는 '독립' independent 이다 라고 한다. 예를 들어, 크고 작은 두 개의 주사위를 던질 때 큰 주사위의 눈이 1이 나올 사건을 A, 작은 주사위의 눈이 3이 나올 사건을 B라 할 경우 B가 일어날 때에 A가 일어날 확률은 $\frac{1}{6}$, B가 일어나지 않을 때에 A가 일어날 확률도 $\frac{1}{6}$로 두개의 확률은 같다. 따라서, 이들은 상호 독립적인 사건 independent events 이 된다.

■ ~ variable 독립 변수

다른 변수에 관계없이 자유롭게 변화할 수 있는 변수를 말한다. 예를 들어, 반지름이 r인 구(球)의 표면적을 y라 하면 $y=4\pi r^2$가 된다. 이 때 y 값은 r값에 의해 정해지므로 종속변수 dependent variable 라고 한다. 이에 대하여 r값은 자유롭게 설정할 수 있으므로 r은 독립변수이다.

index (indices) **지수 (指數)**

a^n을 a의 n승 nth power 이라 하고 n을 지수 index, exponent 라고 한다.

n이 자연수일 때는 $a^n=a\times a\times\cdots\times a$(a가 n개)이다. 지수에 관하여, 다음의 지수 법칙 law of exponents 이 성립한다.

1. $a^m\times a^n=a^{m+n}$
2. $a^m\div a^n=a^{m-n}$
3. $(a^m)^n=a^{mn}$

4. $(ab)^n = a^n b^n$

5. $(a/b)^n = a^n / b^n$

예를 들면,

$2^4 \times 2^3 = (2\times2\times2\times2)\times(2\times2\times2) = 2^{4+3} = 2^7$

$2^4 \div 2^3 = \frac{2\times2\times2\times2}{2\times2\times2} = 2^{4-3} = 2^1 = 2$

$(4^3)^2 = 4^3 \times 4^3 = 4^{3\times2} = 4^6$이다.

또 $a^2 \div a^2 = a^{2-2} = a^0$ 이므로 $a^0 = 1$,

$a^{-n} \times a^n = a^0 = 1$이므로 $a^{-n} = \frac{1}{a^n}$ 이 된다. 더욱이

$\left(a^{\frac{1}{n}}\right)^n = a^{\frac{1}{n}\times n} = a^1 = a$ 이므로 $a^{\frac{1}{n}} = \sqrt[n]{a}$이다.

따라서 유리수의 지수까지 생각할 수 있다.

예를 들어, $2^{-3} = \frac{1}{2^3} = \frac{1}{8}$, $8^{\frac{1}{3}} = \sqrt[3]{8} = 2$,

$4^{\frac{3}{2}} = (\sqrt[2]{4})^3 = 2^3 = 8$이다.

일반적으로 실수(實數)의 지수도 정의되어지고 있다.

indirect proof **간접 증명**

직접적으로 나타낼 수 없는 내용을 간접적으로 나타내는 것을 뜻한다. 예를 들어 '모든 정수로 나누어 떨어지는 정수는 0이다'는 직관적으로는 명확함에도 불구하고 직접적으로는 증명하기 어렵다. 그래서 0이 아닌 정수 n이 모든 정수로 나누어 떨어진다고 가정하면, n은 정수 $2n$으로도 나누어 떨어진다. 그런데, $n\neq0$이므로 $n\div2n = \frac{1}{2}$이 되는 모순이다. 이 모순은 '0이 아닌 정수 n이 모든 정수로 나누어 떨어진다' 라는 가정에서 출발했기 때문에 이 가정은 잘못 되었다. 따라서, 모든 정수로 나누어 떨어질 수 있는 수는 0뿐이다.

이와 같은 증명 방법을 귀류법(歸謬法) reduction to absurdity 이라 한다. 귀류법은 한 명제를 부정하면 모순이 생긴다는 것을 보여줌으로서 그 명제가 옳다는 것을 증명하는 방법이고 가장 자주 보는 간접 증명이다.

induction

귀납법 (歸納法)

자연수 n에 관한 명제 P를 증명하기 위한 방법으로

1. $n=1$일 때 P가 성립한다.
2. $n=k$일 때 P가 성립한다고 가정했을 때, $n=k+1$ 일 때 P가 성립한다.

위의 두 개를 증명하는 것에 의해 모든 자연수 n에 대하여 P가 성립됨을 증명하는 방법을 귀납법 induction 이라 한다.

n에 관한 명제 P를 $P(n)$이라 하면, 위의 2개는

① $P(1)$

② $P(k) \Rightarrow P(k+1)$

이 된다. 이 메카니즘에 의해 ①에서 $P(1)$, ②에서 $P(1) \Rightarrow P(2)$이 되어 $P(2)$가 성립하게 되고, ②에 의해 $P(2) \Rightarrow P(3)$이 되어 $P(3)$ 또한 나타낼 수 있다. 또 ②를 이용해 $P(3) \Rightarrow P(4)$가 되어 결국 $P(4)$가 된다. 이와 같은 방법으로 모든 자연수 n에 대해 $P(n)$을 나타낼 수 있게 된다. 이것이 귀납법이다.

예 $1+2+\cdots+n+=\dfrac{n(n+1)}{2}$을 증명하시오.

$n=1$일 때, 좌변$=1$, 우변$=\dfrac{1 \cdot 2}{2}=1$이므로 성립한다. $n=k$일 때 성립한다고 가정하면,

$1+2+\cdots+k=\dfrac{k(k+1)}{2}$이 성립하게 되고

양변에 $k+1$을 더해서,

$$1+2+\cdots+k+(k+1)=\frac{k(k+1)}{2}+k+1$$
$$=\frac{k(k+1)+2(k+1)}{2}$$
$$=\frac{(k+1)(k+2)}{2}$$

이것은, $n=k+1$로 했을 때의 식과 같다.
따라서 $n=k+1$도 성립하게 되므로 귀납법에 의해 모든 자연수 n에 대해

$1+2+\cdots+n+=\frac{n(n+1)}{2}$이 성립한다.

inductive

귀납적인

수열 sequence $\{a_n\}$에 대해
① $a_1=1$, ② $a_{n+1}=2a_n+1$가 성립할 때 $n=1$을 대입해서 $a_2=2\times1+1=3$을 얻을 수 있다. 다음 $n=2$가 되면 $a_3=2a_2+1=2\times3+1=7$을 얻는다. 이와 같은 방식으로 $a_4=15$, $a_5=31, \cdots$ 을 구할 수 있다.
이처럼 제 1항에서 시작해 2항, 3항, 4항으로 점차 항의 값을 생성해 generate 가는 정의를 '귀납적 정의' inductive definition 라고 한다.
귀납적 정의를 위해서는
① 첫째항 the first term 의 값
② 전항에서 다음 항을 위한 결정
　이 필요하다.
②의 식을 점화식 recurrence formula 이라 한다.

inequality

부등식(不等式)

두 개의 실수값 a, b에 관해서 a와 b가 같다든지(a

$= b$) a가 b보다 크든지($a > b$) 또는 a가 b보다 작든지($a < b$) 어느 것 하나는 성립한다. 뒤의 두 식처럼 크고 작은 관계를 표현하는 식을 '부등식'이라 한다. 부등식은 부등호 $>$, $\geq$, $<$, $\leq$를 이용하여 표현되는 식이다. $3>-2$, $x^2 \geq 9$, $2x-3<5$, $-3x \leq 6$ 등은 부등식이다.

부등식에 관해서, 다음 성질이 성립한다.

1. $a<b$, $b<c \Rightarrow a<c$
2. $a \leq b$, $a \geq b \Rightarrow a=b$
3. $a<b \Rightarrow a+c<b+c$
4. $a<b \Rightarrow a-c<b-c$
5. $a<b$, $c>0 \Rightarrow ac<bc$
6. $a<b$, $c>0 \Rightarrow \frac{a}{c}<\frac{b}{c}$
7. $a<b$, $c<0 \Rightarrow ac>bc$
8. $a<b$, $c<0 \Rightarrow \frac{a}{c}>\frac{b}{c}$
9. $a<b$, $c<d \Rightarrow a+c<b+d$

이들 성질을 이용하여 부등식을 풀 수가 있다. 예를 들어, $3x-5>4$는, $3x-5+5>4+5$을 통해서 $3x>9$가 되며, 양변을 3으로 나누어 $x>3$ 을 얻는다.

$A \times B>0$은 ($A>0$ 이고 $B>0$) 또는 ($A<0$ 이고 $B<0$)로 풀 수가 있다. 예를 들어, $x^2>4$는 $x^2-4>0$에 의해 $(x+2)(x-2)>0$로 변형시킬 수 있으므로 $x+2>0$이고 $x-2>0$, 또는 $x+2<0$이고 $x-2<0$이다. 따라서 $x>2$ 또는 $x<-2$를 얻는다.

일반적으로, $\alpha<\beta$일 때 $(x-\alpha)(x-\beta)>0$의 해는, $x<\alpha$, $x>\beta$이고, $(x-\alpha)(x-\beta)<0$의 해는, $\alpha<x<\beta$이다.

■ **absolute ~ 절대부등식**

변수값에 상관없이 항상 성립하는 부등식을 말한다.
예를 들면, $x^2 \geq 2x-1$은 우변을 좌변으로 이동하면 $x^2-2x+1=(x-1)^2 \geq 0$ 으로 x의 값에 상관없이 항상 성립하게 되는데 이것을 절대부등식이라 한다.

■ **conditional ~ 조건부등식**

$2x+3>0$ 이나 $x^2-3x-5 \leq 0$ 등과 같이 어떤 특정한 범위의 미지수에 대해서만 성립하는 부등식을 말한다. 절대부등식과는 상대되는 개념이다.

infinite

무한한 ; 무한

예를 들면, 집합 {1, 2, 3, 4, 5}에서 원소의 수는 5개이고 원소 모두를 나열하여 쓸 수 있지만, 자연수 전체의 집합은 1, 2, 3, 4, 5 ,6 ...처럼 모두를 다 헤아릴 수 없다. 즉, 자연수 전체의 개수는 무한이다. 이에 대하여 모두 셀 수 있는 수는 '유한하다' finite 라고 한다.
한편, 수의 크기가 한없이 커지거나, 한없이 작아질 때 또는 무한 소수처럼 끝자리가 한없이 계속될 때도 물론 infinite 란 표현을 사용한다.

infinitesimal

무한소 ; 무한히 작은

주로 미분에서 순간 변화율을 얻기 위하여 $\varDelta x \to 0$ 일 때 $\dfrac{\varDelta y}{\varDelta x}$의 값을 구하게 되며, 그 수렴치를 $\dfrac{dy}{dx}$로 표시한다.
이처럼 무한히 0으로 접근하는 $\varDelta x$와 같은 값을 '무한소'라고 하며, 이 때 어떤 작은 양(陽)의 수 a를 취해도 $|\varDelta x| < a$ 가 성립한다.

infinity **무한, 무한대**

무한인 것 또는 무한히 커지는 것을 말한다. $x \to a$ 일 때, $f(x)$가 무한히 커지면 $f(x)$는 무한대가 된다고 하고 $\lim_{x \to a} f(x) = \infty$라고 쓴다. 예를 들면, $x \to 1$일 때 $\frac{1}{(x-1)^2} \to \infty$이다. 또는 음의 값으로 무한대가 될 때는 음의 무한대라 하고 $-\infty$로 쓴다.

inflection **변곡**

곡선이 볼록한 convex 상태에서 오목한 concave 상태로 또는 오목한 상태에서 볼록한 상태로 변화하는 것을 말한다. 그 때의 점을 변곡점 point of inflection 이라 한다.

예를 들면, $y = x^3$의 그래프는 $x < 0$일 때 볼록, $x > 0$일 때 오목하므로 점(0, 0)이 변곡점이다.

【영리한 우유배달부】 한 우유배달부는 큰 우유통으로부터 우유를 측정하기 위해서 5리터의 주전자와 3리터의 주전자를 가지고 있다. 어떻게 하면 1리터의 우유를 측정할 수 있을까? (단, 우유를 버릴 수는 없다)

➡ 처음엔 3리터의 주전자를 채워넣는다. 그런 후, 이 주전자에 들어 있는 3리터의 우유를 5리터의 주전자에 붓는다. 다시 3리터의 주전자를 채우고 그 다음 5리터의 주전자에 우유가 찰 때까지 붓는다. 그러면, 3리터의 주전자에는 1리터의 우유만이 남게 된다.

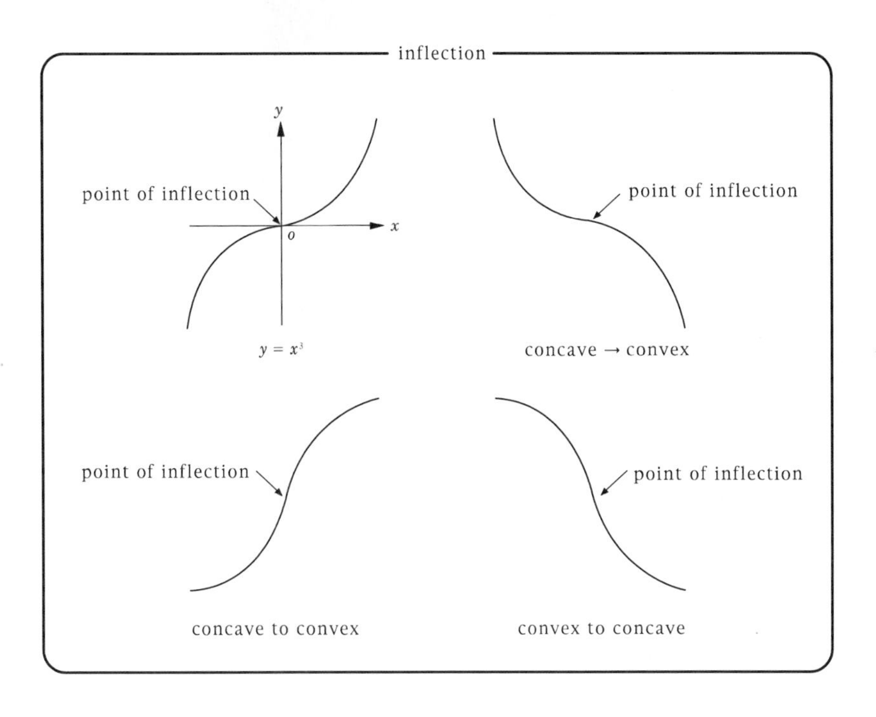

inscribe **내접시키다**

원이 다각형 내부에서 그 모든 변에 접하고 있을 때 '내접하고 있다'라고 한다. → incircle

일반적으로, 도형 P가 다른 도형 Q의 내부에서 접하고 있을 때 P는 Q에 내접한다고 한다.

- ~ d angle 원주각

  원호의 양 끝점과 원주 위의 한 점을 연결해 만든 각을 말한다. 원주각은 중심각 angle at center 의 절반이다.

- ~ d circle 내접원

  다각형의 모든 변에 안쪽으로 접하고 있는 원을 말한다. 내접원의 중심은 내심 incenter 이라고 한다. → incircle

■ ~ d polygon 내접 다각형

다각형의 모든 꼭지점이 한 개의 원주 위에 있을 때를 말한다. 이 경우의 원을 다각형에 외접한다 circumscribe 라고 한다.

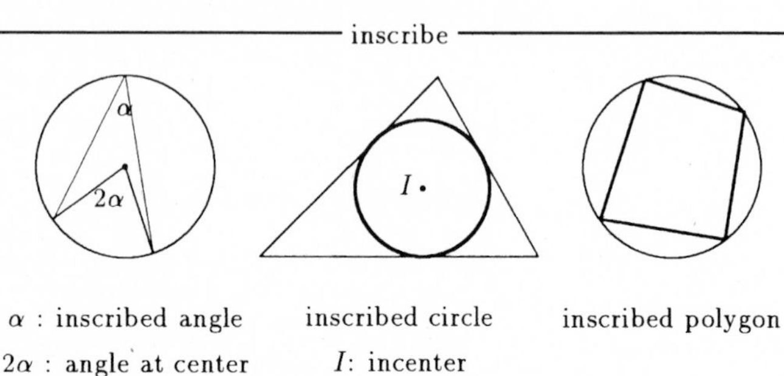

inscription — **내접**

→ inscribe

integer — **정수 (整數)**

자연수 natural number, 0, 음의 자연수를 말한다. 즉, 0, ±1, ±2, ±3, ...이 정수이다.

integral — **적분 (積分) ; 적분 (積分)의**

$F'(x)=f(x)$일 때, 함수 $F(x)$를 $f(x)$의 원시함수 primitive function 라 한다. $F(x)$를 $f(x)$의 원시함수라고 할 때, C가 상수이면 $\{F(x)+C\}'=f(x)$이므로 $F(x)+C$도 $f(x)$의 원시함수이다. 역으로 $f(x)$의 원시함수는 $F(x)+C$가 되며 $f(x)$의 원시함수 $F(x)+C$를 총칭하여 $f(x)$의 부정적분 indefinite integral 이라 하고,

$\int f(x)dx$ integral of $f(x)$ with respect to x 라고 나타낸다. $\int f(x)dx = F(x)+C$이다.

$(x^{n+1})'=(n+1)x^n$이므로

$\int x^n dx = \frac{1}{n+1}x^{n+1}+C$ (C는 상수)

를 얻을 수 있다.

$\int f(x)dx = F(x)+C$ 일 때, 일정한 수 a, b에 대하여 $F(b)-F(a)$를 $f(x)$의 a에서 b까지의 정적분 definite integral 이라 하고, $\int_a^b f(x)dx$라고 쓴다.

$[f(x)]_a^b = F(b)-F(a)$ 라고 하면,

$\int_a^b f(x)dx = [f(x)]_a^b$이다.

$f(x)$의 값이 양일때, 정적분은 함수 $f(x)$의 그래프와 x축 및 $x=a$, $x=b$로 둘러싼 도형의 면적을 표현한다.

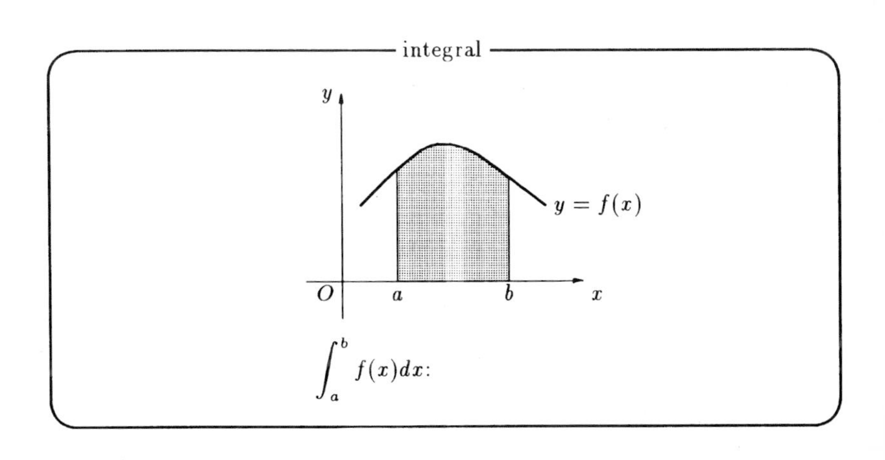

integration **적분(하기)**

부정적분 indefinite integral 과 정적분 definite integral 을 구하는 것을 말한다. → integral

적분은,

$$\int x^n dx = \frac{1}{n+1} x^{n+1} + C \ (C\text{는 적분상수})$$

을 이용해서 계산한다. 이를 응용하면,

$$\int (x^2 - 4x + 3)dx = \frac{1}{3}x^3 - 4 \times \frac{1}{2}x^2 + 3x + C \ (C$$

는 적분상수)이다.

intercept **절편(切片)**

직선이 도형을 자르는 점, 또 잘라낸 부분을 말한다.

- **x-~** x절편

  x축에 의해 도형(그래프)을 자르는 점을 말하고 그때 y의 값은 0이 된다.

- **y-~** y절편

  y축에 의해 도형(그래프)을 자르는 점을 말하고 그때 x의 값은 0이 된다. 직선 $y=ax+b$에서 y절편은 b이다.

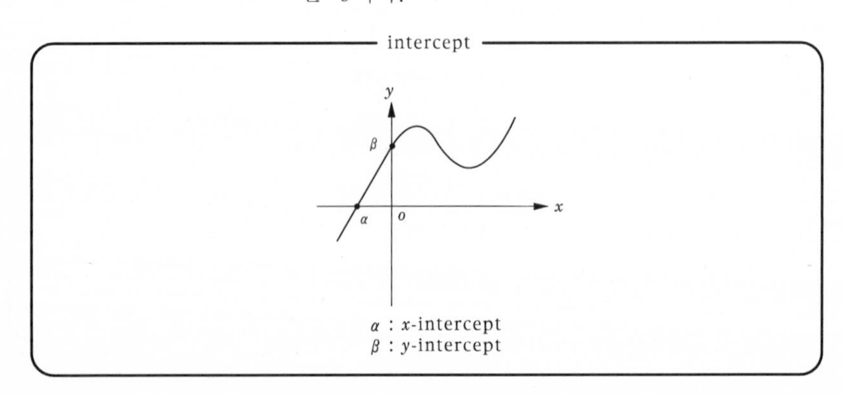

interest

이자

은행 등에 맡긴 돈(원금)에 대하여 '이자'를 받는 것이 가능하다. 이자의 원금에 대한 비율은 결정되어 있고 이율이라고 한다. 1만원을 연리(年利) 6%로 예금해두면 1년 후 이자는 10,000 × 0.06 = 600원이다. 이자의 계산법에는 원금에 대한 이자만 생각하는 단리(單利) simple interest 와, 원금과 이자의 합계에 대한 이자를 생각하는 복리(複利) compound interest 가 있다. 일반적으로 복리가 이용된다.

interior

내부 ; 안의, 내부의

다각형 등의 변의 안쪽을 지칭하는 말.

- **~ angle** 내각(內角)

  다각형의 이웃한 두 변 adjacent sides 에 의해서 만들어진 각이고, 하나의 변의 연장과 이웃해 있는 변으로 만들어지는 각은 외각 exterior angle 이라고 한다.

- **~ opposite angle** 내대각(內對角)

  삼각형에 있어서 하나의 외각에 이웃하지 않는 2개의 내각을 그 외각의 '내대각'이라고 한다. 외각은 내대각의 합과 같다.

interior angle

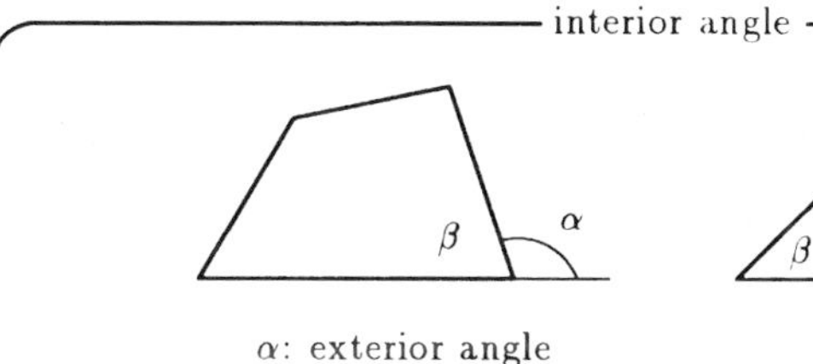

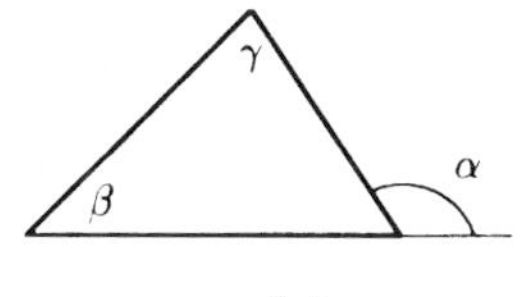

α: exterior angle

β: interior angle

$\alpha = \beta + \gamma$

interpolation **보간(補間), 사이에 채워 넣기**

비거나 잃어버린 값을 이웃한 값들의 가중 평균 등을 통해 추정하는 것을 말한다.

interquartile **4분위(分位) 사이의**

통계 자료를 크기의 순으로 열거할 때 중앙에 위치하는 값을 중앙값 median 이라고 하고 $\frac{1}{4}$, $\frac{3}{4}$의 위치에 있는 값을 4분위 quartile 라고 한다. 두 개의 4분위의 값 lower quartile, upper quartile 의 차(4분위의 위치 사이의 폭)를 4분위 사이의 범위 interquartile range 라고 한다.

intersect **교차하다**

두 개의 도형이 서로를 가로지를 때 도형은 '교차한다'라고 한다. 평면상에 평행이 아닌 2개의 직선은 반드시 한 점에서 교차한다. 원과 포물선 등의 원뿔곡선 conic section 과 직선은 두 점에서 교차할 수 있다. 게다가 원과 포물선, 원과 타원 등의 경우는 4개의 점에서 만나는 일도 있다.

intersect

Two lines intersect at a point.

A line intersects a parabola at two points.

intersection **교점(交點), 공통부분**

두 개의 도형이 교차하는 점을 말하거나, 두 개의 집합 A, B의 양쪽 모두에 속하는 부분(교집합, $A \cap B$)을 나타내기도 한다. 예를 들어, $A=\{1, 2, 3, 4, 5\}$, $B=\{2, 4, 6, 8, 10\}$가 있을 때, $A \cap B=\{2,4\}$이다. A, B에 공통부분이 없을 때를 공집합 empty set, $\emptyset$이라고 하고 $A \cap B=\emptyset$ 라고 쓴다. → disjoint

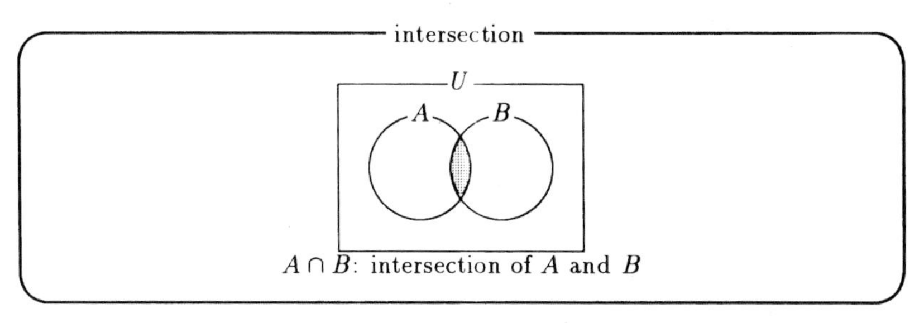

interval **구간**

두 실수 a, b($a<b$) 사이에 있는 실수 전체를 말하며 a, b를 양끝이라고 한다. 구간은 끝점 a, b를 포함할 때 폐구간 closed interval 이라고 하고 $[a, b]$라고 쓴다. 끝점 a, b를 포함하지 않을 때를 개구간 open interval 이라고 하고 (a, b)라고 쓴다. 이들은 또 각각 부등식 $a \le x \le b$, $a<x<b$으로 표현한다. 또, 끝점의 한쪽에서 닫혀있고 다른 쪽에서 열려있을 때를 반폐구간 half-closed interval 이라 하고 $a<x \le b$ $(a, b]$라 쓴다.

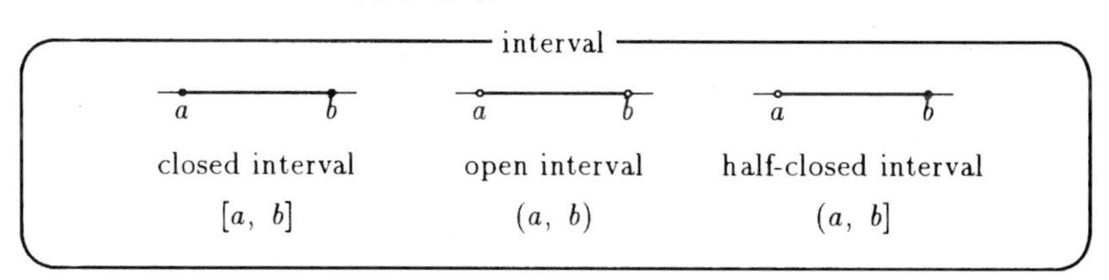

invalid 무효의, 옳지 않은

= not true

invariance 불변성

→ invariant

invariant 불변식, 불변점, 불변량 ; 변하지 않는

어떤 변환에 의해서 변화하지 않는 점이나 성질을 말하며 변하지 않는 양을 불변량이라고 한다. 예를 들어, 원점에 대한 대칭변환에 의해서 원점은 원점에 옮겨지고 원점을 통과하는 직선은 자기 자신에 옮겨진다. 회전이나 대칭변환, 평행이동에 의해서 도형은 형태나 크기가 변하지 않기 때문에 불변량이다.

inverse 역원(逆元) ; 역(逆)의

어떤 연산에 있어 전체의 원소 a에 대해서 $a*e=e*a=a$가 성립할 때, e를 항등원(identity for $*$)이라고 하고 $a*b=e$가 되는 원소 b를 a의 역원 inverse 이라고 한다. 예를 들어, a의 덧셈 addition 에 대한 역원은 $a+(-a)=0$이기 때문에 $-a$이다. 또, a의 곱셈 multiplication 에 대한 역원은 $a\times\frac{1}{a}=1$이기 때문에 $\frac{1}{a}$이다. 각 θ의 회전(rotation through θ)의 역변환 inverse 은 $-\theta$의 회전이다(θ의 회전 후 $-\theta$의 회전을 하게 되면 0° 의 회전과 같게 되며, 이때 0°의 회전을 항등회전 identity rotation 이라 한다).

- additive ~ 반수(反數)
  덧셈에 대한 역원.
- ~ function 역함수

함수 $f(x)$에 대해서 $g \circ f(x)=f \circ g(x)=x$가 되는 함수 $g(x)$를 $f(x)$의 역함수 inverse function 라고 말하고 $f^{-1}(x)$이라고 쓴다.

예를 들어, $f(x)=2x+5$ 에서 $f^{-1}(x)=\frac{x-5}{2}$ 이다.

실제, $f^{-1} \circ f(x)= f^{-1}(f(x))$

$= f^{-1}(2x+5)=\frac{(2x+5)-5}{2}=x$이다.

■ ~ matrix 역행렬

행렬의 곱셈에 관한 역원을 말한다.

$$\begin{pmatrix} a & b \\ c & d \end{pmatrix} \times \frac{1}{ad-bc}\begin{pmatrix} d & -b \\ -c & a \end{pmatrix}=\begin{pmatrix} 1 & 0 \\ 0 & 1 \end{pmatrix}$$

이기 때문에

$$\begin{pmatrix} a & b \\ c & d \end{pmatrix}^{-1}=\frac{1}{ad-bc}\begin{pmatrix} d & -b \\ -c & a \end{pmatrix}$$

이다.

inverse proportion **반비례 (反比例)**

변수 x가 2배, 3배로 변화함에 따라 변수 y가 $\frac{1}{2}$배, $\frac{1}{3}$배가 될 때를 말한다. 예를 들어, 면적이 일정한 어떤 직사각형의 세로와 가로의 길이 x, y는 반비례한다. 일정한 어떤 면적을 a라고 하면 $xy=a$가 성립되기 때문에 $y=\frac{a}{x}$라고 쓸 수 있다. 이때, $y \propto \frac{1}{x}$이라고 쓰고, a를 비례상수 constant of variation 라고 한다. 예를 들어, 같은 거리를 달릴 때의 시간 t는 속도 v에 반비례하고 있다 t is in inverse proportion to v. 즉, $t=\frac{a}{v}$ 라고 쓸 수 있다. 이때, 시속 60km로 달리는데

2시간이 걸린다면 $v=60$, $t=2$를 대입하면 $2=\frac{a}{60}$이 된다. 따라서, 비례상수 $a=120$이다. 그러므로 $v=40$일 때 $t=\frac{120}{40}=3$이다. 여기서 시속 40km로 달릴 때의 시간은 3시간이라는 것을 알 수 있다. 반비례의 그래프는 직각쌍곡선이다. → inverse variation

inverse variation 반비례(反比例)

inverse proportion과 같다. x와 y가 반비례의 관계에 있을 때, 'x and y are in inverse variation'이라고 표현한다. → inverse proportion

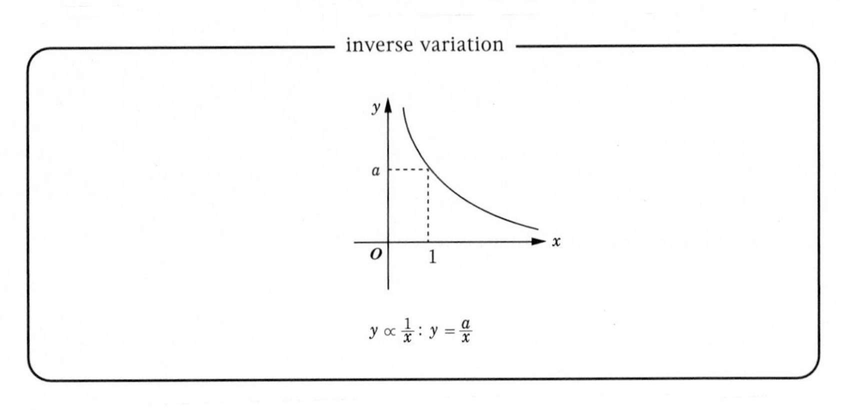

investigation 조사, 연구

irrational 무리수(無理數)의 ; 무리수(無理數)

유리수 rational number 가 아닌 수로서 분수로 표현할 수 없는 수를 말한다. → irrational number

irrational equation 무리방정식

무리식을 포함한 방정식을 말한다. $\sqrt{2x+1}=3$은 무리

방정식이다. 양쪽을 제곱해서, $2x+1=9$가 되기 때문에 $x=4$를 얻는다.

irrational expression **무리식(無理式)**

근호($\sqrt{\ }$) 안에 변수를 포함한 식을 말한다.
$\sqrt{x^2+y^2}$는 무리식이다.

irrational function **무리함수**

무리식으로 표현되는 함수를 말한다. $y=\sqrt{2x-3}+1$은 무리함수다.

irrational inequality **무리부등식**

무리식을 포함한 부등식을 말한다. $\sqrt{x+2}>x$는 무리부등식이다. $x\geq0$일 때, 양쪽을 제곱하면 $x+2>x^2$이 되고 $x^2-x-2<0$, $(x+1)(x-2)<0$이기 때문에 $-1<x<2$가 되지만, $x\geq0$이기 때문에 $0\leq x<2$ ①. 반면에 $x<0$일 때, $\sqrt{x+2}\geq0$이기 때문에 부등식은 언제라도 성립된다. 그렇지만 근호 안은 양수가 아니면 안되기 때문에 $x+2\geq0$ 은 즉 $x\geq-2$ 이다. 따라서, $-2\leq x<0$ ②.
결국 ①, ②에 의해서 $-2\leq x<2$를 얻을 수 있다.

irrational inequality

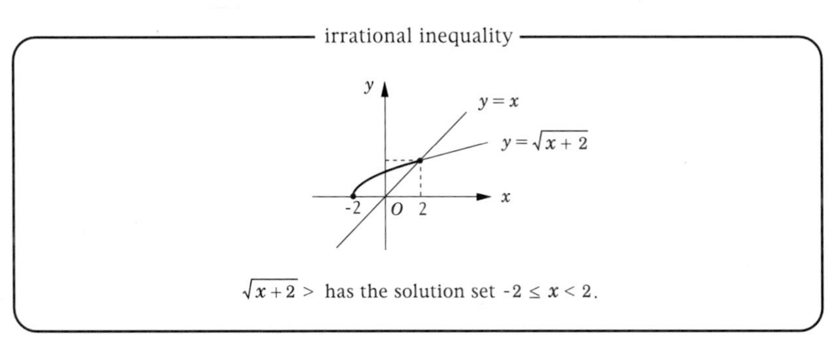

$\sqrt{x+2}>$ has the solution set $-2\leq x<2$.

irrational number 무리수 (無理數)

유리수 rational number 가 아닌 수로서 분수로 표현할 수 없는 수이고 소수로 쓰면 순환하지 않는 무한소수가 된다. 예를 들어, $\sqrt{2}$는 무리수이다. 이를 귀류법 proof by contradiction 으로 설명하면 $\sqrt{2}=\frac{b}{a}$ (a, b는 서로 소)인 유리수라고 가정을 한다. 양변을 제곱하면 $2=\frac{b^2}{a^2}$이 되고 $2a^2=b^2$이다. 따라서 b^2은 짝수이고 b도 또한 짝수이다. 여기서 $b=2n$이라고 한다면 $2a^2=(2n)^2=4n^2$에 의해서, $a^2=2n^2$이 되고 a도 짝수가 된다. 이것은 a, b가 서로 소인 것에 모순이 된다. 따라서 $\sqrt{2}$는 무리수가 된다.

원주율 π, 자연대수의 밑 e 등도 무리수이다.

irreducible fraction 기약분수

공약수가 없어 분모 denominator 와 분자 numberator 가 서로 소 relatively prime 인 분수로 $\frac{1}{2}$, $\frac{3}{8}$ 등은 기약분수이다. 그런데 $\frac{2}{6}$, $\frac{6}{9}$는 나눌수 있기 때문에 기약분수가 아니다. 또, $\frac{x}{x^2+1}$은 나눌 수 없기 때문에 기약 분수식이다.

iso- 등 (等) -, 같은

isogon 등각다각형

모든 내각 interior angle 이 동일한 다각형 polygon 으로 등각삼각형은 정삼각형이다. 그러나, 4각 이상의 등각다각형의 경우는 정다각형이라고는 할 수 없다. 예를 들어, 직사각형은 같은 각이지만 정사각형이라고는 할 수 없는 것이다.

isogonal

등각의

각이 같을 때를 말한다.

isometric

등거리의

거리가 같을 때를 말한다.

- ~ map 등장사상(等長寫像)
  길이를 변화시키지 않는 사상.
- ~ paper 사안지(斜眼紙)
  하나 하나의 눈금이 삼각형인 방면지로 입체를 그리는데 적합하다.

isometry

등장변환 (等長變換)

길이를 변화시키지 않은 변환으로 두 점 사이의 거리를 변화시키지 않기 때문에 각도도 변화시키지 않는다. 회전 rotation, 대칭변화 reflection, 평행이동 translation 은 등장변환이다.

isosceles

2등변 (等邊) 의

밑변과 이웃하는 두 변의 길이가 같은 경우.

- ~ triangle 2등변삼각형
  두 변의 길이가 같은 삼각형.
- ~ trapezoid 등변사다리꼴
  두변이 평행한 사다리꼴에서 평행하지 않는 변의 길이가 같은 사다리꼴.

isosceles

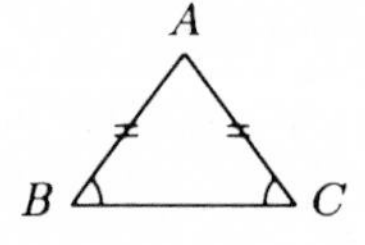

isosceles triangle

$AB = AC,\ \angle B = \angle C$

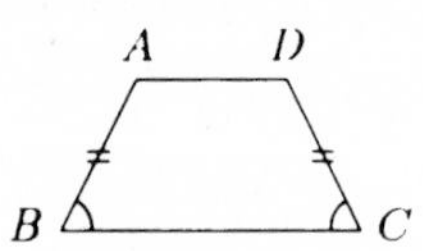

isosceles trapezoid

$AB = DC,\ \angle B = \angle C$

join

합집합(合集合)

두 개의 집합 A, B에 대해서 A, B의 원소를 모두 포함하는 집합으로 union 이라고도 한다. $A \cup B$ (A cup B, A join B 라고 읽는다)라고 쓴다. $A = \{1, 2, 3, 5\}$, $B = \{2, 4, 6, 8\}$의 경우, $A \cup B = \{1, 2, 3, 4, 5, 6, 8\}$이다.

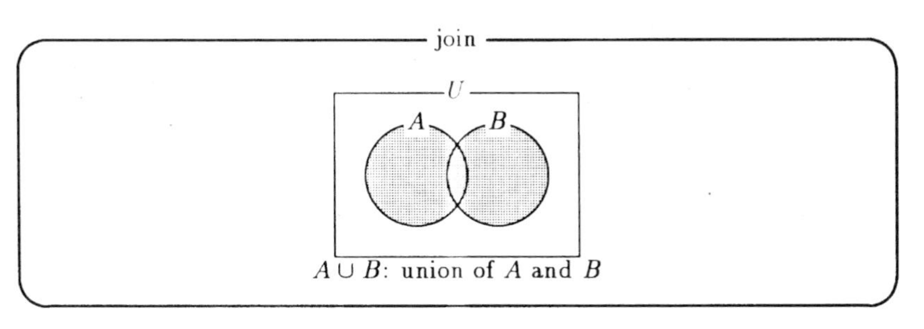

joint

결합 ; 동시의

joint variation

결합 변화

변수가 다른 두 개의 변화의 합으로 표현될 때를 말한다. $z = ax + by^2$의 경우, z는 x와 y^2의 joint variation 이다. 여기서 a, b는 (비례)상수 constant of variation 이다.

kilo– **킬로**

1000을 표시한다. → kilogram, kilometer

kilogram (kg) **킬로그램**

1000그램. (1kg=1000g)

kilometer (km) **킬로미터**

1000미터. (1km=1000m)

kite **이등변 사각형**

두 쌍의 이웃하는 변 adjacent sides 이 같은 사각형 quadrilateral 으로 이등변 사각형의 대각선 diagonal 은 직교한다. 네 변이 같은 이등변사각형을 마름모 rhombus 라고 한다.

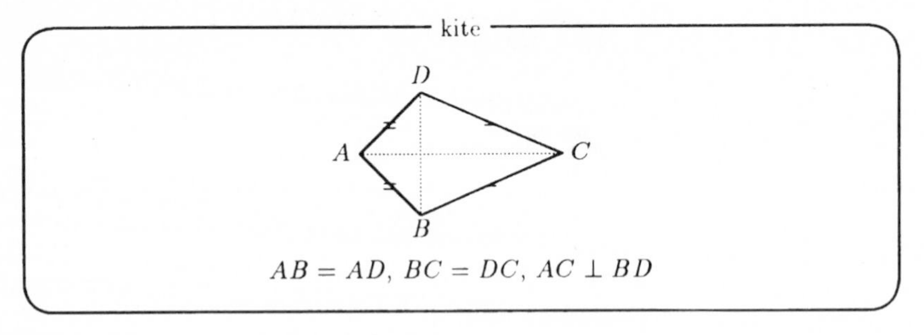

$AB = AD,\ BC = DC,\ AC \perp BD$

Klein bottle **클라인의 관(管)**

안팎이 없는 관, 독일의 수학자 클라인 Klein 이 생각했던 것이다. 클라인의 관은 3차원의 세계에서는 실현이 불가능한 4차원의 관이다. 안팎 inside, outside 이 없기 때문에 이 관은 물을 모아둘 수 없다. → Möbius strip

Klein bottle

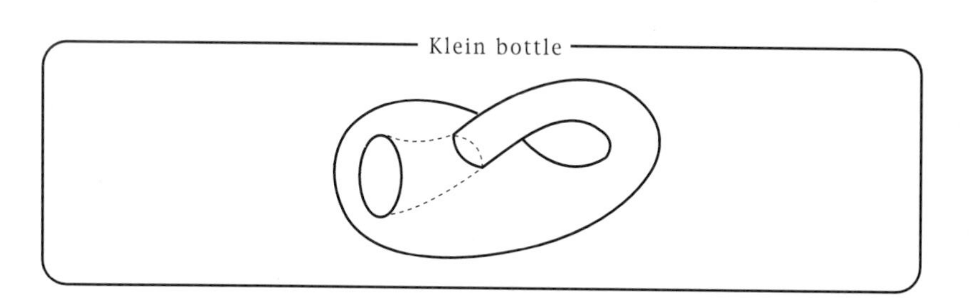

knot **노트 ; 매듭**

속도의 단위로 시속 1해리(1852m)의 빠르기 혹은 위상 수학에서 끈 등을 매듭지게 묶은 것.

Königsberg bridge **쾨니히스베르그의 다리**

'프러시아의 도시 쾨니히스베르그를 흐르는 강에 만들어지는 7개의 다리를 어느 다리도 2번 이상 통과하지 않고 1번씩 통과하는 것이 가능한가?' 라는 문제를 쾨니히스베르그의 다리 문제 Königsberg bridge problem 라 한다. 오일러 Euler 는 이 문제를 일필휘지로 풀어 '모든 다리를 한번씩만 통과하는 것은 불가능하다'는 것을 증명했다.

Königsberg bridge

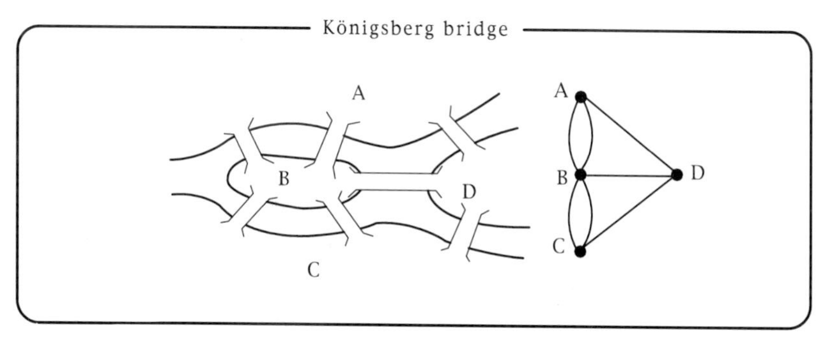

k.p.h. **시간당 킬로미터**

kilometers per hour 의 약자이다. 속도의 단위로, 한 시간에 1km 나가는 속도를 말한다.

Latin square

라틴 방진(方陣)

수를 사각형으로 나열하는 것으로 각각의 숫자가 각각의 행과 열에 1회씩 쓰여지는 것을 말한다. 예를 들어, 5를 법(法)으로 하는 곱셈의 표를 라틴방진법으로 다음과 같이 표시할 수 있다.

Latin square

table of multiplication modulo 5

×	1	2	3	4
1	1	2	3	4
2	2	4	1	3
3	3	1	4	2
4	4	3	2	1

latitude

위도, 위선

지구상의 적도에 평행한 원을 말한다. 또는 위선상의 한 점과 지구의 중심을 끝으로 하는 반지름이 적도 equator 를 포함한 평면과 만든 각을 나타내기도 한다.

예를 들어, 위선이 북반구에 있어서 위도가 30° 일 때, 북위 30° 30° North of the equator 라고 한다. 지구상의 위치는 위도와 경도 longitude 의 조합으로 표현된다. → longitude

【연못】 어떤 연못의 부평초가 자라는 것이 매우 빨라 하루 동안에 전날에 연못의 표면을 덮고 있던 넓이의 2배를 덮어 버린다 한다. 이 부평초가 연못의 표면 전체를 다 덮어 버리는데 10일간 걸렸다고 하면 이 연못의 절반을 덮는데는 몇 일 걸렸을까?

➡ 9일 [9일에 연못의 절반을 덮고, 마지막 날에 그 배가 되어서 연못을 다 덮는다.]

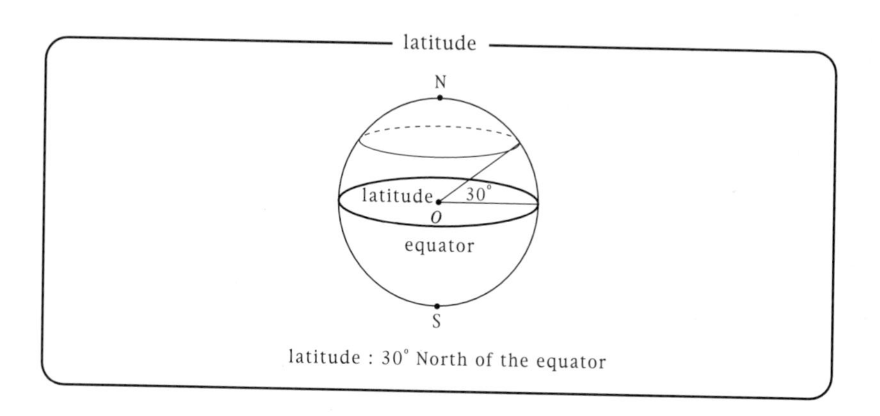

L.C.D.

최소 공통 분모

= lowest common denominator

L.C.M.

최소 공배수

= lowest common multiple

leading

주요한

주요한 것과 최초(선두)의 것을 표현할 때 사용한다.

- ~ coefficient 최고차의 계수

  다항식에서 최고차수의 계수를 말한다.

  예를 들어, $5x^4+3x^3-4x^2+6x-7$ 의 최고차의 계수는 5이다.

- ~ diagonal 주대각선

  정사각 행렬의 왼쪽 위로부터 오른쪽 아래로 향하는 대각선을 말한다.

lemma

보조정리

어떤 정리를 증명하기 위해서 보조적으로 이용하는 정

리를 말한다. 보조정리는 주가 되는 정리의 특별한 경우인 것이 많고, 또한 이를 이용하여 다음에 나오는 정리를 증명하는 것이 일반적이다.

length 길이

less than 보다 작은

두 개의 실수 a, b에 대해서 $a-b$가 음수일 때, a는 b보다 작다 less than 라고 말하고, $a<b$라고 쓴다. x가 a보다 작거나 같을 경우는 $x \leq a$ 라고 쓰고 $\leq$는 'less than or equal to' 라고 읽는다.

likelihood 가능도 (可能度)

확률에서 어떤 사건이 일어나는 정도를 말한다. 동전을 던졌을 때 앞면 또는 뒷면이 나올 확률 probability 즉, 가능도는 각각 $\frac{1}{2}$이다.

limit 극한

변수 x가 a에 가까워짐에 따라 함수값 y가 일정한 값 b에 한없이 가까워질 때 b를 y의 극한 limit 이라 하고, $\lim_{x \to a} y = b$로 쓴다. 예를 들어, $y = x^2 - 1$일 때 x가 2에 가까워지면 y는 $2^2-1=3$에 가까워지기 때문에 $\lim_{x \to 2}(x^2-1)=3$이다. 또한, x가 한없이 커짐에 따라, $\frac{1}{x}$은 0에 한없이 가까워지므로, $\lim_{x \to \infty} \frac{1}{x} = 0$이 된다. 더욱이, $\lim_{x \to \infty} \frac{2x+5}{x-1} = \lim_{x \to \infty} \frac{2+\frac{5}{x}}{1-\frac{1}{x}} = \frac{2}{1} = 2$이다. → convergence

line **선, 직선**

직선 straight line, 곡선 curved line, curve 을 통틀어서 이르는 말로 직선은 두 점을 연결한 가장 짧은 선이다.

linear **선형(線形)의, 1차의**

직선이 갖는 기본적인 성질로 한 방향으로만 뻗어나가는 것을 의미한다. 직선은 1차방정식 linear equation 으로 표시된다.

linear equation **1차 방정식**

1차식=0으로 나타낼 수 있는 방정식이다. 이 방정식은 기울기 grandient 가 a로, y절편 intercert on the y-axis 이 b인 1차 방정식 $y=ax+b$로 표시한다. 1차 방정식의 일반형은 $ax+by+c=0$이다.

linear inequality **1차 부등식**

최고 차수가 1차인 부등식으로 $2x-y+3<0$은 1차부등식이다. 이 부등식은, $2x+3<y$로 바뀔 수 있기 때문에 x-y평면 위의 직선 $y=2x+3$의 윗부분을 가리킨다. 일반적으로, 평면은 직선 $ax+by+c=0$에 의해서 두 개의 영역으로 나눠지고 부등식 $ax+by+c>0$ 은 이 두 부분 중에 하나를 나타낸다.

【BC1800년경 이집트의 아메스 파피루스에 수록된 문제】 일곱 처마의 각 집에는 일곱 마리의 고양이가 살고 있다. 각각의 고양이는 쥐 일곱 마리를 붙들고 있고, 각 쥐는 보리이삭 일곱 개를 물고 있고, 각각의 이삭에는 일곱알의 보리가 달려있다. 이들 모두의 합은 얼마인가?

➡ 19607 [집 7개 , 고양이 7×7=49마리, 쥐 7×7×7 = 343마리 , 보리이삭 7×7×7×7 = 2401개, 보리 7×7×7×7×7 = 16807개이므로 7+49+343+2401+16807=19607이다.

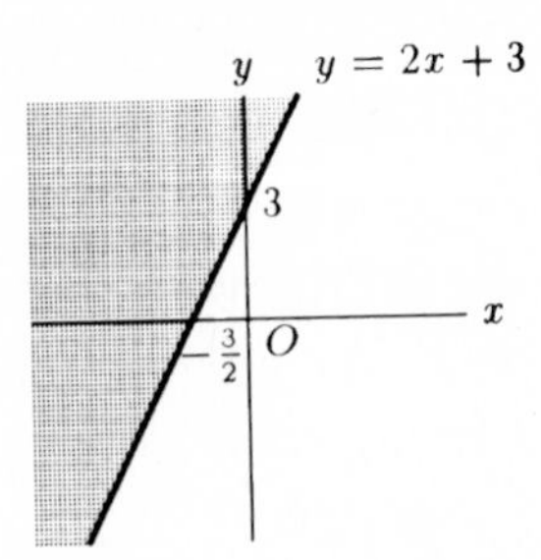

The region above the line is described by $y > 2x + 3$.

line graph **선 그래프**

몇 개의 점을 직선(선분)으로 연결한 그래프를 말한다.

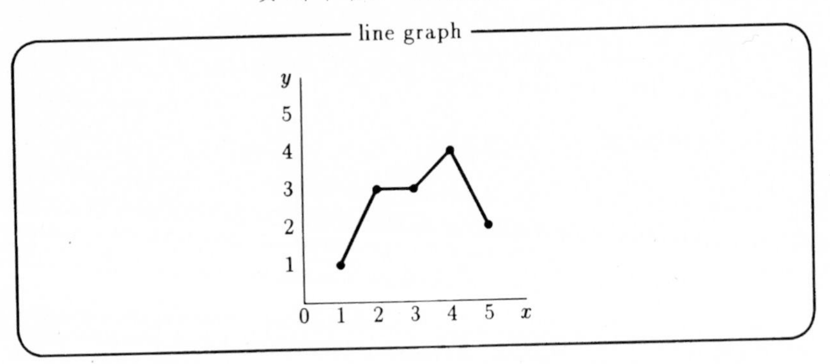

line segment **선분 (線分)**

직선의 한 부분으로, 직선 위의 두 점 사이에 한정된 부분이다. → interval

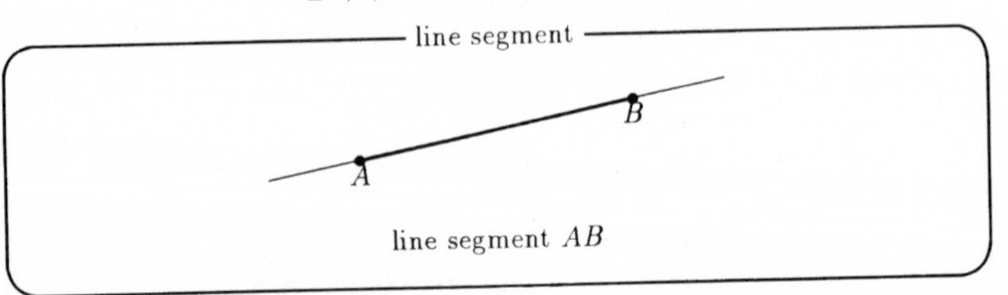

line segment AB

line symmetry **선대칭**

어떤 직선을 기준으로 접었을 때 원래의 도형과 완전히 포개지는 경우 이 도형을 선대칭 line symmetry 이라 하고 이 직선을 대칭직선, 대칭축 line of symmetry 이라고 한다. 예를 들어, 직사각형은 두 개의 대칭축을 갖고 원은 중심을 통과하는 모든 직선에 대해서 대칭이다. 그러나 부등변 삼각형은 대칭이 되지 않는다.

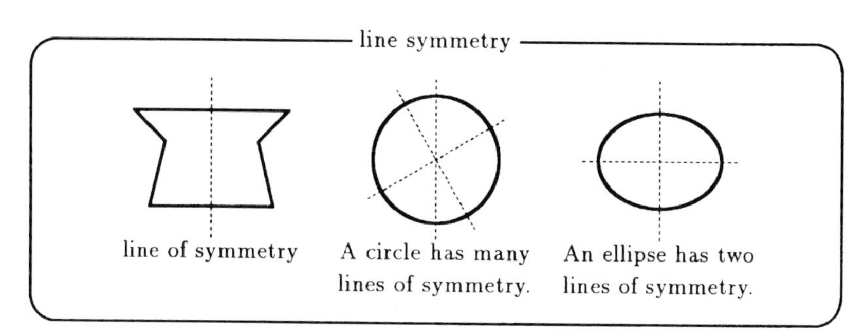

liter (l) **리터**

체적, 부피를 표시하는 단위. 한 변의 길이가 10cm인 정육면체의 부피를 1리터(liter)라고 한다. $1\ell=1000cm^3$, $1cm^3=1m\ell$이다.

location **위치, 장소, 자리수**

점의 위치 position 를 나타낸다.

locus **자취(紫翠)**

어떤 일정한 조건을 만족하는 점이 만든 도형이다. 예를 들어, 원 circle 은 평면위의 한 정점으로부터의 거리 distance 가 일정한 점의 자취이고 또한, 타원 ellipse 은 두 점으로부터의 거리의 합이 일정한 점의 자취이다. 두 점 A, B로부터 거리가 같은 equidistant 점의 자취는 선분 AB의 수직이등분선 bisecting normal 이다.

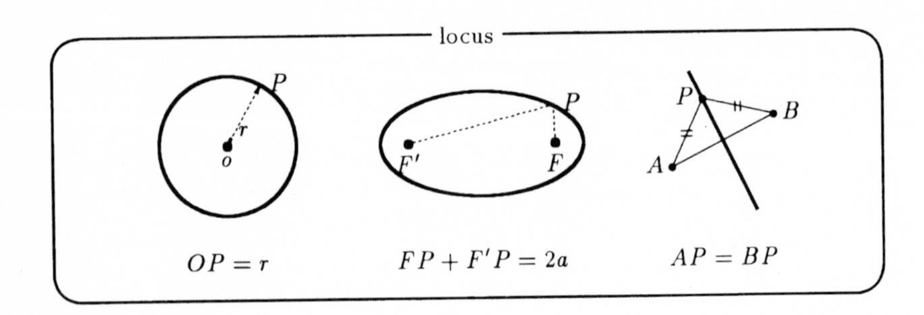

logarithm **로그**

$a^x = y$의 경우, x는 a를 밑으로 한 y의 로그 logarithm of y to the base a 라 하고 $x = \log_a y$라고 나타낸다. 예를 들어, $100 = 10^2$이므로 10을 밑으로 하는 100의 로그는 2이다. 이 경우, $\log_{10} 100 = 2$가 된다. 특히, 10을 밑으로 하는 로그를 상용로그 common logarithm 라 하고, $e(=2.718...)$를 밑으로 하는 로그를 자연로그 natural logarithm 라 한다. 로그법칙 law of exponents 에 의해, 다음 공식이 성립한다.

1. $\log_a AB = \log_a A + \log_a B$
2. $\log_a \dfrac{1}{A} = -\log_a A$
3. $\log_a A^n = n\log_a A$
4. $\log_a A = \dfrac{\log_c A}{\log_c a}$

x의 상용로그를 $\log x$라고 하면, $\log 4 = 0.60206$, $\log 7 = 0.84510$ 이므로 $\log(4\times7) = \log 4 + \log 7 = 0.60206 + 0.84510 = 1.44716$ 이다. 따라서, 어떤 수의 로그값이 1.44716인 것을 이용하여 4×7의 값을 구한다. 상용로그표를 사용하면 이 값을 간단히 구할 수 있다. 컴퓨터가 보급되기 전 복잡한 계산은 거의 이 방법을 사용했다. 로그에 대한 참값을 진수 antilogarithm 라 한다. 또, 로그의 정수부분을 지표 characteristic, 소수부분을 가수 mantissa 라고 한다. 예를 들어, $\log 28 = 1.44716$이기 때문에 지표는 1이고 가수는 0.44716이다.

$\log x = 5.2517$ 이라 하면,

$x = 10^{5.2517} = 10^{5} \times 10^{0.2517}$

이고, 로그표에서 가수 0.2517의 역대수는 1.78500이므로 $x = 100000 \times 1.78500 = 178500$이라는 값을 얻을 수 있다.

Logo

로고, 표어

간단한 그림을 그리기 위한 컴퓨터 프로그램 언어로 아이들을 위한 컴퓨터 교육용으로서 이것이 개발되었다. 앞(FD), 뒤(BK), 좌(RT), 우(LT)의 명령을 사용해서 그림을 그린다.

longitude

경도, 경선

적도에 수직한 대원을 말함. 런던의 그리니치를 통과하는 자오선을 본초자오선(本初子午線)이라 하며 이것이 경도의 기준이 된다. 지구상의 위치는 그리니치의 본초자오선으로부터 떨어져 있는 정도로 표시한 것으로 이것을 경도 longitude 라고 하며 동서로 나누어 각각 동경 180°, 서경 180°로 한다. 지구는 24시간에 대체로 360° 회전하므로 그 회전각도와 경과시간은 비례한다. 그래서 경도는 각도 대신 시간으로 표시하기도 한다. 경도 15°는 1시간, 15′은 1분, 15″는 1초에 해당한다. 따라서, 어떤 지점의 지방시(地方時)와 그리니치시(時)의 시차로 그 지점의 경도를 알 수 있다. 배 위에서는 크로노미터를 그리니치시에 맞추고, 천문관측으로 측정한 지방시와 비교해서 임의 지점의 경도를 구할 수 있다.
→ latitude

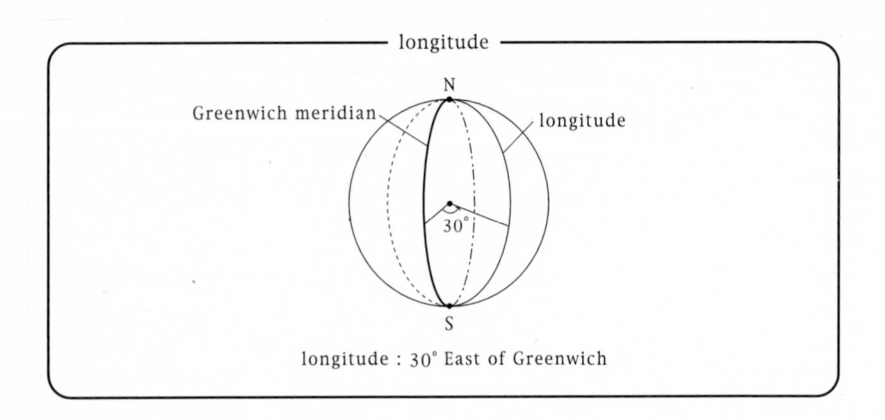

lower **아래의**

■ ~ bound 하계(下界)

실수의 부분집합 A에 속하는 모든 원소 x에 대하여 $c \le x$인 실수 c가 존재할 경우에, c를 A의 하계 lower bound 라고 한다.

lowest common denominator **최소 공통 분모**

몇 개의 분수가 주어졌을 때 그 분모들의 공배수 common multiple 를 사용해서 분모를 맞출 수 있다. 이것을 공통분모 common denominater 라 하고 공통분모 중에서 가장 작은 것을 최소 공통 분모 lowest common denominator 라 한다. → fraction

lowest common multiple **최소 공배수**

임의의 2개 이상의 수에서 공통인 배수를 공배수 common multiple 라 하고 공배수 중에서 가장 작은 수를 말한다. 예를 들어 4, 3, 10의 최소 공배수는 60이다. → common multiple

lowest term

최소항

비(比)에서 전항과 후항이 1이외의 공약수를 갖지 않을 때를 말한다. 같은 방법으로 분수도 약분에 의해 분모, 분자를 서로소로 하면 최소항으로 표시할 수 있다.

lozenge

마름모

4변의 길이가 같은 사변형을 말한다. 마름모의 대각선 diagonal 은 서로 직교하며 다른 것을 수직 이등분한다.

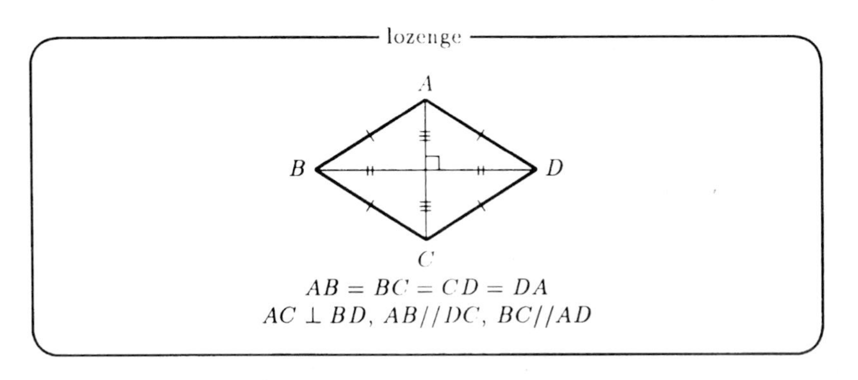

lune

활꼴

원 circle 의 현 chord 과 호 arc 로 둘러싸인 도형.

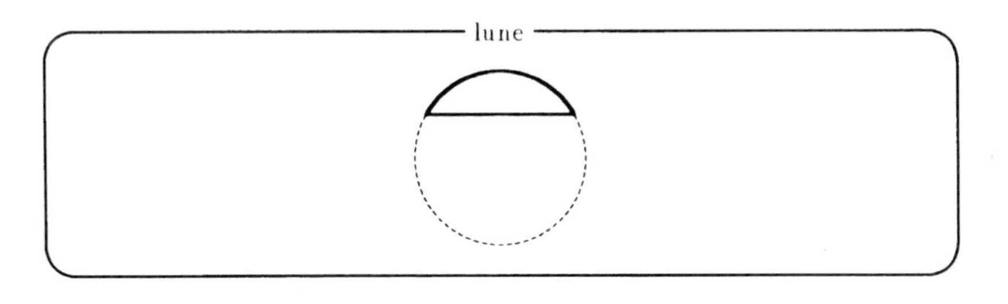

magic square **마방진(魔方陣)**

가로, 세로, 대각선에 늘어선 수의 합이 모두 같아 지도록 정사각형에 수를 배열한 것을 말한다.
정사각형의 한 변에 나열된 수의 개수 n에 따라서 n방진, 즉 3방진, 4방진, … 등 이라 한다. 가로, 세로 또는 대각선의 합은 3방진에서 15, 4방진에서는 34, 5방진에서는 65가 되며 일반적으로 n방진에서는 $\frac{n(n^2+1)}{2}$이 된다.
예를 들어, 3차의 마방진을 1, 2, ..., 9를 이용해 만들면 각 열의 합은 $\frac{1+2+\ldots+9}{3}=15$가 된다.

magic square

total 15

2	9	4
7	5	3
6	1	8

total 34

4	15	14	1
9	6	7	12
5	10	11	8
16	3	2	13

magnification **배율, 확대**

→ enlargement

magnify **확대하다**

→ enlarge

magnitude **크기, 양, 절대값**

부호를 무시한 수와 양의 크기를 말한다. 예를 들어, 벡터 $\vec{a}=(2,\ 1)$의 크기는 $\sqrt{2^2+1^2}=\sqrt{5}$ 이고 $|\vec{a}|=\sqrt{5}$ 라고 나타낸다. 수의 절대값 absolute value 도 magnitude

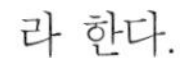
라 한다.

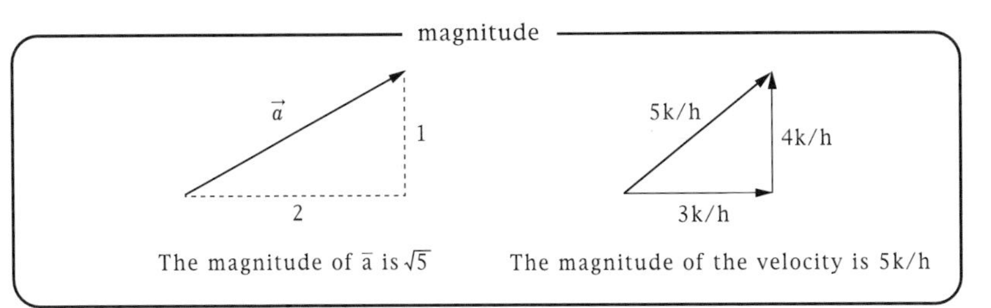

major

주요한 ; 큰 쪽의

수학에서는 하나의 것을 2개로 나눌 때 큰 쪽을 major 라고 한다.

■ ~ arc 우호(優弧)

원주 circumference 위에 두 점을 잡으면 원주는 2개의 호로 나뉘어 진다. 그 중 길이가 긴 호를 말한다.

■ ~ axis (타원 ellipse 의) 장축

타원 ellipse 에서 두 개의 대칭축 중 길이가 긴 축을 말한다.

■ ~ sector 큰 부채꼴

반지름에 의해 나뉘어진 부채꼴 중 넓이가 큰 것을 말한다.

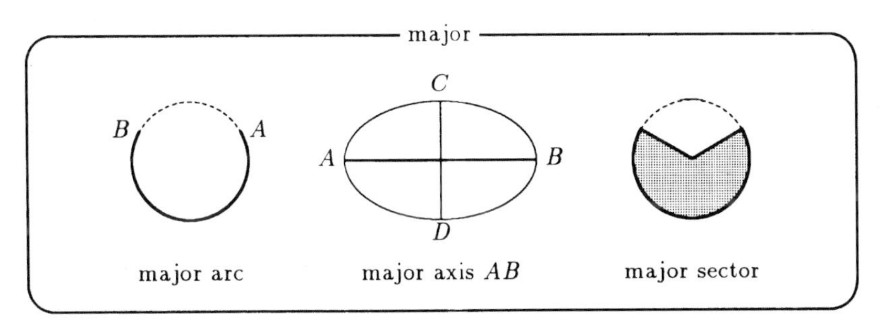

mantissa **가수 (假數)**

상용로그의 소수부분을 가수 mantissa 라고 한다. 예를 들어 $\log 300 = 2.4771$이기 때문에 가수는 0.4771이다. $\log x = -2.4$ 일 때, $\log x = -3 + 0.6$ 이기 때문에 가수는 0.6이 된다. 이 때, 지표 characteristic 는 -3이다. → logarithm

map **사상 (寫像)**

집합 A의 각 요소 x에 대해 집합 B의 요소가 대응되어 있을 때 그 대응을 집합 A로부터 집합 B로의 사상 map 이라 한다. 함수 function 와 같다. → function

mapping **사상** = map

mapping diagram **대응 도식 (對應圖式)**

함수에서 요소간의 대응을 화살표로 나타낸 것을 말하며 다음과 같은 도식으로 표현할 수 있다. → function

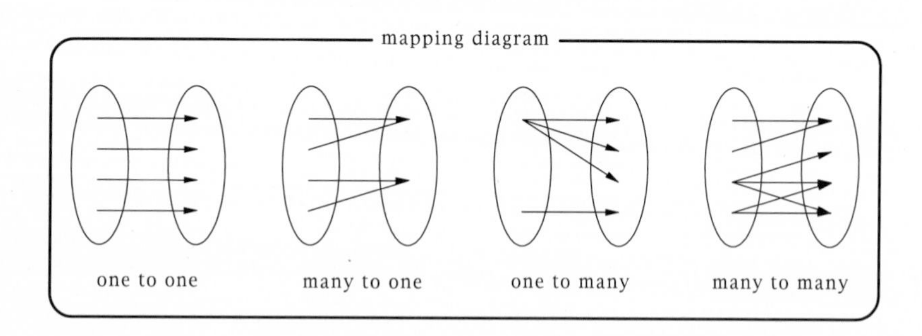

mass **질량**

물체에 준 힘과 발생하는 가속도의 비(比)로 주어지는 양을 말한다. 질량을 m, 힘을 F, 가속도를 α라고 하면 $F=ma$ 이다. 여기서 질량은 물체의 무게에 비례하고 kg으로 표시하는 경우가 많다.

math

수학 (數學)

mathematics 의 약어(略語)

matrix

행렬 (行列)

여러 개의 수 또는 문자를 괄호 안에 직사각형 모양으로 배열한 것을 말한다. 배열된 수나 문자를 요소 element 또는 성분 component 이라 하며 성분의 가로 배열을 행(行) row, 세로 배열을 열(列) column 이라 한다. m행 n열의 행렬을 $m \times n$ 행렬 m by n matrix 이라고 한다.

예를 들면, $\begin{pmatrix} 1 & 2 & 3 \\ 4 & 5 & 6 \end{pmatrix}$은 2행 3열이고 $\begin{pmatrix} 1 & 2 \\ 3 & 4 \end{pmatrix}$ 는 2차 정사각행렬이다.

2차 정사각행렬의 연산(演算)은 다음과 같이 정의된다.

$$\begin{pmatrix} a & b \\ c & d \end{pmatrix}+\begin{pmatrix} e & f \\ g & h \end{pmatrix}=\begin{pmatrix} a+e & b+f \\ c+g & d+h \end{pmatrix}$$

$$k\begin{pmatrix} a & b \\ c & d \end{pmatrix}=\begin{pmatrix} ka & kb \\ kc & kd \end{pmatrix}$$

$$\begin{pmatrix} a & b \\ c & d \end{pmatrix}\begin{pmatrix} e & f \\ g & h \end{pmatrix}=\begin{pmatrix} ae+bg & af+bh \\ ce+dg & cf+dh \end{pmatrix}$$

$E=\begin{pmatrix} 1 & 0 \\ 0 & 1 \end{pmatrix}$ 이라 하면 모든 행렬 $A=\begin{pmatrix} a & b \\ c & d \end{pmatrix}$ 에 대해 $AE=EA=A$ 가 성립한다. 이 때, E를 단위행렬 unit matrix 이라 한다. 또한 $AB=BA=E$ 가 되는 행렬 B를 A의 역행렬(逆行列) inverse matrix 이라 하고 A^{-1}라고 쓴다. $ad-bc \neq 0$일 때,

$$A^{-1}=\frac{1}{ad-bc}\begin{pmatrix} d & -b \\ -c & a \end{pmatrix}$$

이다.

max 최대, 극대 (極大)

= maximum

maxim 공리 (公理)

→ axiom

maximal 최대의, 극대의

→ maximum

maximum 최대 (最大), 극대 (極大)

$x=a$를 포함하는 구간에서 정의된 함수 f가 구간내의 모든 x에 대하여 $f(x) \leq f(a)$를 만족할 때, f는 $x=a$에서 최대 absolute maximum 라 한다. 한편, 충분히 작은 $\delta > 0$가 존재하여 $0 < |x-a| < \delta$인 모든 x에 대해 $f(x) \leq f(a)$가 성립할 때, f는 $x=a$에서 극대 local maximum 라 한다. 극대가 최대가 되기도 하지만 반드시 일치하는 것은 아니다.

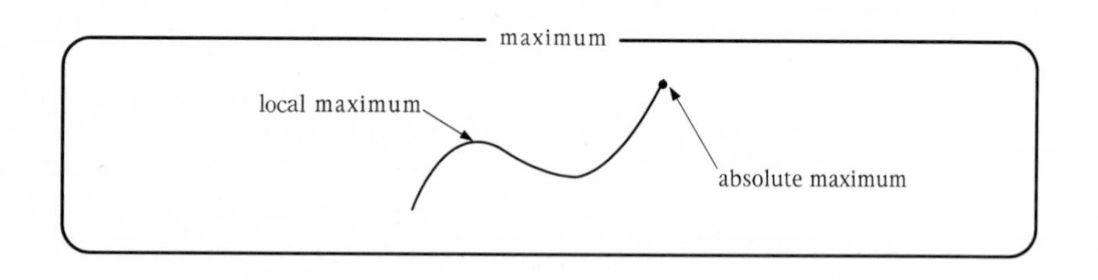

mean 평균

어떤 집단을 대표하는 값 representative value 의 하나로 모든 원소의 합을 그 원소들의 개수로 나눈 것을 말한다. 대표값인 중앙값 medium 이나 최빈수 mode 보다 일반적이며 평균 average 의 의미로 이용하는 경우가 많다. 합 대신 곱을 사용한 기하평균 등 다음과 같은 평균이 있다.

■ arithmetic~ 산술평균(算術平均)

어떤 집단에 속하는 수(數)를 모두 더하여 개수(個數)로 나눈 값을 말한다. 단순히 평균이라고 하면 산술평균을 의미한다.

예를 들면, 1, 3, 5, 7, 9 의 산술평균은

$$\frac{1+3+5+7+9}{5}=5$$

이다.

■ geometric ~ 기하평균(幾何平均)

두 수 a, b에 대해 $\sqrt{ab}$ 를 a, b의 기하평균 geometric mean 이라 한다. 일반적으로 n개 수의 기하평균은 n개 수의 곱의 n제곱근이다. 예를 들어, 세 수 2, 4, 8의 기하평균은 $\sqrt[3]{2\times4\times8}=4$이다.

■ harmonic ~ 조화평균(調和平均)

두 수 a, b 에 대해 $\frac{1}{a}$, $\frac{1}{b}$의 평균 $\frac{a+b}{2ab}$의 역수 $\frac{2ab}{a+b}$를 조화평균 harmonic mean 이라 한다.

예를 들어, 2, 6의 조화평균은 $\frac{2\cdot2\cdot6}{2+6}=3$이다.

■ population ~ 모평균

모집단의 평균을 말한다.

■ sample ~ 표본평균

모집단으로부터 추출된 표본의 평균을 말한다.

mean deviation **평균 편차**

편차 deviation 의 평균 mean 을 말한다. → deviation

measure **측도, 약수 ; 측정하다**

양을 재는 척도를 말한다. 예를 들어, 길이 length 는, 미터 meter 또는 인치 inch , 질량 mass 은 킬로그램 kilogram, 파운드 pound 등을 단위로 잰다. 한편, 정수 a가 정수 b로 나뉠 때 a는 b를 단위로서 정확히 잴 수 있기 때문에 b를 a의 약수 measure 라고 한다.

■ ~ of central tendency 중심 경향 측도

어떤 데이터의 특징이나 성질을 나타내는 수로서 평균 mean, 최빈값 mode, 중앙값 median 등을 생각할 수 있다. 이 값들은 모든 데이터의 중앙부근의 수치이므로 이를 중심 경향 측도 measure of central tendency 라 한다.

■ ~ of dispersion 산포도

데이터의 흩어진 상태를 나타낸 것을 말하고, 평균편차 mean deviation 나 표준편차 standard deviation 를 사용한다. → **deviation**

median

중앙값 ; 중선(中線) ; 중점(中點)

데이터의 특징을 가르키는 대표값 representative value 의 하나로 데이터를 큰 순서로 나열할 때 가운데에 오는 값을 말한다. 자료의 개수가 짝수일 때는 가운데에 두 개의 수가 있으므로 그 두 수의 평균을 중앙값이라 한다. 예를 들어, 7명의 영어 성적이 69, 79, 76, 77, 81, 74, 93일 때 큰 순으로 나열하면 69, 74, 76, 77, 79, 81, 93이 되고 4번째의 수 '77' 이 중앙값이 된다. 여기에 다른 한 명의 성적인 80을 추가하면 69, 74, 76, 77, 79, 80, 81, 93이 되고 4번째와 5번째의 수 77과 79의 평균 $\frac{77+79}{2}=78$이 중앙값이 된다. 데이터에 극단적인 수치가 있는 경우 평균값은 그 값에 영향을 받지만 중앙값은 그 영향을 받지 않기 때문에 이 경

우는 중앙값 쪽이 더 좋은 대표값이라 할 수 있다.
또한, 삼각형의 한 꼭지점과 대변의 중점을 연결하는 선분을 중선 median 이라 한다. 한 개의 삼각형에는 3개의 중선이 있고 그것들은 1점에서 만난다. 이것을 삼각형의 무게중심 center of gravity 이라고 한다.

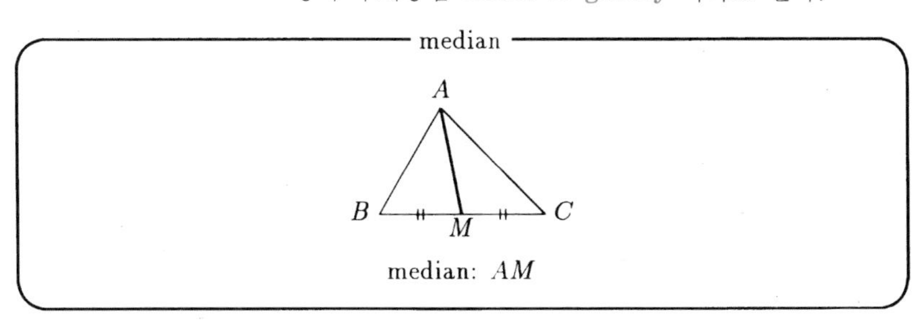

median: AM

mediator **수직 이등분선**

두 점 A, B를 연결한 선분의 중점을 지나고 AB에 수직인 선분을 말한다.

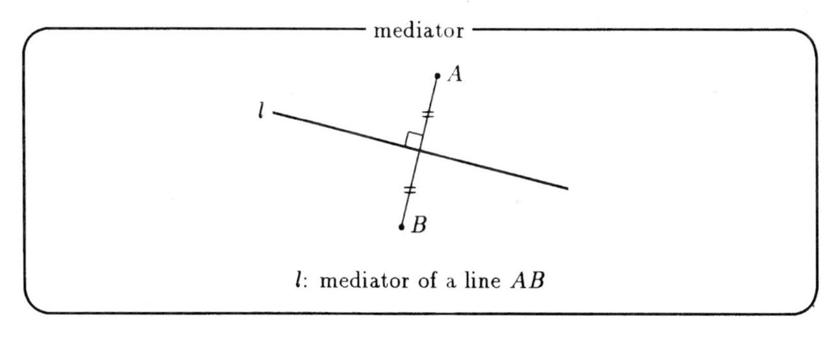

l: mediator of a line AB

mensuration **측정 (법), 측량**

길이나 무게를 재는 것을 말한다.

meridian **자오선**

지구의 북극과 남극을 지나는 큰 원을 말한다. 경선

longitude 과 같다. → longitude

meter **미터**

길이를 재는 단위로 1m=100cm, 1000m=1km이고 이 값은 세계에서 표준으로 사용되고 있다.

metric system **미터법**

미터를 단위로 재는 측도라고 할 수 있다. 미터 m, 센치미터 cm, 미리미터 mm, 킬로미터 km 를 단위로 하고 10진법을 사용한다.
1m=100cm=1000mm, 1km=1000m이다.

mid- **중앙의 (=middle)**

■ ~ point 중점
선분의 중앙에 위치한 점이다. 선분 AB의 중점을 M이라 하면 M은 AB위에 있고 $AM=BM$이다.

■ ~ range 중점값
임의의 범위에서 중점 또는 중앙의 값을 말한다.

mile **마일**

거리를 표시하는 단위로 5280피트의 거리를 1마일 1 mile 이라 한다. 1마일=1760야드 yards = 63360인치 inches 이다. 또한 1마일은 약1.6㎞이다.

milli- **밀리-**

$\frac{1}{1000}$ 을 의미한다.

■ ~ liter (ml) 밀리리터
$\frac{1}{1000}l$를 말함. $1l=1000\text{m}l$, $1\text{m}l=1cc$이다.

■ ~ meter(mm) 밀리미터

$\frac{1}{1000}$ m를 말함. 1m=1000mm, 1cm=10mm이다.

million 백만

$= 1000000 = 10^6$

minimal 극소의, 최소의

→ minimum

minimum 극소, 최소

$x=a$ 에서 함수 $f(x)$의 값이 근방에 비해 최소가 될 때 $f(x)$는 $x=a$에서 극소 local minimum 라 하고 그 때의 값 $f(a)$를 극소값 local minimum value 이라 한다. 극소값이 최소값 absolute minimum value 이 되기도 하지만 두 값이 반드시 일치하는 것은 아니다.

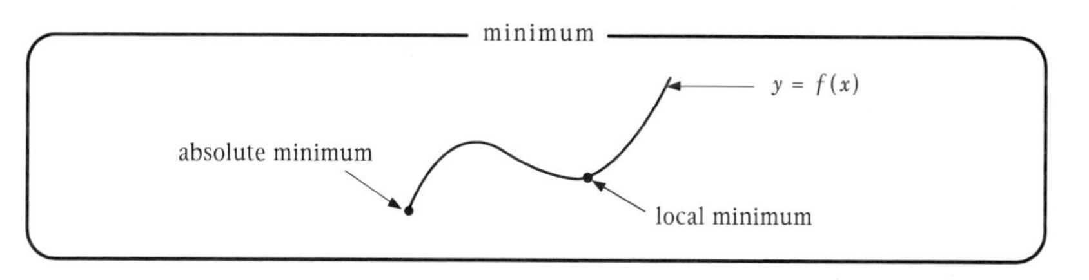

minor 덜 중요한 ; 작은 쪽의

■ ~ arc 열호(劣弧)

원주 circumference 위에 두 점을 잡을 때 원주는 두 개의 호로 나누어 지는데 그 중 작은 호를 말한다.

■ ~ axis 단축

타원 ellipse 에서 두 개의 대칭축 중에 짧은 것을 말한다.

■ ~ sector 작은 부채꼴

원은 두 개의 반지름에 의해 크고 작은 두 개의 부채꼴로 나뉘어 지는데 그 중 작은 부채꼴을 말한다.

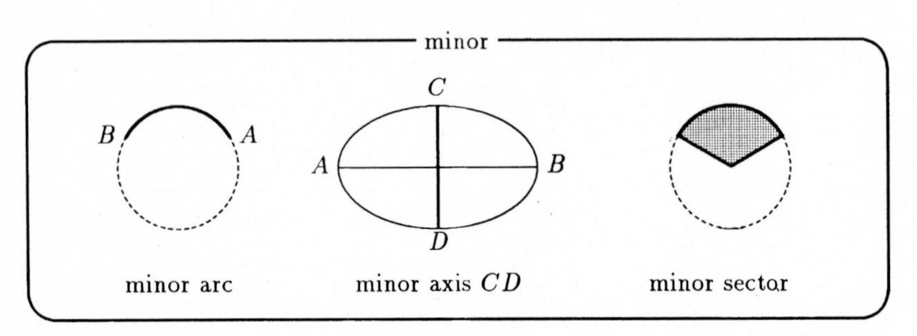

miscalculation **계산 오류, 오산**

mixed fraction **대분수(帶分數)**

→ mixed number

mixed number **대분수(帶分數)**

정수와 분수의 합을 나타내는 분수이다. 예를 들면, $3+\frac{1}{4}$은 $3\frac{1}{4}$인 대분수의 형태로 나타낸다. 대분수는 $1\frac{2}{3}=1+\frac{2}{3}=\frac{5}{3}$와 같이 가분수 improper fraction로 바꿔 쓸 수 있다.

Möbius strip **뫼비우스의 띠**

안과 겉의 구분이 없는 띠이다. 종이테이프의 양끝을 한 차례 꺾어 붙여 만들 수 있다. 종이테이프의 양단을 그대로 붙인 원은 겉과 안을 색칠하는데 2가지 색을 필요로 하지만 뫼비우스의 띠는 겉과 안의 구분이 없으므로 한 가지 색으로 칠할 수 있다.

Möbius strip

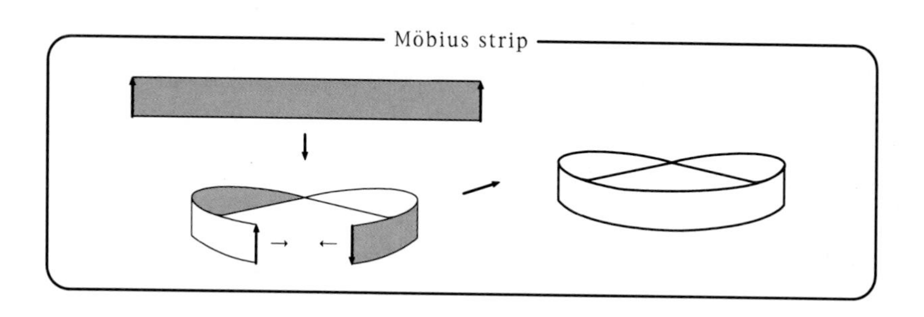

mod

법(法)으로

→ modulo

mode

최빈수(最頻數), 모드

자료의 특징을 나타내는 대표값 representative value 의 하나로 가장 많이 나타나는 수를 말한다. 예를 들어, 1, 2, 3, 3, 3, 4, 4, 5의 모드는 3이다. 양복의 사이즈 등을 나타낼 때는 모드가 평균 mean 이나 중앙값 median 보다 더 좋은 대표값이 된다.

mode

이 표는 여자 40명의 공던지기 결과이다. 14m~16m의 계급의 도수가 가장 많으므로 계급값 15가 최대빈수에 해당한다.

frequency table

계급(m)	계급값	도수
8 ~ 10	9	2
10 ~ 12	11	3
12 ~ 14	13	7
14 ~ 16	15	12
16 ~ 18	17	10
18 ~ 20	19	4
20 ~ 22	21	1
22 ~ 24	23	1

modulo **법(法)으로**

두 정수 x, y의 차가 정수 a로 나누어 떨어질 때 'x, y는 a를 법으로 합동 congruent modulo a 이라 하고 $x \equiv y \pmod{a}$라고 쓴다. 예를 들어, $10 \equiv 3 \pmod{7}$이다.

■ ~ arithmetic 합동 계산법

정수 a를 법으로 하는 계산법을 말한다. 예를 들어,
$3+5=8$, $8 \equiv 1 \pmod{7}$이므로,
$3+5 \equiv 1 \pmod{7}$ 이다. 같은 예로,
$3 \times 5 \equiv 1 \pmod{7}$
$3+4 \equiv 0 \pmod{7}$이다. → clock arithmetic

modulus **법(法), 절대값**

수의 부호를 무시한 절대적인 크기이다. 수 x의 절대값은 기호 $|x|$로 나타낸다. 예를 들면, $|3|=3$, $|-12|=12$이다.

monomial **단항식(單項式)**

하나의 항만으로 이루어진 식이다. 예를 들어, $2x$, $4y^3$ 등은 단항식이다.

more than **보다 많이, 보다 크게**

두 개의 수 a, b에 대해,즉 $a>b$ 일 때, a is more [greater] than b 라고 표현한다.
→ greater than

m.p.h. **= miles per hour**

속도의 단위로 한 시간에 1마일 나아가는 속도를 말한다.

motion **운동, 합동 변환**

점이나 도형을 움직이는 것이다. 도형이 움직여도 그 형태는 변화하지 않으므로 운동은 합동변환 congruent transformation 이다. → congruent

multiple

배수(倍數) ; 배수의

한 정수에 다른 정수를 곱해 얻어지는 수를 말한다. 예를 들어, 12=3×4이므로 12는 3의 배수이다. 또, 3의 배수는 3, 6, 9, 12, 15. 18,...가 있다. 이와 같이 어떤 수의 배수는 무한히 많이 존재한다.

- common ~ 공배수

  2개 이상의 수에 공통인 배수를 말한다. 예를 들어, 8, 6의 공배수는 24, 48, 72,...이고, 그 중 최소 공배수는 24이다. 공배수는 최소 공배수의 배수로 되어있다.

multiplicand

피승수(被乘數)

$a \times b$에 있어서 a를 말한다.

multiplication

곱셈

multiplicative

곱셈의, 곱셈의 성격을 갖는

multiplier

승수(乘數), 승식(乘式)

$a \times b$에 있어서 b를 말한다.

mutual

상호의

- ~ division 호제법

  공약수 common division 를 구하기 위한 방법으로 유클리드의 호제법 Euclid's alogorithm 이라 한다.

→ algorithm

mutually **상호적으로**

■ **~ disjoint** (집합이) 서로 소

2개의 집합에 공통의 원소가 존재하지 않을 경우를 말한다. → disjoint

■ **~ exclusive** (상호간에) 배반

확률에 있어서 2개의 사건 events 이 동시에 일어나지 않을 경우를 말한다.

■ **~ prime** (정수가) 서로 소

2개의 정수의 공배수가 1이외에 존재하지 않을 경우를 말한다. 예를 들어, 3과 14의 공배수는 1이므로 3과 14는 서로 소이다. 15와 21은 3을 공배수로 가지므로 서로 소가 아니다.

n.a.s.c.

필요충분조건

necessary and sufficient condition 의 약자로 필요조건 necessary condition 이기도 하고, 충분조건 sufficient condition 이기도 한 명제를 말한다. 명제 A, B에 관해서 'A이면 B이다', 'B이면 A이다'가 모두 참일 때, A는 B이기 위한 필요충분조건이다. 이러한 경우 B도 A이기 위한 필요충분조건이 된다. → necessary and sufficient condition

natural number

자연수 (自然數)

양(陽)의 정수(整數)(1, 2, 3 …)에 해당하며 덧셈과 곱셈은 자유롭게 할 수 있으나, 뺄셈과 나눗셈에는 닫혀있지 않다. 즉 임의의 두 자연수를 취하여 뺄셈이나 나눗셈을 했을 때 그 결과가 반드시 자연수가 되지는 않는다. 예를 들면, 5−5나 3−5의 결과는 자연수가 아니다.

nautical mile

해리 (海里)

항해·항공 등에서 사용되는 길이의 단위로 1해리는 1852m이다. 1해리는 6080피트이며, 육상의 1마일(=5280피트)보다 길다. 시속 1해리는 1노트 knot 이다. → knot

nearest

가장 가까운

특히 반올림 등에 자릿수를 말할 때 correct to 와 같이 흔히 사용되는 표현이다. → correct to

necessary

필요한

- ~ condition 필요조건

명제 A, B에 대해 'A이면 B이다'가 성립할 때 B는 A이기 위한 필요조건이다. 예를 들어, '$x=1$이면 $x^2=1$이다' 에서 $x=1$이면 $x^2=1$이 성립하지만 만약 $x=-1$이라도 $x^2=1$이므로 역(逆)은 성립하지 않는다. 따라서 $x=1$은 $x^2=1$이 되기 위한 필요조건이 안되고 $x^2=1$은 $x=1$이 되기 위한 필요조건이 된다.

- **~ and sufficient condition 필요충분조건**

명제 A, B에 대해 'A이면 B이다', 'B이면 A이다'가 모두 참일 때 A는 B이기 위한 필요충분조건이라 한다. 이 경우에는 B도 A이기 위한 필요충분조건이 된다.

예를 들어, $x=1$이면 $x^2-2x+1=0$이 성립하며 역으로, $x^2-2x+1=0$은 $(x-1)^2=0$이므로 $x=1$이다. 따라서, $x^2-2x+1=0$은 $x=1$이기 위한 필요충분조건이다.

necessity **필요성**

필요조건 necessary condition 인 경우를 말한다.

negative **마이너스의, 음(陰)의**

0보다 작은 수를 말하며 마이너스의 부호 minus sign로 나타낸다. 수직선상으로 음수는 0의 좌측에 표시된다. 예를 들어, -4는 원점 O으로부터 좌측으로 거리가 4인 점으로 표시된다. → number line

- **~ integer 음의 정수**

0보다 작은 정수를 말하고 -1, -2, -3, -4, ... 로 나타낸다.

net

전개도 (展開圖)

조립했을 경우 입체 도형 solid shape 이 만들어지는 평면도 plane shape 를 말한다.

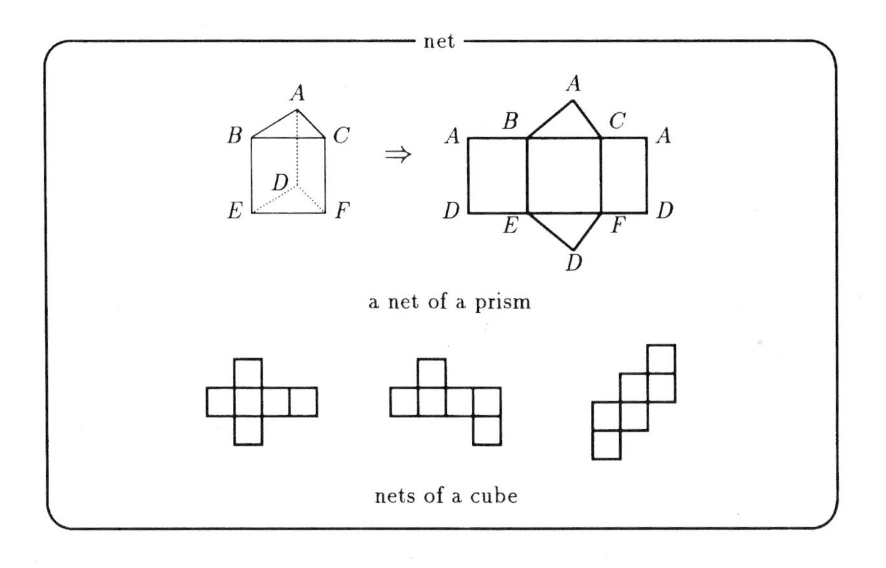

a net of a prism

network

회로, 네트워크

몇 개의 점과 그 점을 잇는 선으로 된 도형을 말한다. 회로에 있어서 점을 정점 · 교점 node, 교점을 잇는 선을 호, 호로 둘러싸인 부분을 영역 region 이라 한다. 단, 호와 호를 교차해서는 안 된다. 쾨니히스베르그의 다리 Königsberg bridge 의 문제는 육지와 섬을 교점, 다리를 호로 바꾸어 놓아 생기는 회로를 조사함으로써 해결된다. → Königsberg bridge

여기서 회로의 교점의 수 N, 호의 수 A, 영역의 수 R에 대해 오일러의 공식 Euler's formula $R+N=A+2$가 성립된다.

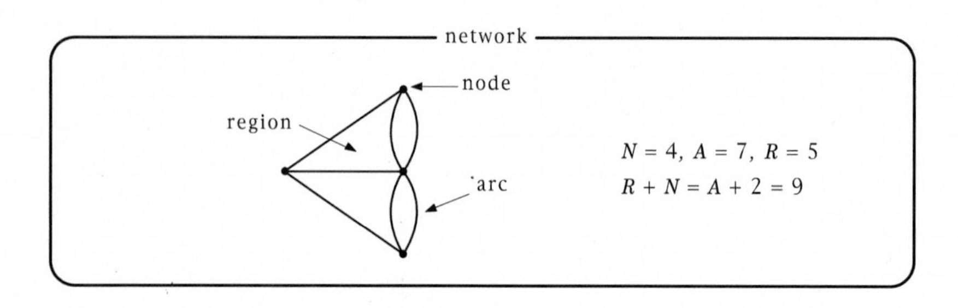

newton **뉴턴**

힘의 단위의 하나로 1kg의 질량에 1m/s^{2}의 가속도를 가하는 힘의 크기를 말하고 N으로 표시한다.

Newton's method **뉴턴의 법칙**

접선을 이용하여 방정식의 해를 근사적으로 구하는 방법이다. 방정식 $f(x)=0$의 해의 근사값을 x_1이라 할 때, $x=x_1$에서의 $y=f(x)$의 접선과 x축과의 교점 (x좌표) x_2를 다음 근사값으로 한다. 이 조작을 반복하면, 해에 보다 가까운 근사값을 얻는 것이 가능하다. 이 경우, $x_2=x_1-\dfrac{f(x_1)}{f'(x_1)}$이다. 여기서 $f'(x)$는 $f(x)$의 도함수 derivative 이다.

$x^2-3=0$에서 근사값을 $x_1=2$라 하면 $f'(x)=2x$이기 때문에,

$x_2=2-\dfrac{2^2-3}{4}=1.75$

$x_3=1.75-\dfrac{1.75^2-3}{3.5}=1.732\ldots$ 을 얻는다.

Newton's method

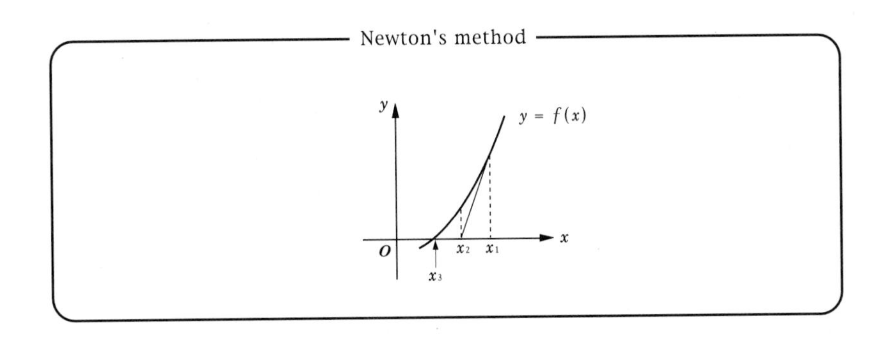

node

교점, 노드

네트워크, 회로, 그래프에서 호와 호가 만나는 점을 말한다. → network

non

비 (非) -

'부정'을 나타낸다.

nona

'9'의 의미

nonagon

9변형, 9각형

= enneagon

non-negative

마이너스가 아닌, 음수가 아닌

양 positive 또는 0을 말한다.

normal

법선 (法線), 수직선, 정규 (正規)

곡선이나 곡면에 수직인 직선을 말하고 직각 right angle, 수직 perpendicular 과 같은 의미이다. 곡선의 법선은 곡선상의 접점에서의 접선 tangent 에 수직으로 교차되는 직선이다. 한편, 곡면의 법선은 접평면에 수직인 직선이 된다.

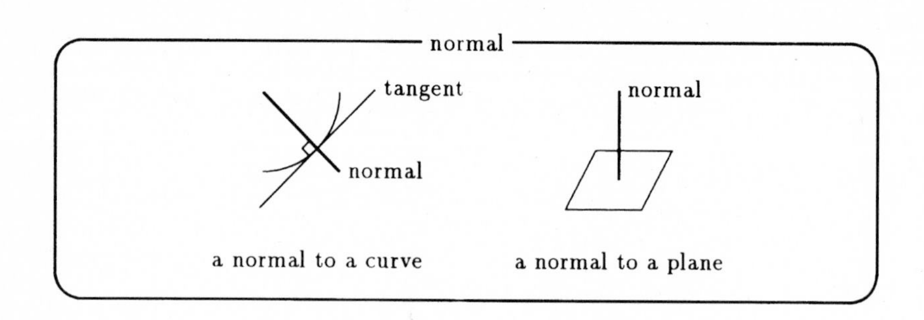

normal distribution **정규분포(正規分布)**

가장 일반적인 분포로 중앙의 도수가 가장 많고 중앙에서 떨어짐에 따라 도수가 적어지는 분포를 말한다. 정확히는, 확률 변수 X가

$$f(x)=\frac{1}{\sigma\sqrt{2\pi}}\,e^{-\frac{1}{2}(x-m)^2/\sigma^2}$$

의 형태로 분포가 표현될 때를 말한다. 여기서 m은 평균, σ는 표준편차이다. 정규분포는 독일의 수학자 가우스 Gauss 가 대량의 천체 운동의 관찰에 따른 측정오차의 분포를 조사하기 위해 생각해 냈다. 정규분포는 통계에 있어서 가장 기초적이고 중요한 분포이다. 예를 들어, 큰 집단의 시험 점수나 고등학생의 키 등은 정규분포를 이룬다.

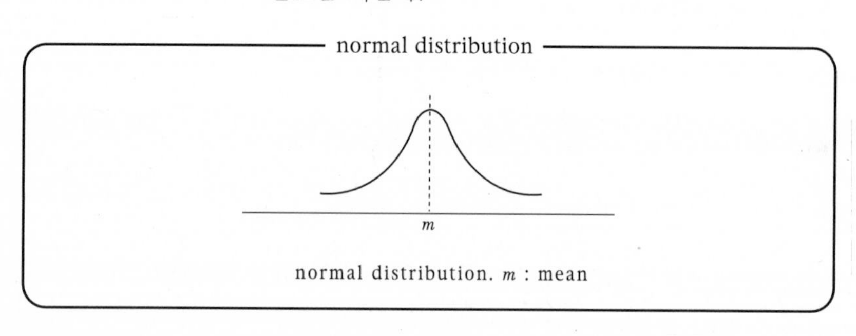

normal distribution. m : mean

notation **기호, 기호법, 표시법**

양(量), 연산, 관계 등을 나타내는 문자나 기호 symbol 를 말한다. +, −, ×, ÷ 등은 연산 기호이고 =, <, > 등은 관계 기호이다. 일반적으로 변수는 알파벳 소문자로 나타내고 집합이나 점은 알파벳 대문자로 나타낸다.

nought

0, 무 (無)

숫자의 0 zero 을 말한다.

nth root

n 제곱근

방정식 $x^n = a$의 해답을 x의 n제곱근 nth root 이라 한다. 9의 제곱근은 ±3, 8의 세제곱근은 (실수 범위에서) 2이다. 정수 a의 양의 n제곱근은 $a^{\frac{1}{n}}$, 또는 $\sqrt[n]{a}$ 라 쓴다. $9^{\frac{1}{2}}=3$, $8^{\frac{1}{3}}=2$, $\sqrt[2]{9}=3$, $\sqrt[3]{8}=2$ 이다.
제곱근의 근호 첨자 2는 생략되어 $\sqrt{9}$와 같이 쓴다.

null

허 (虛) 의, 0의 ; 0 (영)

일반적으로 '빈'것을 말하고 집합에서는 원소를 하나도 포함하지 않은 집합 ({ },Ø)을 공집합 null set, empty set 이라 한다. 모든 성분이 0인 행렬($\begin{pmatrix} 0 \\ 0 \end{pmatrix}$, $\begin{pmatrix} 0 & 0 \\ 0 & 0 \end{pmatrix}$ 등)은 영행렬 null matrix 이라 한다.

number

수 (數)

수의 가장 큰 범위는 복소수 complex number 이다. 복소수는 실수 real number 와 허수 imaginary number ($a+bi$, $b\neq0$)로 나뉜다. 유리수에는 정수 integer, whole number 와 분수 fraction 가 있다. 무리수는 분수로 표현할 수 없는 수로, 소수로 표현했을 때 무한히 계속되는 수이다. 단순히 정수나 실수를 수로 지칭하는 경우도 많다.

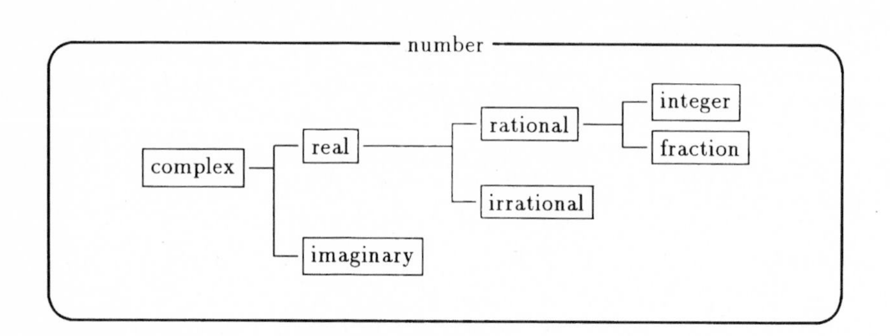

number line **수직선(數直線)**

직선 상의 각 점마다 실수를 대응시킨 직선을 말한다. 양수 $a(+a)$는, 원점 O의 우측으로부터 거리가 a인 점을 나타내고, 음수 $a(-a)$는 원점으로부터 좌측으로 거리가 a인 점을 나타낸다.

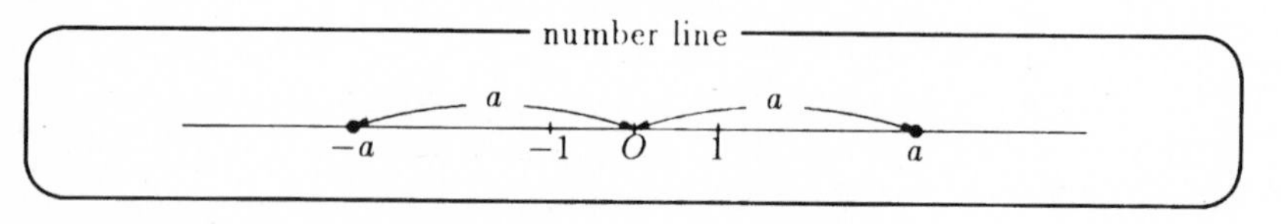

numeral **숫자**

수를 나타내는 기호를 말한다. 아라비아 숫자 Arabic numeral 는 0, 1, 2, 3, 4, 5, 6, 7, 8, 9이고 로마 숫자 Roman numeral 는 Ⅰ, Ⅱ, Ⅲ, Ⅳ, Ⅴ, Ⅵ, Ⅶ, Ⅷ, Ⅸ, Ⅹ를 사용한다. 10진법 같은 기수법이 없으므로 자리수가 올라갈 때마다 새로운 숫자가 필요하게 된다.

numerator **분자(分子)**

분수의 선 위에 써있는 수(식)를 말한다. $\frac{b}{a}$의 분자 numerator 는 b이다. a는 분모 denominator 이다.

numerical **수의, 수치의, 수를 나타내는**

object 대상, 목표물, 목적

oblique 기울어진, 경사의

- ~ axis 사교축(斜交軸)
  사교좌표의 비스듬히 기울어진 좌표축을 말한다.
- ~ coordinates 사교좌표, 빗좌표
  데카르트 좌표 Cartesian coordinates 로 좌표축이 비스듬히 기울어진 경우를 말한다. → Cartesian coordinates
- ~ circular cone 사추체(斜錐體), 빗원뿔
  정점 vertex 에서 밑면 base 에 내린 직선의 발 foot of perpendicular 이 밑면의 중심과 일치하지 않는 원뿔을 말한다. → cone

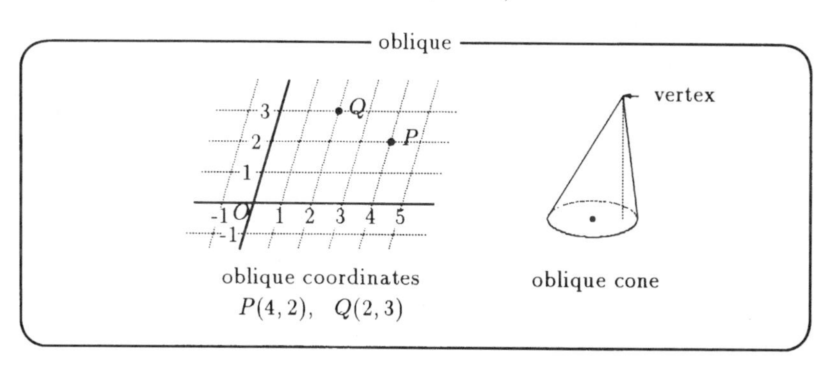

oblique coordinates
$P(4, 2)$, $Q(2, 3)$
oblique cone

oblong 직사각형, 장타원형 ; 직사각형의, 장타원형의

obtuse 둔각의

90°보다 크고 180°보다 작은 각. 3개의 각 중 하나가 둔각인 삼각형을 둔각 삼각형 obtuse - angled triangle 이라 한다.

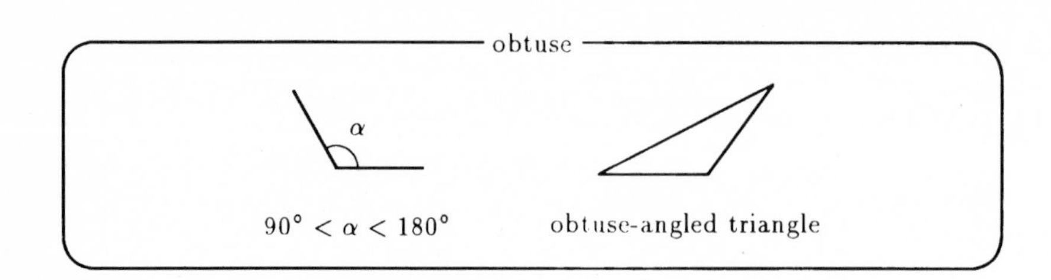

obverse **이(裏)**

명제 'A이면 B이다.'에 대해 'A가 아니면 B가 아니다.'를 말한다. 예를 들어, 명제 P : '$x=1$이면 $x^2=1$'의 이(裏)는 명제 Q : '$x \neq 1$이면 $x^2 \neq 1$'이다. 이런 경우 P는 참이지만 $x=-1$일 경우, $x^2=1$이므로 명제 Q는 참이 아니다.

oct-, octa-, octo- **'8'의 의미**

octagon **8각형**

octahedron **8면체**

다섯 종류의 정다면체 regular polyhedron 의 하나인 정 8면체 regular octahedron 는 8개의 정3각형으로 된 입체이다.

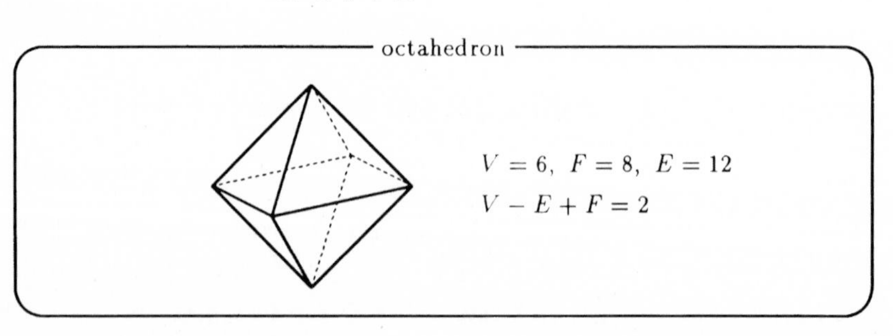

octal notation **8진법**

8을 기본으로 하는 기수법. 8진법은 0, 1, 2, 3, 4, 5, 6, 7의 8개의 숫자를 사용한다. 8이 되면 자릿수가 밀어 올려져서 '10'이 된다. 8진법의 '123'은 10진법으로는 $1\times8^2+2\times8^1+3=83$이다. 반대로 10진법의 '123'은 $123=1\times8^2+7\times8+3$이므로 8진법으로는 173이 된다.

octant **8분원(八分圓)**

원의 $\frac{1}{8}$ 쪽을 말한다. 8분원은 중심각 angle at center 이 45°인 부채꼴이다.

octuple **8배 ; 8배의 ; 8배로 하다**

odd **홀수의**

2로 나누어 떨어지지 않는 정수를 말한다. 2로 나누어 떨어지지 않는 수는 2로 나누면 1이 남으므로 $2n+1$로 나타낼 수 있다. 여기에 $n=0, 1, 2, \cdots$을 대입하면 $1, 3, 5, \cdots$를 얻는 한편, $n=1, 2, 3, \cdots$을 대입하여 $1, 3, 5, \cdots$를 얻기 위해서는 $2n-1$을 사용한다.

■ ~ function 기함수, 홀함수

모든 x에 대해 $f(-x)=-f(x)$가 성립되는 함수 f를 말한다. 예를 들어, $f(x)=x^3-x$일 경우 $f(-x)=(-x)^3-(-x)=-x^3+x=-(x^3-x)=-f(x)$이므로, x^3-x는 기함수이다. 기함수의 그래프는 원점에 대하여 대칭이다.

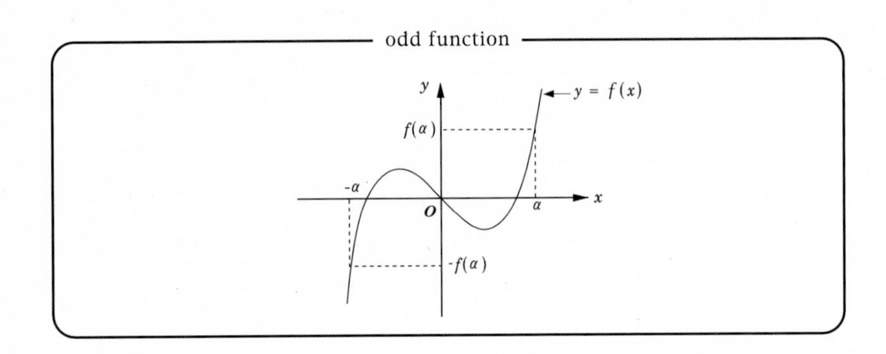

odds

확률

확률을 비(比)의 형태로 나타낸 것. 예를 들어, 주사위를 굴려 '2 이하의 숫자가 나올' 확률은 $\frac{1}{3}$, '안 나올' 확률은 $\frac{2}{3}$이므로 '2 이하의 숫자가 나온다'의 odds는 '1 : 2'이다.

ogive

누적 도수 분포 곡선

도수를 계속 누적시킨 누적도수 cumulative frequency를 그래프로 나타낸 것이다. 누적도수를 세로축, 자료의 자리수를 가로축으로 한다. 누적도수 대신에 누적상대도수(누적도수를 자료의 개수로 나눈 것)를 사용해도 같은 형태의 곡선을 얻을 수 있다.

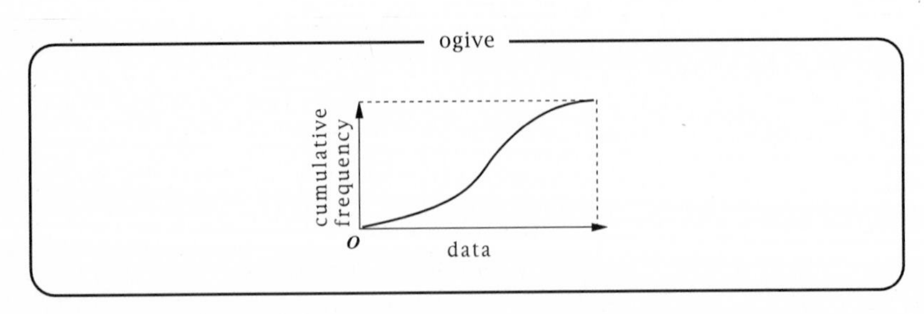

omission

절사, 잘라 버림

근사값을 얻기 위해, 어떤 자릿수(소수 자리)아래를 0으로 하는 것을 말함. → cut-off

one-to-one

1 대 1

집합 A의 한 원소가 집합 B의 단 하나의 원소에 대응될 때를 말한다. → mapping diagram

open

열려 있는

구간의 양 끝을 포함하지 않을 경우 그 구간을 개구간(開區間) open interval 이라 한다. 그 구간은 부등식 $a<x<b$로 표현되고 (a, b)라 쓴다. → interval

operand

피연산수

원소 a에 연산 작용 operation 을 적용시킬 경우 a를 피연산수라고 한다.

operation

연산 (演算)

'곱하다', '2배로 하다', '미분하다' 등의 조작을 말한다. 일반적으로, 몇 개의 원소 쌍을 하나의 원소에 대응시키는 규칙을 말한다. 특히 덧셈, 곱셈과 같이 2개의 원소(수)에 하나의 원소(수)를 대응시키는 연산을 이항 연산 binary operation 이라 한다.

예를 들어, $a*b$를 $a*b=2a+b$로 정의하면, 연산 $*$은 이항 연산으로 $1*2=4$, $3*1=7$이 된다. '제곱하다', '대수를 취하다' 등과 같이 하나의 원소에 대한 연산을 단항 연산 unary operation 이라 한다. 한편, 기본적인 이항 연산인 덧셈, 뺄셈, 곱셈, 나눗셈을 사칙연산 four operations 이라 한다.

operator **작용소, 연산자**

연산에서 작용하는 것을 말한다. 넓은 의미의 함수이다.

opposite **마주하는 쪽의, 정반대의**

- **~ angles** 대각(對角)

  사각형에서 마주보는 각을 말한다. 평행 사변형 parallelogram 의 두 쌍의 대각은 크기가 같다. 또한, 원에 내접하는 사각형 cyclic quadrilateral 의 대각의 합은 180°이다.

- **~ number** 반수(反數)

  덧셈에 대한 역원 inverse 을 말한다. 즉, 수 a에 대해 $-a$가 반수이다.

- **~ sides** 대변(對邊)

  마주한 변을 말한다. 사다리꼴 trapezoid (미), trapezium (영)은 한 쌍의 대변이 평행이고 평행사변형은 두 쌍의 대변이 평행이고 길이가 같다.

- **vertically ~ angles** 맞꼭지각

  두 직선이 교차해 만들어진 4개의 각 중 하나와 그 각의 정반대에 있는 각을 말한다. 맞꼭지각의 크기는 서로 같다.

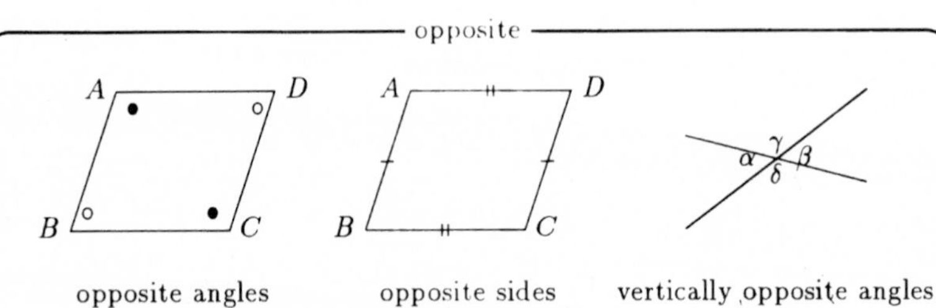

opposite angles $\angle A = \angle C$, $\angle B = \angle D$

opposite sides $AB \parallel DC$, $BC \parallel AD$

vertically opposite angles $\alpha = \beta$, $\gamma = \delta$

optimal **최적의**

어떤 문제를 해결하는 답 중 가장 효율적인 답을 최적해 (最適解) optimal solution 라 한다.

예를 들어, '비타민 a, b가 알약 A 1정 안에 각각 3mg, 3mg, 알약 B 1정 안에 각각 4mg, 2mg이 들어 있을 때, 비타민 a, b를 각각 16mg, 12mg 이상을 복용하기 위해서는 알약 A, B를 각각 몇 알씩 복용해야 하는가?'라는 문제를 생각해 보자. $(A, B)=(6, 0)$, $(4, 1)$, $(3, 2)$, $(2, 3)$, $(1, 5)$, $(0, 6)$은 모두 답이 된다. 다만, 위 문제에서 알약 A, B의 가격이 각각 10원, 15원일 경우 비용을 최소로 하려면 $(A, B)=(4, 1)$이 되는데 이것이 최적해이다.

optimization **최적화 (最適化)**

or **또는 ; 논리합**

명제 'A 또는 B' A or B 가 참이 되는 경우는 'A가 참', 'B가 참', 'A, B 모두 참'의 세 가지를 포함한다.

order **순서, 순위, 차수, 위수, 순서를 붙이다**

집합의 원소를 일렬로 나열할 때의 규칙을 말한다. 예를 들어, 수는 크기 순 order of size 으로 열거가 가능하고, 문자는 '가나다' (혹은 알파벳 순)인 사전식으로 열거하는 것이 가능하다.

order of matrix **행렬의 형태**

행과 열의 개수가 각각 m, n인 행렬을 $m \times n$ 행렬의 형태 order of matrix 라 한다.

order of rotational symmetry **회전 대칭의 위수(位數)**

도형을 한 바퀴 미만으로 회전시켜 원래의 도형에 겹쳐질 때, 그 도형은 회전대칭 rotational symmetry 이라 한다. 회전대칭인 도형이 한 바퀴 회전하는 사이 원래의 도형에 겹쳐지는 회수를 회전대칭의 위수 order of rotational symmetry 라 한다. 예를 들어 정삼각형은 1회전하는 사이에 3차례 원래의 도형과 겹쳐진다. 그러므로, 정삼각형의 회전대칭의 위수는 3이다. 확장시켜보면 정 n각형은 1회전하는 사이에 n차례 겹쳐지므로 회전대칭의 위수는 n이다. 회전대칭인 도형은 1회전 사이에 적어도 2차례 원래의 도형과 겹쳐지는 것으로 회전대칭의 위수는 2이상이다.

order of rotational symmetry

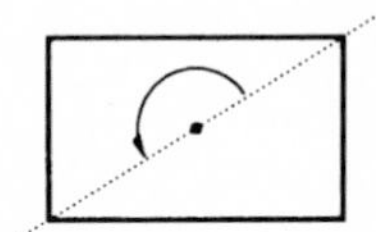

rectangle: order 2

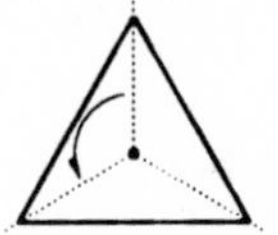

regular triangle: order 3

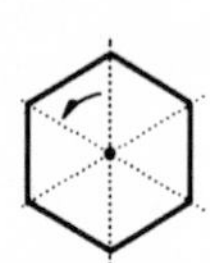

hexagon: order 6

ordered pair **순서쌍**

평면 위의 점은 x좌표 a, y좌표 b의 쌍 (a, b)으로 표현된다. 점(1, 2)과 점(2, 1)은 다른 점이므로 순서를 무시해서는 안 된다. 이와 같이, 순서를 가진 수의 쌍을 순서쌍이라 한다.

ordinal number **서수(序數), 순서수(順序數)**

첫 번째 first, 두 번째 second, . . . 와 같이 순서를 나

타내는 수를 말한다.

or else **배타적 논리합**

or 와 같으나, '참 - 참' 일 경우 거짓으로 간주한다는 점이 다르다. 이 명제는 'A or else B'라고 쓴다.

origin **원점 (原點), 시점 (始點)**

데카르트 좌표 Cartesian coordinates 의 기준이 되는 점으로 x축과 y축의 교점을 말한다. 원점의 좌표는 (0, 0)이다.

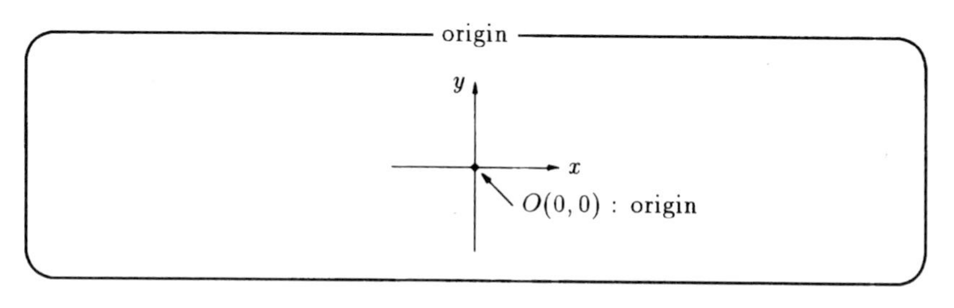

orthocenter **수심 (垂心)**

삼각형의 각 꼭지점으로부터 대변에 내린 3개의 수선의 교점을 삼각형의 수심 orthocenter 이라 한다.

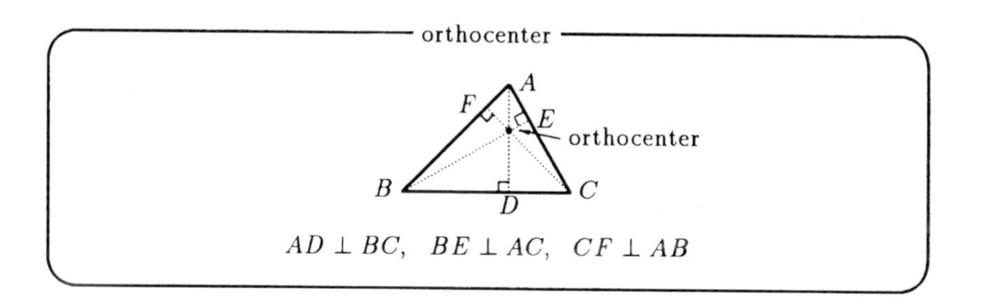

orthogonal **직각의, 직교의**

perpendicular 와 같은 의미의 말이다.

- **~ axes** 직교축
  데카르트 좌표 Cartesian coordinates 로 좌표축이 직교해 있을 경우 그 축을 말한다.
- **~ coordinates** 직교좌표
  데카르트 좌표 Cartesian coordinates 로 좌표축이 직교해 있을 때 그 좌표를 말한다.

oscillate **진동하다**

→ oscillation

oscillation **진동, 진폭**

주기적인 운동. 예를 들어, 동점(動点) P가 반지름이 1인 단위원 위에서 일정한 빠르기로 움직이고 있을 때 점 P의 x축의 그림자는 두 점 $(-1, 0)$, $(1, 0)$의 사이를 주기적으로 움직인다. 이와 같은 주기적인 운동을 진동 oscillation 이라 한다.

outcome **결과**

확률에서 한 번의 시행으로 생기는 결과를 말한다. 동전 한 개를 던지면 '앞면이 나오다(H)', '뒷면이 나오다(T)'의 두 가지 결과가 나오고 2개의 동전을 던지면, (H, H), (H, T), (T, H), (T, T)의 4개의 결과가 나온다.

oval **알모양 곡선**

달걀이나 럭비공의 단면 같은 형태의 폐곡선을 말한다.

p-adic　　**p 진(進)의**

p를 기본으로 하는 기수법을 나타냄.

palindromic number　　**상반수(相反數)**

121 같이 앞에서 읽어도 뒤에서 읽어도 같은 수를 말한다. 1900년대의 상반수의 연수(年數)는 1991년이며 2000년대 최초의 상반수의 연수는 2002년이다.

parabola　　**포물선**

한 정점과 한 정직선과의 거리가 같은 점이 그리는 도형을 말한다. 이 정점과 정직선을 각각 초점 focus, 준선 directrix 이라 한다. 포물선은 이심률 eccentricity 이 1이다.

초점을 $(p, 0)$, 준선을 $x=-p$라고 한 포물선의 방정식은 $y^2=4px$이다. → focus, eccentricity

포물선은 원뿔곡선 coin section 의 하나로 원뿔을 모선에 평행한 평면으로 자를 경우에 생기는 곡선이다. 또한 물건을 던졌을 때 생기는 곡선으로 정의되기도 한다.

2차 함수 $y=ax^2+bx+c$의 그래프는 포물선이며 직선 $x=\frac{-b}{2a}$에 대해 대칭이고 이 직선은 포물선의 축이다.

【도서관】 선경이는 3일에 1번씩, 준수는 4일에 1번씩 도서관에 간다. 어느 일요일에 도서관에서 두 사람이 만났다면 다음 어느 일요일에 두 사람은 다시 만날까?

➡ 84일 [선경이와 준수는 12일(3과 4의 최소공배수)마다 함께 도서관에 간다. 일주일은 7일이므로 7과 12의 최소공배수인 84일만에 일요일에 함께 도서관에 가게 된다. 다르게 생각해보면, 3, 4, 7의 최소공배수를 구하면 선경이와 준수는 84일만에 일요일에 함께 도서관에 가게 된다.]

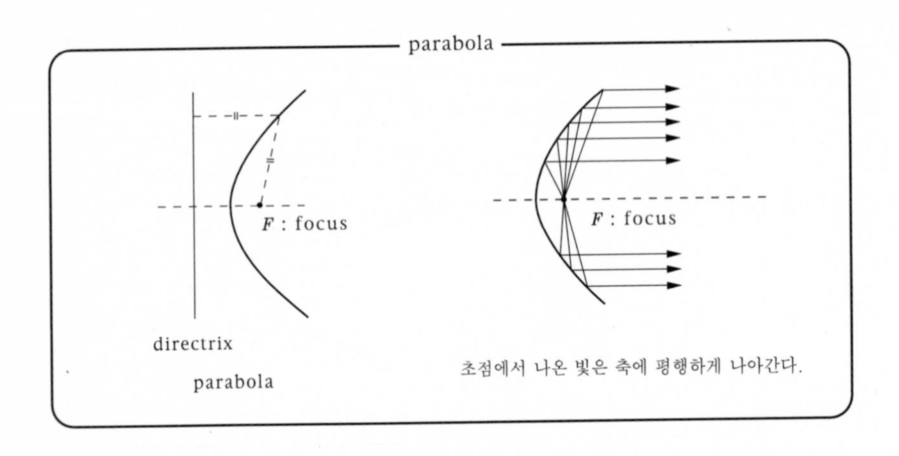

paradox **역설 (逆說), 역리 (逆理), 파라독스**

사실이나 상식에 모순이 되도록 논리가 성립할 때 이를 paradox 라 한다. 수학에서 역설의 유명한 사례로, 발빠른 아킬레스가 발이 느린 거북이를 따라 잡을 수 없다는 경우를 생각해 보자. 먼저, 출발시 거북이는 아킬레스보다 100m 전방에 위치한다. 아킬레스가 100m 만큼 따라 잡으면 거북이는 그동안 일정거리만큼 전진하게 된다. 다시 아킬레스가 그 전진한 거리만큼 따라 잡으면, 그 동안 거북이는 또 앞서 나가게 된다. 이와 같은 과정을 통해 아킬레스는 결코 거북이를 따라 잡을 수 없다는 것이다. 수학이나 과학의 세계에서는 이러한 역설이 성립하는 경우가 종종 있다.

parallel **평행 (平行) 한 ; 평행선 (平行線)**

2개의 직선이 하나의 평면위에서 교차되지 않는 경우 이 2개의 직선은 서로 평행하다고 하며 평행선이라 부른다. 같은 의미로, 공간 안의 두 평면이 교차되지 않는 경우 두 평면은 평행이라고 한다.

■ ~ lines 평행선

서로 평행인 직선을 말함. 직선 l과 l'가 평행인 경우 $l \parallel l'$이라 쓴다.

■ ~ planes 평행 평면

서로 평행인 평면을 말함. 평면 α와 β가 평행인 경우 $\alpha \parallel \beta$ 라 쓴다.

■ ~ translation 평행 이동

모든 점을 같은 방향으로 같은 길이만큼 이동하는 것을 말한다. 평행이동은 도형의 형태나 크기를 변화시키지 않으므로 합동변환이다.

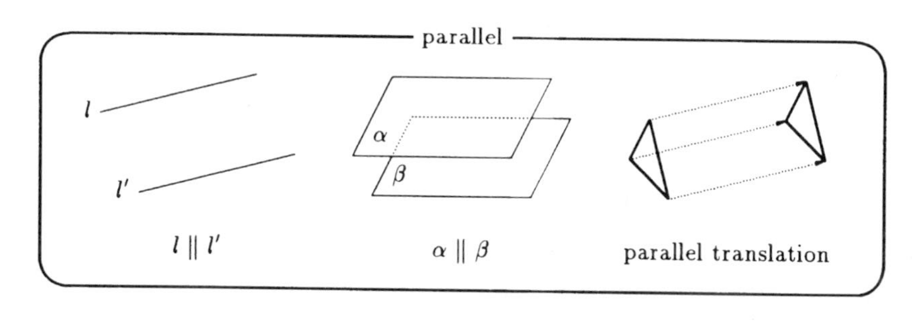

parallelepiped **평행육면체**

6개의 면이 전부 평행사변형인 육면체를 말한다. 이것은 직육면체를 비스듬히 만든 도형으로, 평행육면체의 3쌍의 대변은 평행이다.

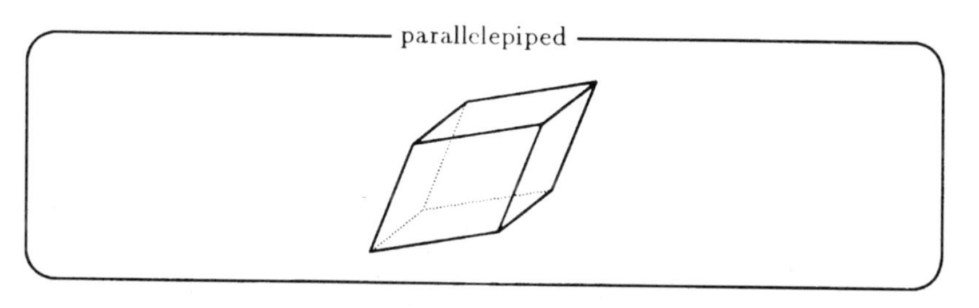

parallelogram 　**평행사변형**

2쌍의 대변 opposite sides 이 평행인 사각형. 평행 사변형의 2쌍의 대변의 길이, 2쌍의 대각 opposite angles 의 크기는 같다. 또 대각선은 서로를 이등분 bisect each other 하고 있다.

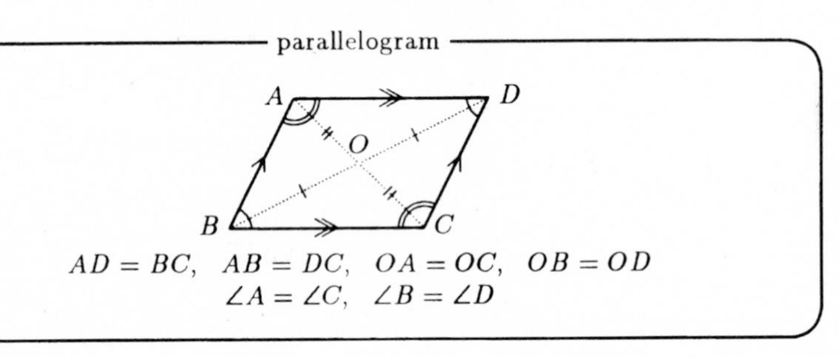

parameter 　**매개변수**

방정식 $x=2t+1$, $y=3t-1$에서 변수 t의 값을 정하면 x, y가 점(x, y)로 정해진다. 예를 들어, $t=1$일 경우 $x=3$, $y=2$이므로 점$(3, 2)$를 나타낸다. 변수 t의 값을 변화시키면, 그에 따라 점(x, y)가 변화하고 따라서 하나의 도형을 나타내게 된다. 이 경우, t를 매개변수 parameter 라 한다.

방정식을 변형하면 $t=\frac{x-1}{2}$, $t=\frac{y+1}{3}$이 되므로, x, y의 사이에 $\frac{x-1}{2}=\frac{y+1}{3}$이 성립되며, 정리하면, $3x-2y-5=0$이 된다. 따라서, 방정식 $x=2t+1$, $y=3t-1$은 직선 $3x-2y-5=0$을 나타낸다.

한편, 기울기가 2인 직선을 $y=2x+c$로 나타낼 수 있는데 이 경우, c를 기울기가 2인 직선족(直線族) family of lines 의 매개변수 parameter 라 한다.

parenthesis 괄호( )

part 부분(部分), 일부(一部), 부분 분수

전체에 대한 그 일부분을 말한다. 다음과 같이 사용한다.

- decimal ~ 소수 부분
  소수에서 소수점 이하의 부분을 말한다. 예를 들어, 15.32의 소수 부분은 0.32이다.
- imaginary ~ 허수 부분
  복소수 $a+bi$에서 b를 말한다. 예를 들어, $3+5i$의 허수 부분은 5이다.
- integral ~ 정수 부분
  실수에서 1보다 작은 부분을 뺀 부분을 말한다. 예를 들어, 15.32의 정수 부분은 15이다.
- real ~ 실수 부분
  복소수 $a+bi$에서 a를 말한다. 예를 들어, $3+5i$의 실수 부분은 3이다.

Pascal's triangle 파스칼의 삼각형

이항 계수($(a+b)^n$ 의 전개식의 계수)를 삼각형으로 나열한 것을 말한다. 파스칼의 삼각형은 양 끝에 1을 쓰고 다른 수는 전열(前列)에 이웃한 수를 더하여 나열한 것에 의해 만들어진다. 예를 들어, $(a+b)^2$의 계수 1, 2, 1 에 이웃된 수를 더해서 3, 3이 되고 양 끝에 1을 써 넣어 1, 3, 3, 1을 얻는다. 이것은 $(a+b)^3$의 계수이다. 즉, $(a+b)^3=a^3+3a^2b+3ab^2+b^3$인 것을 알 수 있다. 같은 방법으로, 파스칼의 삼각형을 이용하면 $(a+b)^n$ 의 전개식을 구할 수 있다.

Pascal's triangle

					1					
				1		1				
			1		2		1			
		1		3		3		1		
	1		4		6		4		1	
1		5		10		10		5		1

$$\therefore (a+b)^5 = a^5 + 5a^4b + 10a^3b^2 + 10a^2b^3 + 5ab^4 + b^5$$

path **경로, 길, 거리, 궤도**

두 점 이상의 점을 잇는 경로를 말한다. 또는, 네트워크의 몇 개의 정점을 잇는 경로를 말한다.

pay-back **되갚기, 반제(返濟)**

- ~ period 반제 기간

pay-off **모두 되갚기**

pendulum **진자(振子)**

penta- **'5'의, 5-**

pentadecagon **15각형**

pentagon **5각형**

pentagram

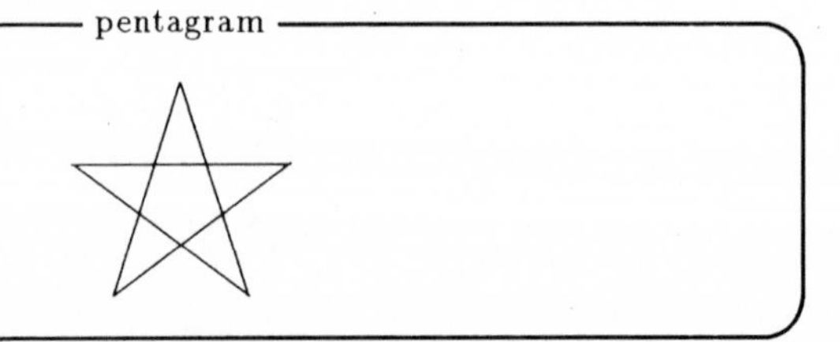

pentagram **별모양**

정오각형의 대각선으로 만들어진 별모양의 도형을 말한다.

pentahedron **5면체**

5개의 면으로 만들어진 다면체로, 예를 들어 사각뿔은 5면체이다.

per **~당(當)**

시속 5km를 나타낼 때 **5 km per hour** 와 같이 사용한다.

percent **퍼센트(%)**

비율 표시의 일종으로 전체를 100으로 놓았을 때 차지하는 크기로 비율을 나타낸다.

예컨대, $\frac{1}{8}=\frac{12.5}{100}=12.5\%$.

percentage **백분율, 비율**

'퍼센터(%)'로 비율을 표시하는 방법. 전체를 100으로 보고 차지하는 크기를 적는다. 예를 들면 0.12는 12%가 되는 식이다. → percent

- ~ change 백분율 변화

  어떤 양의 변화를 퍼센트로 나타낸 것을 말한다. 예를 들어, 물가가 작년에 비교해 15% 올랐을 경우 100원의 물건은 그 15%인 15원 올라서 115원이 된다.

- ~ error 백분율 오차

  참값에 대한 오차의 비율을 퍼센트로 나타낸 것을 말한다. 200g 중량의 물건을 잰 후 206g의 결과를 얻었다고 하자. 이 경우, 오차는 206−200=6g이므로 백분율오차는 $\frac{6}{200}=\frac{3}{100}=3\%$가 된다.

percentile **백분위수**

자료를 크기 순으로 나열해 작은 쪽으로부터의 위치를 백분율로 나타낼 때 그 위치에 있는 자료의 수치를 말한다. 예를 들어, 20백분위수는 밑에서부터 20%의 위치에 있는 자료의 수치이며, 중앙값 median 은 50백분위수이다. 백분위수는 누적도수분포곡선 cumulative frequency graph, ogive 으로부터 직접 알아볼 수 있다.

perfect number **완전수**

자기 자신을 제외한 약수의 합이 그 수와 일치하는 수를 말한다. 예를 들어, 6의 약수는 1, 2, 3, 6이므로 자기 자신을 뺀 약수의 합은 $1+2+3=6$이 되어 자기 자신과 일치한다. 따라서, 6은 완전수이다. 6은 최소의 완전수이며 더욱이 $6=1\cdot2\cdot3$이 성립되므로 더욱 더 완전한 수라 할 수 있다. 28도 완전수이다.

perfect square **완전제곱**

어떤 정수나 식의 제곱으로 나타낼 수 있는 경우를 말한다. 예를 들어 $1=1^1$, $4=2^2$, $9=3^2$이므로 1, 4, 9는 완전제곱수이다. 한편, 어떤 식의 제곱으로 나타낼 수 있는 식을 완전제곱식이라 한다.

$x^2+2x+1=(x+1)^2$이므로 x^2+2x+1은 완전제곱식이다.

perimeter **주위, 주변, 주위의 길이**

도형의 주변 선 또는 그 길이를 말한다. 원주의 길이는

$2\pi r$이다.

period

주기 (週期)

순환하는 운동의 1회에 걸린 시간을 말한다. 진자의 운동 주기는 진자 pendulum 가 한쪽의 끝에서 움직이기 시작해서 다른 쪽의 끝으로 갔다가 원래의 장소로 돌아오는데 걸린 시간이다. 함수 f가 모든 실수 x에 대해 $f(x+p)=f(x)$가 성립될 경우,

함수 f를 주기함수 periodic function 라 하며 p를 주기 period 라 한다. 양의 주기의 최소값을 기본 주기 fundamental period, primitive period 라 한다. 일반적으로 주기라 하면 기본 주기를 나타낸다. 예를 들어, 함수 $y=\sin x$의 주기는 2π이다.

$y=\tan x$에 대해서는 $\tan(x+\pi)=\tan x$가 성립되므로 주기는 π이다.

periphery

주변, 원주

도형의 경계선 또는 물체의 표면을 말한다. → perimenter

permanence

불변성 (不變性)

어떤 특정한 변환이나 변형에 의해 변화되지 않는 성질 등을 말한다. → invariant

permanent

불변인, 영구적인

→ permanence

permil

천분율, 퍼밀 (‰)

전체를 1000으로 놓았을 때 차지하는 크기로 나타내는 비율이며, 기호 ‰로 나타낸다.

1 ‰은 $\frac{1}{1000}$ 이다.

permutation

순열

일정 수의 원소들을 '순서를 고려하여' 나열한 것을 말한다. 예를 들어, 1, 2, 3을 나열해 생긴 순열은 123, 132, 213, 231, 312, 321의 6개이다. 4개의 수를 나열할 경우 최초 수의 선택 방법이 4종류, 2번째 수는 나머지의 3개에서 고르지 않으면 안되므로 3종류, 3번째는 같은 방법으로 2종류, 최후의 나머지는 하나로 한 종류이다. 따라서, 4개의 수를 나열하는 순열의 개수는 4×3×2×1=24이다. 일반적으로, n개의 수를 나열해 생기는 순열의 개수는

n의 계승 factorial

$$n! = n\times(n-1)\times(n-2)\times\ldots\times2\times1$$

이다. 같은 방법으로, n개의 수에서 r개를 택하여 순서있게 늘어놓은 순열의 개수는

$$\overbrace{n(n-1)(n-2)\ldots(n-r+1)}^{r\text{개}} = \frac{n!}{(n-r)!}$$

이고 ${}_nP_r$로 나타낸다. 예를 들어, 5개의 수에서 3개를 골라 나열한 순열의 개수는 ${}_5P_3=5\times4\times3=60$이다.

perpendicular

직각의, 수직의 ; 수선, 수직

두 직선으로 만들어진 각이 90°일 경우, 그 두 직선의 관계를 말한다. 평면 위의 모든 직선과 수직일 경우 '평면에 수직이다' 라 하고 이 직선을 그 평면의 법선(法線) normal 이라 한다. → **normal**

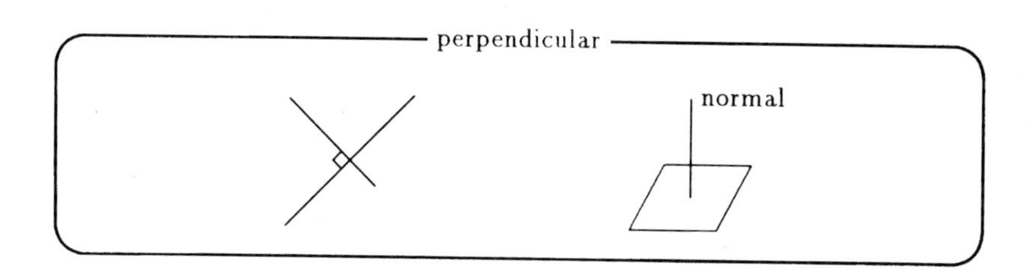

perpendicular bisector **수직 이등분선**

두 점 A, B를 잇는 선분의 중점을 지나고 선분 AB에 수직인 직선을 말한다.

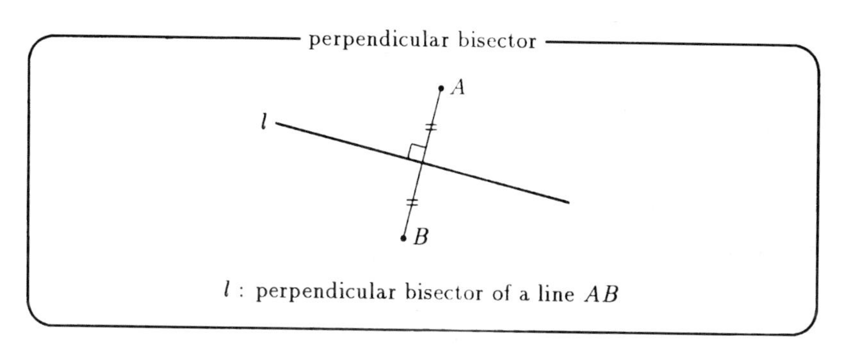

l : perpendicular bisector of a line AB

pi **파이, 원주율**

원주 circumference 의 지름 diameter 에 대한 비 ratio 를 말하며 기호는 파이 π로 표시한다. $\pi \fallingdotseq 3.14$이다. → circle ratio

pictogram **그림 그래프, 픽토그램**

도수를 그림등으로 나타낸 그래프를 말한다. 예를 들어, 인구수 상위 3개국의 인구를 그림 그래프로 나타내면 아래와 같다. 그림 그래프를 사용하면 숫자로 표시하는 것에 비해 비교가 쉽게 되는 장점이 있다.

pictogram

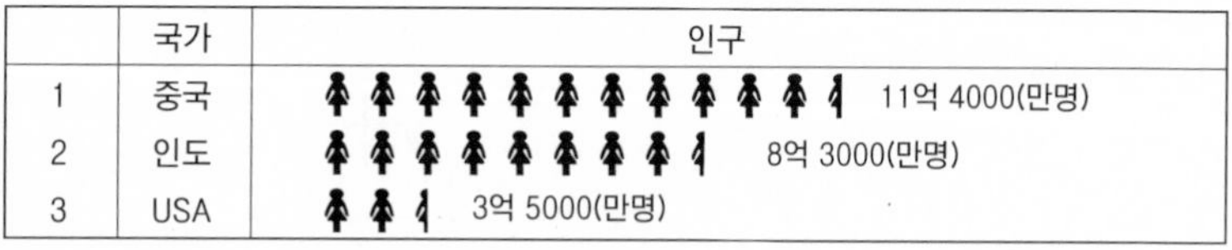
국가
인구
1
중국
11억 4000(만명)
2
인도
8억 3000(만명)
3
USA
3억 5000(만명)

pie chat **원 그래프**

원을 사용하여 나타낸 그래프로 전체에 대한 크기의 비율을 부채꼴의 크기로 나타낸 것을 말한다. 예를 들어, 1%는 $360° \times \frac{1}{100} = 3.6°$ 를 중심각으로 하는 부채꼴로 나타난다.

우리나라 국민이 선호하는 운동경기

축구	32%	115.2°
야구	26%	93.6°
농구	19%	68.4°
탁구	15%	54°
기타	8%	28.8°

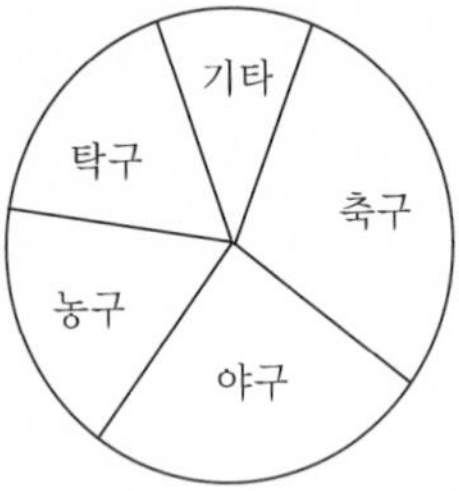
기타
탁구
축구
농구
야구

pie graph **원 그래프**

= pie chat

place value **자리수**

수에서 몇 번째 자리인지 나타내는 것. 예를 들면, 수 1234의 경우, 아래에서 세 번째 자리 2는 2×100이 되어 그 자리수는 100이다. 같은 방법으로 3의 자리수는

10이 된다.

planar **평면의, 평면적인**

plane **평면 (平面)**

평면은 교차하는 두 직선에 의해 단 하나로 결정된다. 평면위의 임의의 두 점을 잇는 직선은 평면에 포함된다. 두 개 평면의 교차부는 직선으로 나타난다. 교차되지 않는 평면은 평행 parallel 이고, 직선과 평면의 교차는 한 개의 점이다. 또한, 교차되지 않는 직선과 평면은 평행이다.

- complex ~ 복소평면

  복소수 $z=a+bi$를 평면위의 점 $P(a, b)$로 나타낸 평면. 가로축 상의 점$(a, 0)$은 실수 a를 나타내므로 실수축 real axis 이라 하고 세로축 상의 점 $(0, b)$는 허수 bi를 나타내므로 허수축 imaginary axis 이라 한다. $|z|$는 점 P의 원점 origin 으로부터 거리 $\sqrt{a^2+b^2}$으로 정의된다.
  → complex number

- coordinate ~ 좌표평면

  평면 위의 점을 1쌍의 좌표 coordinates (a, b)로 나타낸 평면을 말한다. → coordinates

- Gaussian ~ 가우스 평면

  복소평면 complex plane 을 말한다.

- ~ coordinates 평면좌표

  평면에 적용된 좌표계를 말한다. → coordinates

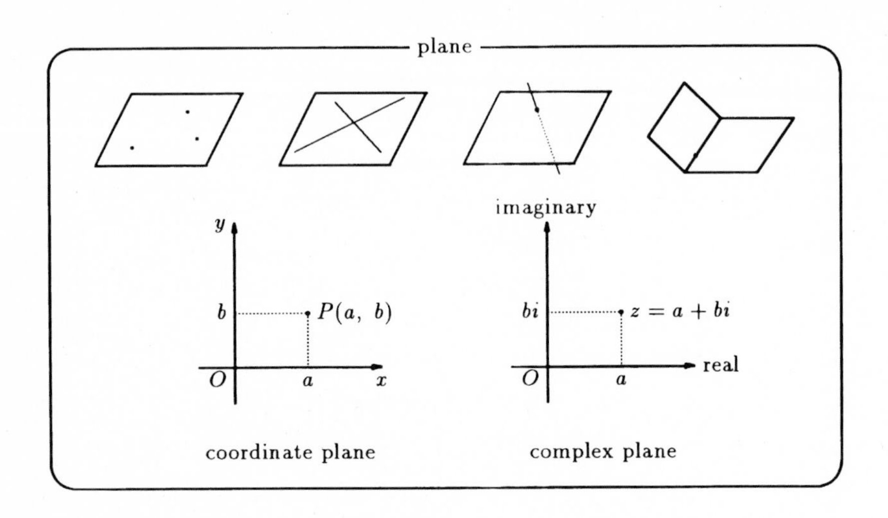

plane of symmetry 대칭면 (對稱面)

도형 A, B가 평면 α에 대해 평면대칭일 경우 평면 α를 말한다. → plane symmetry

plane symmetry 평면대칭 (平面對稱)

공간 안의 두 점 A, B의 중점이 평면 α위에 있고 직선 AB가 평면 α에 수직 perpendicular 일 경우 두 점 A, B는 평면 α에 대해 대칭 symmetric 이다. 이때, 평면 α를 대칭면 plane of symmetry 이라 하고 이런 대칭을 평면대칭 plane symmetry 이라 한다.

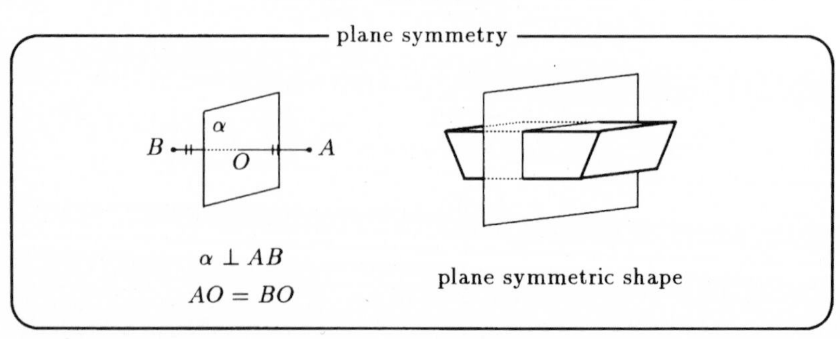

plan view

평면도 (平面圖)

입체를 위에서 볼 때 생기는 도형을 말한다. 실제로 보이지 않는 부분은 단면 cross section 에서 나타나는 선으로 그리며 이 때 점선을 이용한다. 입면도 front elevation, 측면도 side elevation 와 함께 입체의 형태를 나타내는 데에 이용된다.

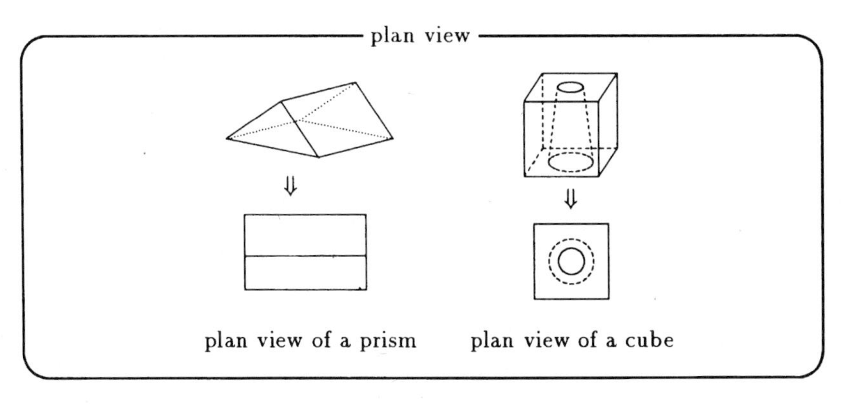

plot

도면

평면의 그래프지에 얼개 등을 그린 것.

point

점, 소수점

위치는 있지만 크기나 넓이는 가지지 않은 도형적 원소를 말한다. 도형으로 나타낼 경우 작은 검은 원 dot 이나 선의 교차로 그린다. 두 점을 지나는 직선은 단 하나로 결정된다. 평면 위에 서로 평행하지 않는 2개의 직선은 한 점에 교차된다.

- ~ circle 점원, 반지름이 0인 원
  점만으로 나타나는 원. 점원 (a, b)는 방정식 $(x-a)^2+(y-b)^2=0$으로 표현된다.
- ~ of contact 접점(接點)
  선과 선이 접하는 점을 나타낸다. = point of tangency

■ ~ of inflection 변곡점(變曲點)

곡선이 볼록에서 오목으로 변화하는 점 또는 오목에서 볼록으로 변화하는 점을 말한다. → inflection

■ ~ of intersection 교점(交點)

도형과 도형이 교차하는 점을 나타낸다. → intersection

■ ~ of tangency 접점(接點)

2개의 곡선이 한 점 P를 공유하고 점 P에서의 접선이 서로 일치하는 경우 점 P를 말한다. → tangent

point of symmetry **대칭점(對稱點), 대칭의 중심**

도형이 점 P에 대해 대칭일 경우, 점 P를 대칭점 point of symmetry 라 한다. → point symmetry

point symmetry **점대칭(點對稱)**

어떤 점 P를 중심으로 $180°$ 회전해서 원래의 도형과 일치하는 도형은 점 P에 대해 대칭 symmetry 이라 하며 점 P를 대칭의 중심 center of symmetry, point of symmetry 이라 한다. 두 점 A, B의 중점이 점 P일 경우 두 점 A, B는 점 P에 대해 대칭이며 이 또한 점대칭 point symmetry 이 된다. → symmetric

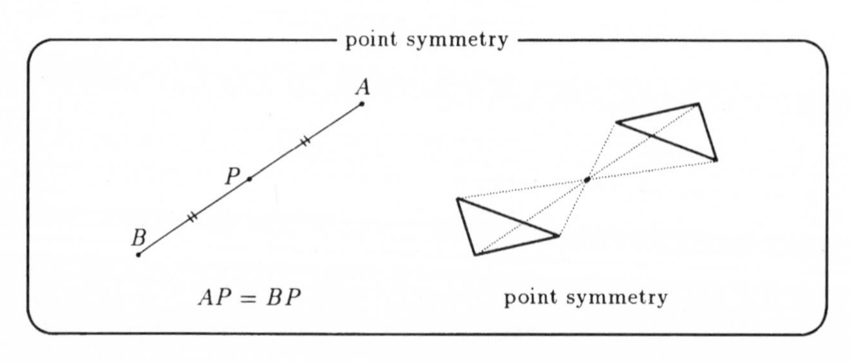

polar coordinates 극좌표 (極座標)

평면 위의 점 P를 기준점(일반적으로 원점, origin) O로부터의 거리 $OP(=r)$와, 원점을 지나는 기준선 (일반적으로 x축의 양의 부분)과 직선 OP와 이루어지는 각도$(=\theta)$를 이용해서 (r,θ)로 표현하는 좌표를 말한다. 예를 들어, 원점으로부터의 거리가 2이고 기준선과 이루어진 각도가 30°인 점의 극좌표는 (2, 30°)이 된다. 이 점을 데카르트의 좌표로 나타내면 $(\sqrt{3}, 1)$이다. 일반적으로 극좌표의(r, θ)를 데카르트 좌표로 바꾸면 $(r\cos\theta, r\sin\theta)$가 된다.

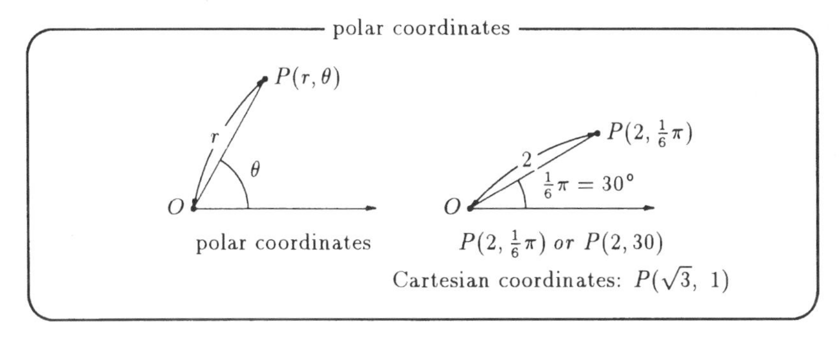

poly 다 (多) -, 복 (複)- 의 의미

polygon 다각형 (多角形)

세 개 이상의 변 side 과 각 angle 으로 만들어진 평면도형을 말한다. 모든 변의 길이가 같고 모든 각의 크기가 같은 다각형을 정다각형 regular polygon 이라 한다. n각형은 대각선에 의해 $n-2$개의 삼각형으로 나눌 수 있으므로 내각 interior angles 의 합은 $(n-2)\times180°$이다. 따라서, 정 n각형의 한 내각은 $\frac{n-2}{n}\times180°$이다. 일반적으로 다각형의 명칭은 다음과 같다.

변의 수	다각형	변의 수	다각형
3	triangle	8	octagon
4	quadrilateral	9	nonagon
5	pentagon	10	decagon
6	hexagon	12	dodecagon
7	heptagon	20	icosagon

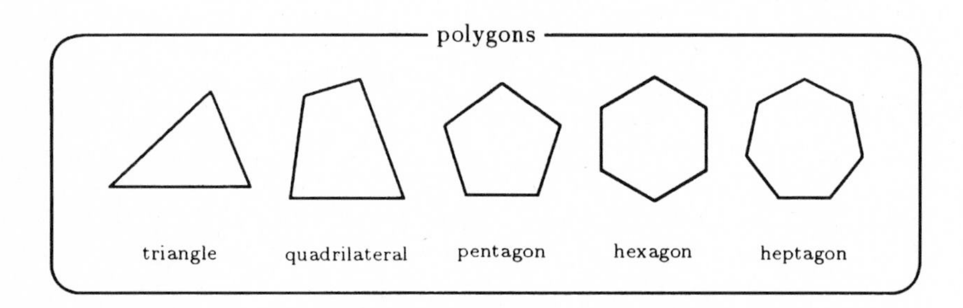

polyhedron

다면체 (多面體)

4개 이상의 평면으로 둘러싸여 만들어진 입체를 말한다. 다면체의 면 face 은 다각형이다. 정다면체 regular polyhedron 는 모든 면이 정다각형 regular polygon 인 다면체이고 정 4면체 tetrahedron, 정 6면체 cube, 정 8면체 octahedron, 정 12면체 dodecahedron, 정 20면체 icosahedron 의 다섯 종류 밖에 존재하지 않는다.

→ regular polyhedron

【산책】 금년에 다같이 80세가 된 노부부가 있다. 이들은 결혼 이후 오늘까지 하루도 거르지 않고 아침 산책을 했다고 한다. 그런데 작년 2월에는 꼭 14일만 아침 산책을 했다. 왜 14일만 아침 산책을 했을까?

➡ 이 노부부는 작년 2월 14일에 결혼하고 그 이튿날부터 산책을 했다.

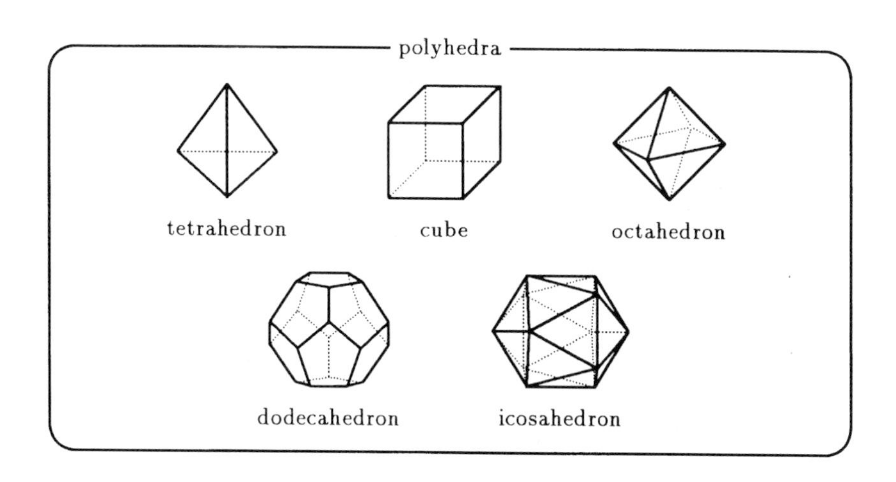

polynomial

다항식 (多項式), 정식 (整式)

몇 개의 단항식 monomial 의 합으로 표현된 식을 말한다. $2x$, $3x^2$등은 단항식이고 단항식들의 합인 $3x^2+2x$는 다항식이다. 이때, $2x$, $3x^2$을 항 term 이라 한다. 특히, 2개의 항으로 만들어지는 다항식을 2항식 binomial, 3개의 항으로 만들어지는 다항식을 3항식 trinomial 이라 한다. 한편, 각 항의 차수의 최대값을 다항식의 차수 degree 라 한다. 예를 들면, x^3-5x+4는 3차 다항식 cubic polynomial 이며, $2x^6+4x^5-7x^2$는 6차 다항식 polynomial of degree 6 이다.

population

모집단 (母集團)

통계 용어로 조사의 대상이 되는 자료 전체를 말한다. 모집단의 자료 개수가 상당히 큰 경우는 모집단 중에서 몇 개의 자료를 무작위로 선택한 표본 sample 에 대해 관찰하는 것이 보통이다. 예를 들면, 전국의 고교생의 평균 신장은 몇 개의 고교를 추출해 조사한다.

position **위치(位置)**

지구상의 위치 position 는 위도와 경도를 조합해 나타낸다. 평면위의 점 위치는 좌표를 이용해서 나타낸다. 평면위의 위치를 나타내기 위해서는 2개의 수치가 필요하며 공간 안의 위치는 3개의 수치가 필요하다.

positive **양의, 플러스의**

0보다 큰 것을 뜻한다. 양의 수는 +의 기호를 이용해 +7과 같이 나타내며 이 경우 'positive seven'이라 읽는다. 보통은 +의 기호를 생략해 단순히 7로 쓴다.

- ~ integer 양(陽)의 정수, 자연수
  0보다 큰 정수로 자연수 natural number 1, 2, 3,… 를 뜻한다.

possibility space **표본공간(標本空間)**

확률 용어로 하나의 시행 experiment 으로 얻어지는 모든 결과 outcomers 의 집합을 말한다. 예를 들어, 두 개의 주사위를 던져 나오는 수의 순서쌍의 표본공간은 다음 표에 있는 36개의 결과의 집합이다.

소 \ 대	1	2	3	4	5	6
1	(1,1)	(1,2)	(1,3)	(1,4)	(1,5)	(1,6)
2	(2,1)	(2,2)	(2,3)	(2,4)	(2,5)	(2,6)
3	(3,1)	(3,2)	(3,3)	(3,4)	(3,5)	(3,6)
4	(4,1)	(4,2)	(4,3)	(4,4)	(4,5)	(4,6)
5	(5,1)	(5,2)	(5,3)	(5,4)	(5,5)	(5,6)
6	(6,1)	(6,2)	(6,3)	(6,4)	(6,5)	(6,6)

power **거듭제곱, 멱, 지수**

a^n으로 나타내었을 때 n을 말하며 '지수' index, exponent 라 하기도 한다.

n이 자연수일 경우는 $a^n = \overbrace{a \times a \times a \times \ldots \times a}^{n\text{개}}$ 이 된다.
마이너스의 수와 분수의 지수는,

$$a^{-n} = \frac{1}{a^n},\ a^{\frac{1}{n}} = \sqrt[n]{a}$$

로 정의된다. 예를 들면,

$3^4 = 3 \times 3 \times 3 \times 3 = 81,\ 4^{-3} = \frac{1}{4^3} = \frac{1}{64},$

$8^{\frac{1}{3}} = \sqrt[3]{8} = 2$이다.

predecessor

앞의 원소

prime

소(素)의, 소수(素數)의

1을 제외하고는 공통의 인수 factor 를 갖지 않는 경우를 뜻한다.

- **mutually ~** 서로 소
  2개의 정수가 1이외에 공약수 common factor 를 가지지 않을 경우 그들의 관계를 서로 소라 한다. 예를 들어, 3과 8은 서로 소 mutually prime 이다.
- **relatively ~** 서로 소
  = mutually prime

prime factor

소인수(素因數)

어떤 정수를 소수의 곱으로 나타냈을 때 이 소수를 말한다. 예를 들어, $12 = 2 \times 2 \times 3 = 2^2 \times 3$으로 나타내어지므로 12의 소인수는 2, 3이다. 소수를 제외한 모든 정수는 소인수의 곱으로 나타낼 수 있다. → factorization

prime number **소수 (素數)**

1과 자기 자신이외의 약수를 갖지 않는 수를 말한다. 단, 1은 소수라 하지 않는다. 2, 3, 5, 7, 11, 13, . . 은 소수이다. 소수가 어떤 형식으로 분포되어 있는지를 조사하는 문제는 어려워서 아직 해결되지 않았다.

principal **원금 (元金)**

원래 맡긴 금액을 말한다. 예를 들어, 10,000원을 1년간 맡겨 10,200원이 되면 원금 principal 은 10,000원, 이자 interest 는 200원이다. 이 때, 연 이율은 200÷10,000=2% 이다.

principle **원리, 법칙**

이론의 기본이 되는 법칙을 말한다.

prism **각기둥**

측면을 평행사변형으로 하고, 밑면과 윗면이 합동으로 평행한 입체도형을 말한다. 각기둥은 한 개의 직선에 평행인 몇 개의 평면으로 둘러싸인 도형을 2개의 평행인 평면으로 잘라내어 생긴 입체이다. 그 때 단면이 n각형일 경우, n각기둥이라 한다. 예를 들어, 단면이 삼각형인 각기둥은 삼각기둥 triangular prism 이라 한다.

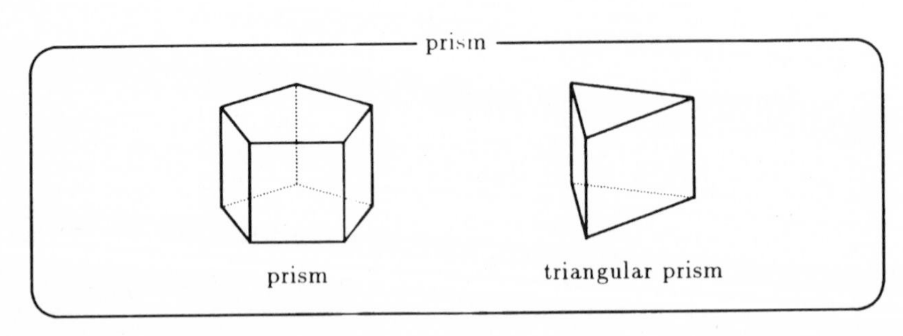

probability

확률

사건 event 이 일어날 개연성을 0에서 1까지의 수로 나타낸 것을 말한다. 확률 0은 그 사건이 일어나지 않음을 나타내고 1은 그 사건이 반드시 일어남을 말한다. 주사위를 던져 나오는 숫자는 1, 2, 3, 4, 5, 6 의 6종류이고 각각의 숫자가 나올 확률은 서로 같다고 생각할 수 있으므로 각각의 숫자가 나올 확률은 $\frac{1}{6}$이다. 또, 3의 배수 3, 6이 나올 확률은, $\frac{2}{6}=\frac{1}{3}$이 된다.

일반적으로, 모든 경우의 수를 n, 어떤 일이 일어나는 경우의 수를 k라 하면 확률 P는 $\frac{k}{n}$로 구할 수 있다.

- **mathematical ~ 수학적 확률**

  '표본공간을 이루는 각각의 결과가 일어날 가능성이 같다'라는 가정을 바탕으로 이론적으로 구해지는 확률을 말한다.

- **~ distribution 확률분포**

  확률변수 X가 취하는 값과 그 값에 대한 확률과의 대응관계를 말한다. 예를 들어, 2개의 주사위의 숫자의 합을 X라 하면 다음과 같은 확률분포를 얻는다.

X	2	3	4	5	6	7	8	9	10	11	12
P	$\frac{1}{36}$	$\frac{2}{36}$	$\frac{3}{36}$	$\frac{4}{36}$	$\frac{5}{36}$	$\frac{6}{36}$	$\frac{5}{36}$	$\frac{4}{36}$	$\frac{3}{36}$	$\frac{2}{36}$	$\frac{1}{36}$

profit

이익 (利益)

수익(收益)에서 그것을 위해 들인 비용을 뺀 잔액을 말한다. 예를 들어, 원가 1,000원의 물건을 1,200원에 팔면 이익은 1,200－1,000＝200원이다.

program **프로그램, 계획표**

계산이나 수식의 처리 절차를 순서를 세워 기록한 것이다. 프로그램을 기록하기 위해 여러 가지 언어가 사용될 수 있다. BASIC, PROLOG, C++ 등은 그 예이다. 언어나 프로그램은 수식의 종류에 의해 달라지는 경우가 있다.

progression **수열 (數列)**

수를 어떤 규칙에 따라 나열한 것을 말한다. 예를 들어, 홀수 odd number 의 나열 1, 3, 5, 7, . . . 과 3의 배수의 나열 3, 6, 9, . . .등이 그 예라 할 수 있다. 열거되어 있는 각각의 수를 항 term 이라 한다.

- arithmetic ~ 등차수열

  전항에 차례로 일정한 수를 더해 얻어지는 수열을 나타낸다. 예를 들면, 1, 4, 7, 10, . . .은 등차수열이며 일정한 두 항 간의 차를 공차 common difference 라 한다.

- geometric ~ 등비수열

  전항에 차례로 일정한 수를 곱해 얻어진 수열을 나타낸다. 예를 들어, 1, 2, 4, 8, . . .은 등비수열이며 일정한 두 항 간의 비를 공비 common ratio 라 한다.

projectile **투사물, 발사체**

공중에 던져진 물체를 말한다. 투사물이 그리는 궤적 locus 은 포물선 parabola 이다. 예를 들어, 높이 100m 의 장소에서 가로로 10m/s의 속도로 던져진 물체의 궤도의 방정식은 $x=10t$, $y=100-4.9t^2$ 로 표현된다. 변형해서 $y=100-0.049x^2$ 로 나타낼 수 있다.

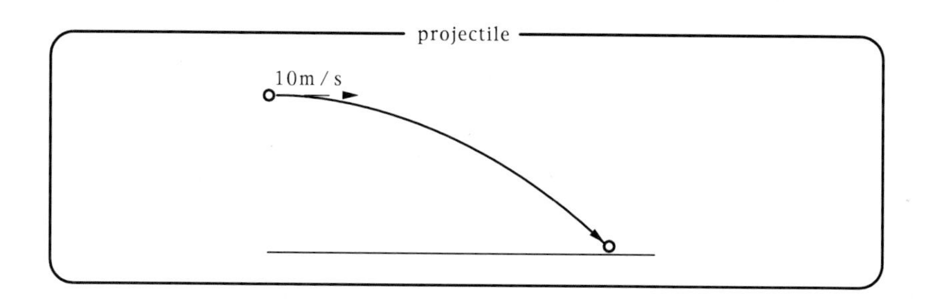

projection **정사영(正射影), 투영**

평면과 광원의 사이에 물체를 놓아두면 평면위에 물체의 그림자가 생긴다. 그 그림자를 물체의 평면에 대한 정사영 projection 이라 한다. 예를 들어, 구의 평면에 대한 정사영은 원 또는 타원이 된다.

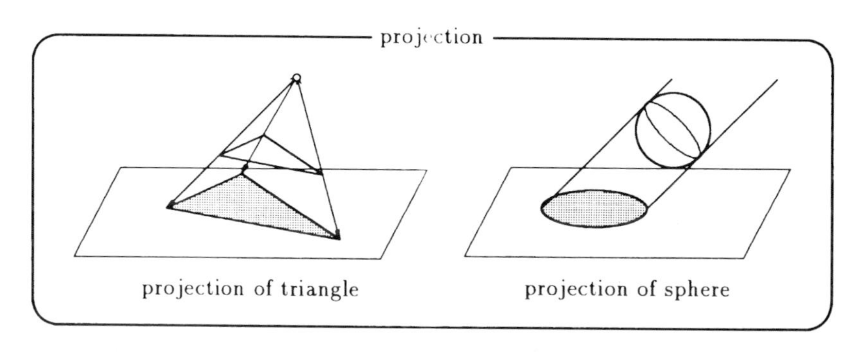

projective **정사영적인**

proof **증명(證明)**

어떠한 명제가 성립되는 것을 수학적, 논리적으로 보인 것을 말한다.

proper **고유의, 참의**

본래의 사물, 진짜의 사물이라는 의미로 이용한다. 또는 어떤 사물의 특유의 성질 등을 나타낼 때도 이용한다.

■ ~ value 고유값

1차변환 linear transformation f에서 $f(\vec{v})=k\vec{v}$가 성립될 때 k를 f의 고유값 proper value 이라 한다.

■ ~ vector 고유벡터

1차 변환 linear transformation f에서 $f(\vec{v})=k\vec{v}$가 성립될 경우, $\vec{v}$를 f의 고유 벡터 proper vector 라 한다.

proper fraction **진분수 (眞分數)**

1보다 작은 분수를 말한다. 예를 들어, $\frac{1}{3}$, $\frac{5}{8}$ 등은 진분수이다. 진분수의 분자 numerator 는, 분모 denominator 보다 작다. 1보다 큰 분수는 가분수 improper fraction 라 한다.

proper subset **진부분집합**

집합 A의 부분집합 subset 으로 A 자신과 일치하는 집합을 제외시킨 집합을 말한다. 예를 들어, $A=\{1, 2, 3\}$으로 할 경우 A의 부분 집합은 $\varnothing$, $\{1\}$, $\{2\}$, $\{3\}$, $\{1, 2\}$, $\{2, 3\}$, $\{1, 3\}$, $\{1, 2, 3\}$ 이다. 여기서 $\{1, 2, 3\}$을 제외시킨 나머지가 진부분집합이 된다. 따라서 A의 부분 집합의 개수는 8개이지만 진부분 집합의 개수는 7개이다.

property **성질 (性質), 속성 (屬性)**

물체가 갖는 속성이나 속성에 따라 성립되는 성질을 말

한다. 예를 들어, 삼각함수 $y=\sin x$는 $\sin(x+2\pi)=\sin x$라는 성질 property 을 갖는다.

proportion

비율, 비, 비례(比例)

비(比)가 같은 것을 비례 관계에 있다 be in proportion 라고 한다. 예를 들어, 집합 {1, 2, 3}은 집합 {2, 4, 6}과 비례 관계에 있다. 이는 원소의 비 1 : 2, 2 : 4, 3 : 6이 전부 같다는 것을 나타낸다. 한편, 변수 x, y가 $x : y = 1 : a$ 또는 $y=kx$로 나타낼 수 있을 때 x, y는 비례관계에 있다고 한다.

- direct ~ 정비례(正比例)

  변수 x, y가 비례관계에 있을 경우 x, y의 관계를 말한다. 특히 정비례 direct proportion 를 강조할 필요가 없을 때는 단순히 비례 proportion 로 생략해도 좋다. → direct

- inverse ~ 반비례(反比例)

  y가 $\frac{1}{x}$와 비례하는 경우에 y는 x에 반비례한다 be in inverse proportion to x 라고 말한다. → inverse proportion

proportional

비례의

- ~ constant 비례상수

  y가 x와 비례하고 있을 경우 y의 x에 대한 비 $\frac{y}{x}$는 일정하다. 이 일정한 비를 비례상수 proportional constant, constant of variation 라 한다. 비례상수를 k라 하면 $y=kx$로 쓸 수 있다. → direct

- ~ distribution 비례 배분

  일정한 양을 주어진 비에 따라 나누는 일을 말한다.

→ proportional division

proportional division **비례 배분**

어떤 일정한 양을 주어진 비에 따라 나누는 일을 말한다. 예를 들어 60을 1 : 2 : 3의 비로 나누면 10, 20, 30이 된다. 이 경우 10 : 20 : 30 = 1 : 2 : 3 이며 10+20+30=60이다. 10, 20, 30은 각기 60의 $\frac{1}{6}$, $\frac{2}{6}$, $\frac{3}{6}$ 이다.

같은 방식으로 60을 2 : 3 : 7의 비로 나누려면 divide 60 into three in the proportions 2 : 3 : 7 2+3+7=12이므로 $60 \times \frac{2}{12}=10$, $60 \times \frac{3}{12}=15$, $60 \times \frac{7}{12}=35$로 나눌 수 있다.

proposition **명제(命題)**

protate **비례배분하다, 분배하다**

protractor **각도기**

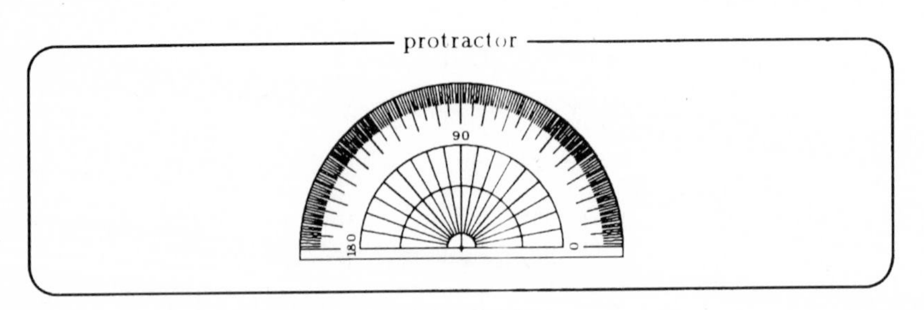

prove **증명하다**

어떠한 명제가 성립하는 것을 수학적, 논리적으로 보이는 demonstrate 것.

pyramid **각뿔, 피라미드**

한 개의 다각형과 한 정점을 공유하는 몇 개의 삼각형으로 만들어진 다면체를 말한다. 바꿔 말하면, 각뿔은 한 평면 위의 다각형의 꼭지점과 평면 밖에 있는 한 점을 연결해 만들어진 입체이다. 그 한 개의 다각형을 밑면 base, 삼각형을 측면 face 이라 한다. 측면의 공통의 꼭지점을 각뿔의 꼭지점이라 한다. 각뿔의 높이는 꼭지점에서부터 밑면에 내린 수선의 길이이다. 밑면적을 S, 높이를 H라 하면 각뿔의 부피는 $V=S\times H\times \frac{1}{3}$이다.

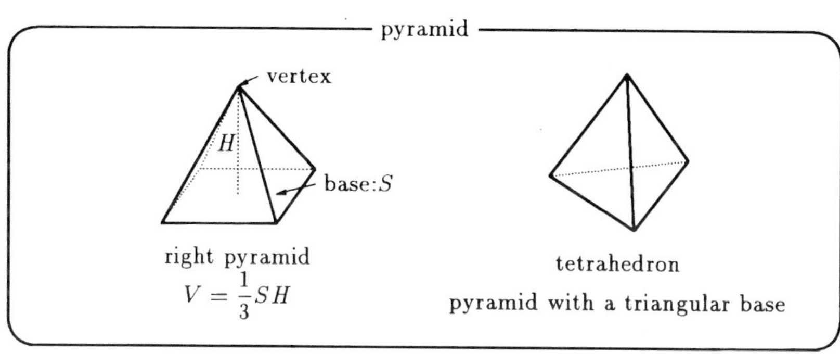

Pythagoras's theorem **피타고라스의 정리**

직각 삼각형에서 빗변 hypotenuse 의 제곱은 다른 두 변의 제곱의 합과 같음이 성립하는 것을 말한다. 도형적으로는 직각 삼각형의 빗변을 한 변으로 하는 정사각형의 면적이 다른 두 변을 각각 한 변으로 하는 정사각형의 면적의 합과 같은 것을 보여주고 있다.

이 정리를 이용해서 두 점 사이의 거리나 삼각비를 구할 수 있다. 예를 들어, 원점 O origin 와 점 $P(12,\ 5)$ 사이의 거리는 $\sqrt{12^5+5^2}=\sqrt{169}=13$이다. 일반적으로, 두 점$(x_1, y_1), (x_2, y_2)$ 간의 거리는

$$\sqrt{(x_2-x_1)^2+(y_2-y_1)^2}$$

로 구할 수 있다.

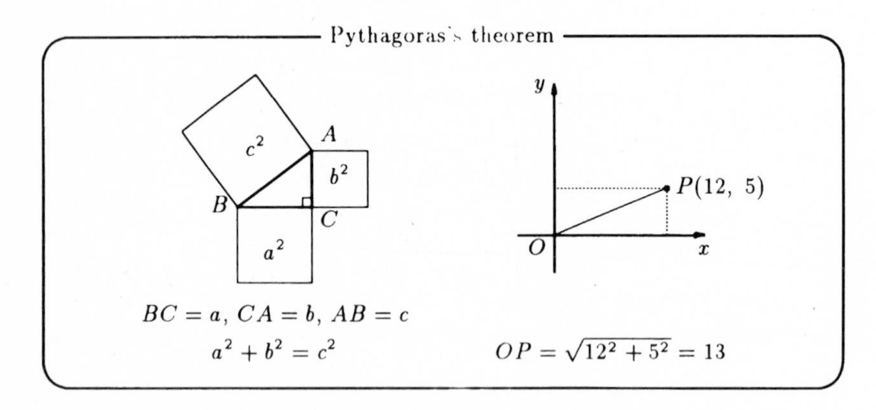

Pythagorean **피타고라스의**

- **~ number** 피타고라스 수
  직각삼각형의 세 변이 되는 정수를 말한다.
  = Pythagorean triple

- **~ theorem** 피타고라스의 정리
  = Pythagoras's theorem

- **~ triple** 피타고라스의 세 수
  직각삼각형의 세 변이 되는 세 개의 정수의 쌍을 말한다. 예를 들어, 3, 4, 5나 5, 12, 13은 피타고라스의 세 수이다.

q.e.d. **증명 끝**
quod erat demonstrandum 의 약자이다.

quadrangle **사각형**
→ quadrilateral

quadrangular **사각형의**

■ ~ number 4각수
점 dot 을 정사각형 모양으로 나열할 때 점의 개수를 말한다. 1, 4, 9, 16...이다. → figurate number

quadrant **4분원 ; 사분면**
원의 4분의 1을 말한다. 4분원은 중심각이 90°의 부채꼴이다. 또한 좌표평면이 두개의 축(x축, y축)에 따라 나뉘어진 네 개의 영역 region 중에 한 부분을 말한다. 단, 좌표축 위의 점은 포함하지 않는 것으로 한다. 특히, 부등식 $x>0$, $y>0$으로 표현되는 사분면을 제 1사분면 first quadrant 이라 한다.

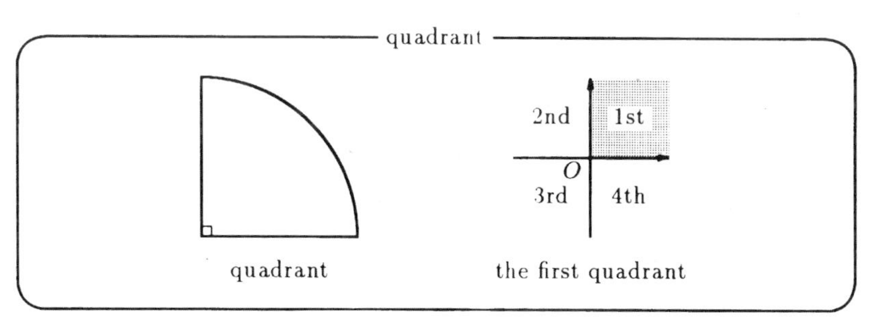

quadrant　　the first quadrant

quadrate **정사각형의 ; 정사각형**

quadratic **2차의, 평방의, 제곱의**

식에서 최고차 항의 차수가 2인 것을 말한다.

■ ~ curve 2차 곡선

2차 방정식으로 나타낸 곡선으로

원($x^2+y^2=1$), 타원($\frac{x^2}{a^2}+\frac{y^2}{b^2}=1$), 포물선($y^2=4px$), 쌍곡선($\frac{x^2}{a^2}-\frac{y^2}{b^2}=1$)이 그 예이다.

■ ~ expression 2차식

최고차 항의 차수가 2인 다항식을 말한다.

$3x^2-5x+2$는 2차식이다.

quadratic equation 2차 방정식

이차식=0의 꼴로 나타낼 수 있는 방정식을 말한다. $ax^2+bx+c=0$ (단, $a\neq0$)이 2차방정식의 일반형이다. 해 root 는 인수분해, 근의 공식, 완전제곱식을 이용해서 구할 수 있다.

예를 들어, 방정식 $x^2-3x+2=0$은 $(x-1)(x-2)=0$로 인수분해가 가능하기 때문에 $x-1=0$ 또는 $x-2=0$이 되고 $x=1$ 또는 $x=2$를 얻는다. 위와 같이 일반적으로 $(x-a)(x-b)=0$ 의 해는 $x=a$ 또는 $x=b$이다. 인수분해가 안 되는 경우는 근의 공식을 이용한다.

$ax^2+bx+c=0$의 해는

$$x=\frac{-b\pm\sqrt{b^2-4ac}}{2a}$$

로 주어지기 때문에, $x^2-4x-2=0$의 해는 $a=1$, $b=-4$, $c=-2$를 공식에 대입해서

$$x=\frac{-(-4)\pm\sqrt{(-4)^2-4\times1\times(-2)}}{2\times1}=2\pm\sqrt{6}$$

이다.

근의 공식은, 다음과 같이 완전제곱식의 방법을 사용해서 만든 것으로 계수가 복소수일 때도 해는 구할 수 있다.

$$ax^2+bx+c=0$$

$$\therefore\ ax^2+bx=-c$$

$$\therefore\ x^2+\frac{b}{a}x=-\frac{c}{a}$$

$$\therefore\ x^2+\frac{b}{a}x+\left(\frac{b}{2a}\right)^2=\left(\frac{b}{2a}\right)^2-\frac{c}{a}$$

$$\therefore\ \left(x+\frac{b}{2a}\right)^2=\frac{b^2-4ac}{(2a)^2}$$

$$\therefore\ x+\frac{b}{2a}=\pm\frac{\sqrt{b^2-4ac}}{2a}$$

$$\therefore\ x=\frac{-b\pm\sqrt{b^2-4ac}}{2a}$$

공식에서 근호 root 안의 식 b^2-4ac를 D라 했을 때 이 값이 양수 positive 일 경우, 2차 방정식의 해는 두 개의 실수 real roots 가 되고 $D=0$인 경우, 한 개의 실수 즉 중근 equal roots 가 되며 $D<0$인 경우, 두 개의 허수 imaginary roots 가 된다. 여기서 D를 방정식의 판별식 discriminant 이라 한다. → **discriminant**

예를 들면, $x^2-2x+2=0$은

$$x=\frac{2\pm\sqrt{4-8}}{2}=1\pm\sqrt{-1}=1\pm i$$

으로 서로 다른 두 허근을 갖는다.

quadrilateral **사변형, 사각형**

네 개의 변을 갖는 모든 다각형을 말한다. 사변형은 한 개의 대각선에 의해 두개의 삼각형으로 나뉘어 지므로 내각의 합은 $180°\times2=360°$ 이다. 마주보는 각 opposite angles 의 합이 $180°$인 경우, 이 사각형은 원에 내접한다. 사각형의 종류에는 다음과 같은 것들이 있다.

다각형	성질
사다리꼴(trapezoid(미), trapezium(영))	1쌍의 대변이 평행
등변사다리꼴 (isosceles trapezoid)	1쌍의 대변이 평행하고 나머지 두 변의 길이가 같다.
연모양 (kite)	이웃한 두 쌍의 변의 길이가 같다.
평행사변형 (parallelogram)	2쌍의 대변이 평행하다.
마름모 (rhombus)	4변의 길이가 같다.
직사각형 (rectangle)	4각이 90°로 같다.
정사각형 (square)	4변의 길이가 같고 4각의 크기가 같다.

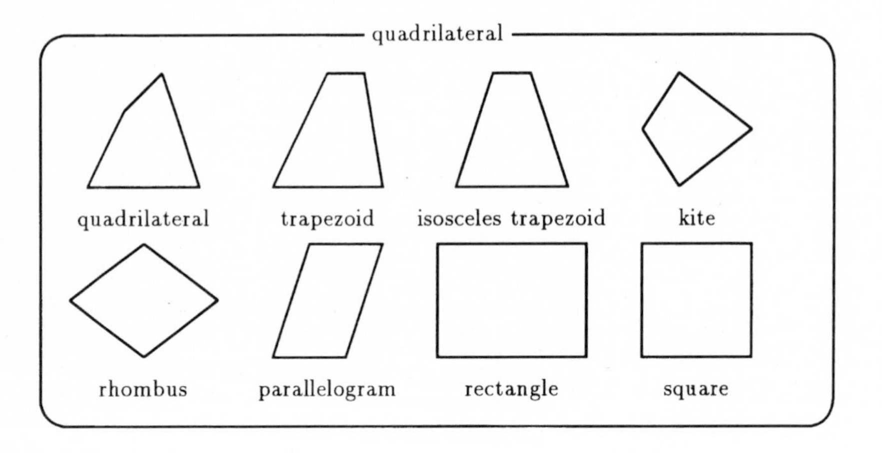

quarter 4분의 1, 15분 (分)

quartic 4차의

최고차항의 차수가 4인 것을 말한다.

- **~ equation** 4차 방정식

  최고차항의 차수가 4차인 방정식을 말한다.

  $x^4-4x^3+2x^2-5x+6=0$은 4차 방정식이다.

- **~ function** 4차 함수

  4차 다항식으로 나타내어진 함수를 말한다.

$y=x^4-1$은 4차 함수이다.

quartile

4분위(分位), 4분위수(分位數)

자료를 크기 순으로 나열할 경우 그 수량으로 보아 아래부터 4분의 1의 위치에 있는 값을 아래 4분위수 first quartile, 위부터 4분의 1의 위치에 있는 값을 위 4분위수 third quartile, 중앙의 값을 중앙값 median, second quartile 이라 한다. 이들 세 개의 값을 4분위수 quartile라 하며 도수분포표 frequency table, 누적도수분포표 cumulative frequency table, 누적도수분포곡선 cumulative frequency graph, ogive 을 이용해서 구할 수 있다. 예를 들면, 누적도수분포곡선의 도수의 축을 4등분하는 점에 대응하는 자료의 값을 그래프에서 찾으면 그것이 4분위수이다.

quintic

5차의

최고차항의 차수가 5차인 식을 5차식이라 하고 5차식 $=0$의 꼴로 나타낼 수 있는 방정식을 5차방정식 quintic equation 이라 한다.

$x^5-4x+3=0$은 5차식 방정식이다.

quotient

몫

나눗셈의 결과를 말한다. 예를 들면, $6\div2$의 몫은 3이고 $5\div3$은 $\frac{5}{3}$ 또는 $1\frac{2}{3}$이다. 정수의 범위에서 계산한 경우는 정수값을 몫으로 하고 나눌 수 없는 부분을 나머지로 한다. 예를 들면, $5\div3$의 몫은 1이고 나머지는 2이다. 이 경우, $5=3\times1+2$라 쓸 수 있다. 일반적으로, $A\div B$의 몫을 Q, 나머지를 R이라 하면, $A\div B=Q$ 나머지 $R \Leftrightarrow A=B\times Q+R$이다.

radial 반지름의, 방사형의

radian 라디안, 호도(弧度)

반지름이 1인 원에서 회전각에 해당하는 호의 길이로써 각도를 측정하는 것. 반지름 r인 원에서 원주위에 길이 r인 원호(圓弧)를 잡았을 때 중심각의 크기를 1라디안 또는 1호도라 한다. 이때, 중심각 180°에 대한 호의 길이는 πr이기 때문에 180°는 $\pi r \div r = \pi$ 라디안이 된다. 따라서, 60분법과 호도법의 환산은 $1^\circ = \frac{\pi}{180}$ 라디안을 이용한다.

예를 들면, 60°는 $\frac{\pi}{180} \times 60 = \frac{1}{3}\pi$ 라디안이다.

중요한 각의 환산표는 다음과 같다.

60분법	30	45	60	90	120	180	360
호도법	$\frac{\pi}{6}$	$\frac{\pi}{4}$	$\frac{\pi}{3}$	$\frac{\pi}{2}$	$\frac{2\pi}{3}$	π	2π

radical 근(根)의, 제곱근의

방정식 $x^n = a$ 의 근을 정수 a의 n제곱근 nth root 또는 누승근(累乘根) radical root 라 하고 $\sqrt[n]{a}$ 로 나타낸다. 이 때, $\sqrt[n]{\ }$ 를 근호 radical sign 라 한다. → nth root

또한, 근호 안에 변수를 포함하는 방정식을 무리방정식 radical equation 이라 한다. 예를 들면, $\sqrt{x-1}=3$ 은 무리방정식이다.

radius 반지름

원 circle, 구 sphere 의 중심과 원주(구면)위에 점을 연결한 선분 또는 그 길이를 말한다. 반지름을 r로 하는 원의 면적은 πr^2, 원주의 길이는 $2\pi r$이다. 또한, 반지름이 r일 때 구의 부피는 $\frac{4}{3}\pi r^3$, 구면의 넓이는 $4\pi r^2$이다.

radius

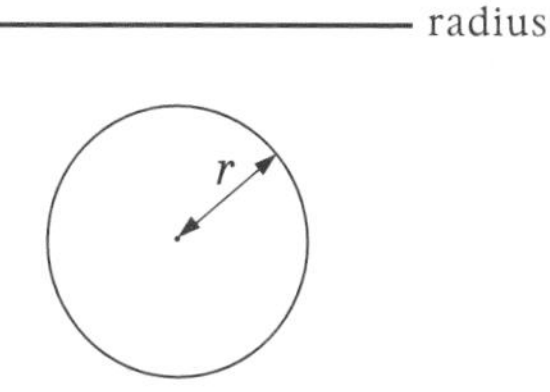

radius of a circle

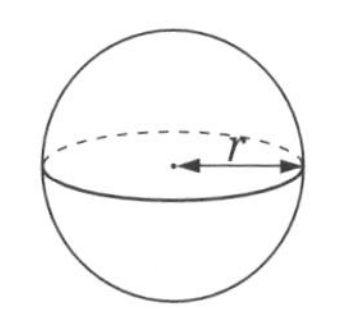

radius of a sphere

random **무작위(無作爲)의 ; 치우치지 않은**

정해진 것이 아니고 임의로 고르는 것을 말한다. 확률적으로 고르게 일어난다는 뜻도 있다.

- **~ number** 난수(亂數)
  0부터 9까지의 수 중 무작위로 뽑히는 수를 말한다. 난수를 얻기 위해 정 20면체의 20개의 면에 0부터 9까지의 수를 한 개씩 2번 쓴 주사위를 던지는 간단한 방법도 있다.

- **~ sample** 무작위 표본
  임의로 시행을 반복해 갈 때의 결과를 말한다. 예를 들면, 주사위를 n회 던져 얻어질 수 있는 결과 x_1, x_2 … x_n 을 무작위 표본이라 말할 수 있다.

range **범위, 치역(値域)**

수와 수 사이의 구간이나 길이를 말한다. 통계에서는 자료의 최대값과 최소값의 차 difference 를 나타내기도 한다.

- ~ of function 함수의 치역

  함수 f에서 얻을 수 있는 값의 집합을 말한다.→ image

- ~ of values 값의 범위

  예를 들면, '함수 $y=x^2$의 그래프를 $0<x<1$의 범위에서 나타내시오.' Draw the graph of $y=x^2$ using 0 to 1 as the range of values for x. 처럼 일정한 값의 범위를 말한다.

rank

계수(階數), 등급

→ rank of matrix

rank of matrix

행렬의 계수(階數)

주어진 행렬 matrix 에서 행렬식 determinant 이 0이 아닌 정사각행렬 square matrix 의 최대 차수 값을 말한다. 예를 들면, 행렬 $\begin{pmatrix} 1 & 2 \\ 2 & 5 \end{pmatrix}$의 행렬식은 $1\times5-2\times2=1$이기 때문에 계수 rank 는 2이다.

행렬 $\begin{pmatrix} 1 & 2 \\ 4 & 8 \end{pmatrix}$의 행렬식은 $1\times8-2\times4=0$ 이기 때문에 계수 rank 는 1이 된다.

rank order

순위

자료를 크기 순으로 열거할 때, 한 개의 자료의 위치를 말한다.

rate

비율, 율

어떤 값의 다른 값에 대한 상대적인 크기를 말한다.

예를 들면, 속도는 시간에 대한 거리 변화의 비율 the rate of change of distance with respect to time 이다. 또한 연이율이 4%라 하는 것은 1년 동안 원금 principal 100원에 대해 4원의 이자 interest 가 붙는 것을 말한다.

ratio

비 (比)

비교에 의해 두 개의 수나 양의 상대적인 크기를 나타낸 것이다. 예를 들면, 20과 30의 비 ratio 는 2 : 3이 된다. 또한, 앞의 수를 뒤의 수로 나눈 몫 quotient $\frac{2}{3}$도 비 ratio 라 할 수 있다. ratio 와 비슷한 개념이나, ratio 가 흔히 '당(當)'의 크기를 표현하는 데 쓰이는 반면, ratio 는 비교 대상의 관계를 중시하는 것이다.

- **common ~ 공비**
  등비수열 geometric progression 에서 두 항 사이의 공통된 비를 말한다. → geometric progression
- **continued ~ 연비**
  3개 이상의 수의 비(比)를 말한다. 예를 들면, $a : b = 1 : 2$, $b : c = 4 : 9$ 의 경우 $a : b : c = 2 : 4 : 9$ 라 쓸 수 있으며 이를 연비라 한다.
- **similitude ~ 닮음 비**
  두 개의 서로 닮은 도형에서 대응하는 변끼리의 길이의 비(比)를 말한다.

rational

유리 (有理) 의, 유리수 (有理數) 의

분수로 나타낼 수 있는 성질의 것으로, 유리수 rational number, 유리식 rational expression, 유리 함수 rational function 등이 있다. → rational number

■ ~ expression 유리식

$\frac{\text{다항식}}{\text{다항식}}$의 형태로 쓸 수 있는 식을 말하고 $\frac{x^2+1}{x-1}$ 는 유리식이다. 유리식의 계산은 분수의 계산과 같다. 예를 들어,

$$\frac{x-1}{x^2-1}=\frac{x-1}{(x-1)(x+1)}=\frac{1}{x+1}$$

$$\frac{x-1}{x+1}\times\frac{x+1}{x-2}=\frac{(x-1)(x+1)}{(x+1)(x-2)}=\frac{x-1}{x-2}$$

$$\frac{1}{x-1}+\frac{1}{x+1}=\frac{(x+1)+(x-1)}{(x-1)(x+1)}=\frac{2x}{x^2-1}$$

이다.

■ ~ function 유리 함수

유리식으로 표시되는 함수를 말한다. 예를 들어, $y=\frac{x+1}{x-1}$ 는 유리함수이다. 이 함수는 $y=\frac{2}{x-1}+1$ 라고 쓸 수 있고 쌍곡선 hyperbola $y=\frac{2}{x}$ 의 그래프를 x 축 방향으로 1, y 축 방향으로 1 만큼 평행이동 translation 한 것이다.

rational number **유리수 (有理數)**

정수의 비로 표현 가능한 수를 말한다. $\frac{2}{3}$, $-\frac{1}{5}$ 등은 유리수이다. 소수 decimal 0.25는 $\frac{1}{4}$이라고 쓸 수 있기 때문에 유리수이다. 또한, 순환소수 recurring decimal $0.\dot{1}\dot{2}$도 $\frac{12}{99}=\frac{4}{33}$으로 쓸 수 있기 때문에 유리수이다. 일반적으로 유한소수 finite decimal 와 순환소수는 유리수이다. 그러나 $\sqrt{2}, \sqrt{3}$ 등은 분수로 표현할 수 없기 때문에 무리수 irrational number 라 한다.

rationalization **유리화(有理化)**

식을 변형해서 식 안의 근호를 벗기는 것을 말한다. 특히, 분모에 근호가 있는 분수에서 그 근호를 제거하는 것을 분모의 유리화 rationalization of denominator 라고 한다.

예를 들어,

$$\frac{1}{\sqrt{5}}=\frac{1\times\sqrt{5}}{\sqrt{5}\times\sqrt{5}}=\frac{\sqrt{5}}{5}$$

이다.

또한, $(a+b)(a-b)=a^2-b^2$ 인 것을 사용하여,

$$\frac{1}{\sqrt{3}+\sqrt{2}}=\frac{\sqrt{3}-\sqrt{2}}{(\sqrt{3}+\sqrt{2})(\sqrt{3}-\sqrt{2})}$$

$$=\frac{\sqrt{3}-\sqrt{2}}{\sqrt{3}^{\,2}-\sqrt{2}^{\,2}}=\frac{\sqrt{3}-\sqrt{2}}{3-2}=\sqrt{3}-\sqrt{2}$$

로 변형 가능하다.

rationalize **유리화하다** → rationalization

ray **반직선**

한 점을 시작점으로 하여 무한히 뻗어나간 직선을 말한다. → half line

ready reckoner **계수 조견표, 계산 조견표**

미리 계산된 값을 표로 나타낸 것을 말한다. 구하는 값을 직접 표에서 알아 낼 수 있고, 표의 값을 조작하여 간단히 필요한 값을 얻을 수 있다.

real **실수 (實數) 의** → real number

- ~ axis 실수축

복소평면 complex plane 에 있어서 실수를 나타내는 가로축을 말한다. → complex number

■ ~ part 실수부
복소수의 실수 부분을 말한다. → complex number

■ ~ root 실근, 실수 해
방정식의 실수 해를 말한다. 예를 들어, 2차 방정식 $x^2-2x-3=0$은 실수 해 $x=-1$, 3을 가진다. 2차 방정식 $ax^2+bx+c=0$ 은 판별식 discriminant 의 값이 양수 positive 또는 0일 때, 실수 해를 가진다. → quadratic equation

real number **실수 (實數)**
유리수 rational number, 무리수 irrational number 를 합쳐서 실수 real number 라고 한다. 실수는 수직선 상의 점과 1대 1로 항상 대응이 가능하며 연속적 continuous 이다.
실수에서는 임의의 두 수 a, b에 대해서 $a>b$, $a=b$, $a<b$인 대소관계가 결정되고, 또한 모든 실수에 대해서 $x^2 \geq 0$이 성립한다.

real valued **실수값의**
실수 값을 얻을 수 있는 함수를 실수값 함수 real valued function 라고 한다.

reasoning **추론, 추리**

reciprocal **상반 (相反) 의, 상호의 ; 역수 (逆數)**
곱셈에 관한 역원 inverse 을 말한다. $nx=1$일 때

$x=\frac{1}{n}$이고, 따라서 n의 역수는 $\frac{1}{n}$이다. 이처럼 2, $\frac{1}{3}$, $\frac{4}{5}$의 역수는 각각 $\frac{1}{2}$, 3, $\frac{5}{4}$이다.

■ ~ equation 상반방정식

$x^4-2x^3-x^2-2x+1=0$과 같이 기준항 여기서는 x^2항을 기준으로 계수가 좌우 대칭인 방정식을 말한다.

이 방정식을 풀기 위해서는 먼저 양변을 x^2으로 나누면,

$$x^2-2x-1-2\frac{1}{x}+\frac{1}{x^2}=0$$

$$\left(x^2+\frac{1}{x^2}\right)-2\left(x+\frac{1}{x}\right)-1=0$$

$$\left(x+\frac{1}{x}\right)^2-2\left(x+\frac{1}{x}\right)-3=0$$

이제, $x+\frac{1}{x}=t$라고 두면,

$t^2-2t-3=0$ 이 되고

이것을 풀면 $t=3, -1$이다. 따라서, $x+\frac{1}{x}=3, -1$ 이고 양변에 x를 곱하면,

$x^2-3x+1=0$, $x^2+x+1=0$

이 되기 때문에,

$x=\frac{3\pm\sqrt{5}}{2}, \frac{-1\pm\sqrt{3}i}{2}$ 이다.

■ ~ proportion 반비례

y가 $\frac{1}{x}$에 비례할 때 y는 x에 반비례 reciprocal proportion 한다고 말한다.

→ inverse proportion

■ ~ ratio 반비(反比), 역비(逆比)

전항과 후항을 바꾸었을 때의 비를 말한다. 예를 들어, 2 : 3의 역비는 3 : 2이다. 2, 3의 역수는 $\frac{1}{2}$, $\frac{1}{3}$이고 $\frac{1}{2} : \frac{1}{3} = 3 : 2$이므로 역비는 '역수의 비' 라고 말할 수 있다.

rectangle **직사각형**

모든 각이 똑같이 90°인 사각형 quadrilateral 을 말한다. 직사각형은 평행사변형의 특별한 경우로써 '대각선의 길이가 같다' 라는 성질 property 을 가진다. 또한, 4 변의 길이가 같은 직사각형은 정사각형 square 이다.

rectangle number **직사각형 수**

점 dot 을 직사각형 모양으로 배열할 때 점 dot 의 개수를 말한다. $n = a \times b$라고 하면 가로 a개, 세로 b개의 직사각형 모양으로 배열할 수 있기 때문에 합성수 composite number 는 직사각형수이다. 그에 비해, 1이나 소수(素數)는 1열 밖에 나열할 수 없기 때문에 직사각형수가 아니다.

rectangle **직사각형의, 직각의**

■ ~ coordinates 직교좌표

좌표축 axis 이 직교 orthogonal 하고 있는 데카르트 좌표 Cartesian coordinates 를 말한다. → Cartesian coordinates

■ ~ equilateral triangle 직각 이등변삼각형

두 변의 길이가 같고 그 사이의 끼인 각의 크기가 직각인 삼각형을 말한다. 직각 이등변삼각형의 직각이

아닌 두 각은 모두 45°이다.

■ ~ solid 직사각형 입체
모든 면이 직사각형인 입체를 말한다. → cuboid

■ ~ triangle 직각삼각형
한 각이 직각인 삼각형을 말한다. 직각삼각형에 관해서 피타고라스의 정리가 성립된다. → Pythagoras's theorem

rectangular prism **직각기둥**
밑면 base 이 직사각형인 기둥 prism 을 말한다. 직육면체 cuboid 와 같은 말이다.

rectilinear **직선적인**
직선 위를 움직이는 물체의 운동을 직선 운동 rectilinear motion 라 한다. 또한, 도형이 직선으로 구성되어 있을 때를 말하기도 한다.

recur **순환(循環)하다, 돌아오다**

recurrence **순환(循環), 반복, 재귀**
반복하거나 자기 자신으로 돌아오는 경우를 말한다. 예를 들면, 수열이 $\{a_n\}$이 $a_1=1$, $a_{n+1}=2a_n+1$로 정의 될 때, a_3는 $a_3=2a_2+1$로 주어지지만 a_2의 값이 필요하다. 그런데, a_2의 값은 주어진 식을 사용해서 $a_2=2a_1+1=3$이 되고, 다시 사용해서 $a_3=2\times3+1=7$로 구할 수 있다. 이 처럼 몇 번이나 자기 자신을 정의하고 있는 식으로 돌아오는 것을 재귀 recurrence 라고 말하고, 이렇게 정의된 식을 점화식 recurrence formula 이라고 한다.

recurring decimal 순환소수

소수점 이하에 있는 특정한 숫자가 무한히 반복되는 소수를 말한다. 예를 들어, $\frac{1}{3}$을 소수로 하면 0.33333....이 되고 소수점 이하로 3이 무한히 반복되는 소수가 된다. 또한, $\frac{4}{33}=0.121212...$도 순환소수 recurring decimal 의 예이다. 순환소수는 순환하는 숫자 위 또는 양끝에 점을 붙여 $0.\dot{3}$, $0.\dot{1}\dot{2}$처럼 표현한다. $0.\dot{1}=\frac{1}{9}$, $1.\dot{0}\dot{1}=\frac{1}{99}$, $0.\dot{0}0\dot{1}=\frac{1}{999}$으로 순환소수는 분수로 고칠 수 있다.

예를 들어,

$$\begin{aligned}0.1\dot{1}0\dot{2}&=0.1+0.0\dot{1}0\dot{2}\\&=\frac{1}{10}+\frac{1}{10}\times\frac{102}{999}\\&=\frac{1}{10}+\frac{102}{9990}\\&=\frac{367}{3330}\end{aligned}$$

이다.

recurring formula 점화식(漸化式)

수열의 몇 개 항의 값에서 다음 항의 값을 구할 수 있는 규칙을 나타낸 식을 말한다. 즉, 항의 값을 차례대로 대입함으로써 수열을 정의하는 식을 말한다. 예를 들어, 점화식 $a_1=1$, $a_{n+1}=a_n+3$에 의해, $a_2=a_1+3=1+3=4$, $a_3=a_2+3=4+3=7,\cdots$ 처럼 수열 $\{1, 4, 7, 10,\cdots\}$이 정의된다. → recurrence

점화식 $a_1=2$, $a_{n+1}=2a_n-1$에서 정의되는 수열의 일반항 a_n은 다음과 같이 방법으로 구해진다. 양변에

서 특성근 characteristic root 1을 빼면

$a_{n+1}-1=2(a_n-1)$

여기서 $b_n=a_n-1$로 두면

$b_1=1$, $b_{n+1}=2b_n$이다.

따라서, b_n은 등비수열 geometric progression 이 되고 $b_n=2^{n-1}$이 된다. 그러므로, $a_n=2^{n-1}+1$을 얻게 된다. → characteristic

reduce 약분하다

reduction 약분 (約分)

re-entrant 요각의 ; 요각다각형 ; 요각

하나의 내각이 180° 보다 큰 다각형을 말한다. 또한 다각형에서 180° 보다 큰 내각을 말하기도 한다.

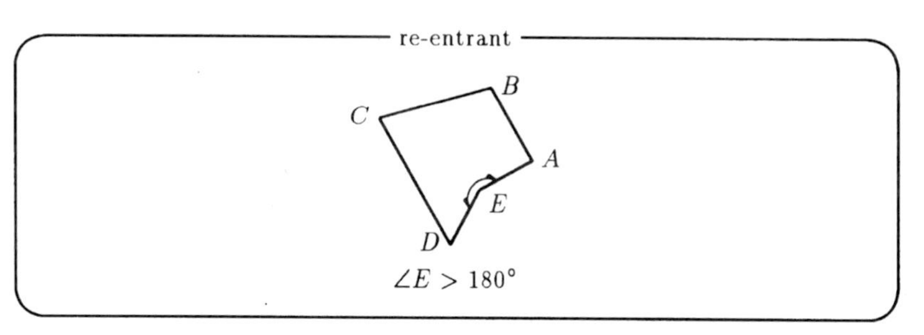

reflection 반사, 반전, 거울상, 뒤집기

도형을 거울에 비추어 생기는 도형으로 변형하는 것 또는 그 도형을 말한다. 평면상에서 도형의 거울상은, 1개의 직선을 중심으로 해서 도형을 접는 것으로 얻을 수 있다. 원래의 도형과 그 거울상은 직선에 관해서 대칭이

고 대응하는 점을 연결하는 선분은 직선에 수직이며 중점이 직선 위에 있다. 공간도형의 거울상은 원래의 도형과 평면에 대하여 대칭인 도형이다. → line symmetry, plane symmetry

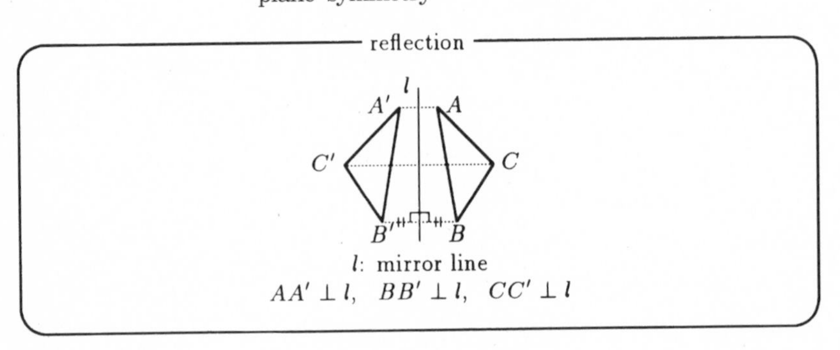

reflex angle

우각 (優角)

180° 보다 크고 360° 보다 작은 각도를 말한다.

reflexive

반사적인

어떤 집합의 원소 사이에 정의된 관계 relation 에 관하여 '모든 원소 a에 대해서 $a \sim a$가 성립될 때' 관계 ~ 는 반사적 reflexive 이라고 한다. 예를 들어, 관계 = 는 모든 수 a에 대해서 $a = a$가 성립되기 때문에 반사적이다. 또한, 정수 a가 정수 b도 나누어질 때 $a|b$ 로 쓰기로 하면 a는 a자신으로도 나누어지므로 $a \mid a$ 성립되고 관계 | 는 반사적이다. 그러나 $a \ngtr a$ 이므로 대소관계 > 는 반사적이 아니다.

region

범위 (範圍), 영역 (領域)

평면내의 직선이나 곡선에 의해 나누어지는 평면의 일부분을 말한다.

예를 들어, 직선에 의해 평면은 두 개의 영역(직선의 양쪽)으로 나누어지고 원 circle 이나 타원 ellipse 과 같은 폐곡선 closed curve 에 의해서도 평면은 두 개의 영역(선의 내부와 외부)으로 나누어진다.
영역은 부등식을 사용하여 나타낼 수 있다. 부등식 $y>2x+3$은 직선 $y=2x+3$의 상부를 나타내고 부등식 $x^2+y^2<4$는 원점을 중심으로 한 반지름이 2인 원의 내부를 나타낸다.

■ negative ~ 음(陰)의 영역

x, y에 관한 식 $f(x, y)$의 값을 음으로 하는 점의 집합을 말한다. 원의 내부는 예컨데 $x^2+y^2-4<0$이라고 쓸 수 있기 때문에 x^2+y^2-4는 음의 영역이다. 음의 영역은 $f(x, y)<0$ 으로 표시된다.

■ positive ~ 양(陽)의 영역

식 $f(x, y)$의 값을 양으로 하는 점의 집합을 말한다. 부등식 $y>2x+3$은 $y-2x-3>0$ 이라고 쓸 수 있기 때문에 $y-2x-3$은 양의 영역이다. 양의 영역은 $f(x, y)>0$ 으로 표시된다.

regular **정칙(正則)의, 정규(正規)의**

■ ~ matrix 정칙행렬

행렬식이 0이 아닌 행렬을 말한다. 정칙행렬이 아닌 행렬을 비정칙행렬 singular matrix 이라고 한다.

정칙행렬 $A=\begin{pmatrix} a & b \\ c & d \end{pmatrix}$ 는 역행렬 inverse matrix A^{-1}을 가지고, $A^{-1}=\dfrac{1}{ab-bc}\begin{pmatrix} d & -b \\ -c & a \end{pmatrix}$이다.

→ matrix

방정식 $\begin{cases} x+2y=5 \\ 2x+3y=8 \end{cases}$은 행렬을 사용하여,

$\begin{pmatrix}1&2\\2&3\end{pmatrix}\begin{pmatrix}x\\y\end{pmatrix}=\begin{pmatrix}5\\8\end{pmatrix}$이라고 쓸 수 있다. 행렬 $\begin{pmatrix}1&2\\2&3\end{pmatrix}$는 정칙행렬이므로 역행렬이 존재하며,

$\begin{pmatrix}1&2\\2&3\end{pmatrix}^{-1}=\begin{pmatrix}-3&2\\2&-1\end{pmatrix}$이다.

이 행렬을 양쪽에 곱하면,

$$\begin{pmatrix}-3&2\\2&-1\end{pmatrix}\begin{pmatrix}1&2\\2&3\end{pmatrix}\begin{pmatrix}x\\y\end{pmatrix}=\begin{pmatrix}-3&2\\2&-1\end{pmatrix}\begin{pmatrix}5\\8\end{pmatrix}$$

$$\begin{pmatrix}x\\y\end{pmatrix}=\begin{pmatrix}1\\2\end{pmatrix}$$

을 얻는다.

- **~ triangle** 정삼각형
  → equilateral triangle

- **~ polygon** 정다각형(正多角形)
  모든 변의 길이가 같고, 모든 각의 크기가 같은 다각형. n각형의 내각의 합이 $(n-2)\times180°$ 이므로, 정 n각형의 1개의 내각은 $\dfrac{n-2}{n}\times180°$이다.

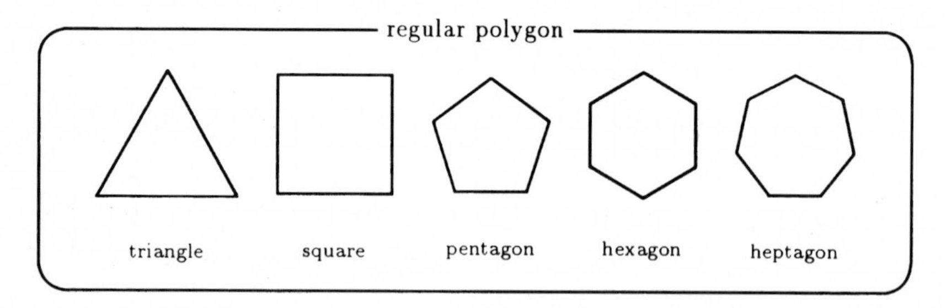

regular polyhedron 정다면체(正多面體)

모든 면이 정다각형인 다면체를 말한다. 정다면체는 정사면체 regular tetrahedron, 정육면체 cube, 정팔면체 regular octahedron, 정 12면체 regular dodecahedron, 정 20면체 regular icosahedron 의 5종류 밖에 존

재하지 않는다.

면의 수	명칭	면의 형태
4	tetrahedron	정삼각형 equilateral triangle
6	cube	정사각형 square
8	octahedron	equilateral triangle
12	dodecahedron	정오각형 regular pentagon
20	icosahedron	equilateral triangle

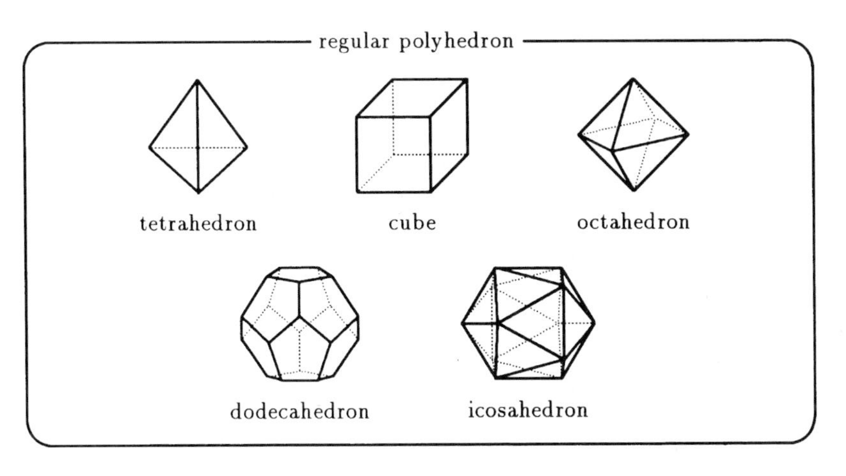

relation

관계, 관련

'a가 b보다 크다' 혹은 '$a>b$'는 하나의 관계이다. 이처럼 원소 a, b 상호간에 맺고 있는 성질을 이들 사이의 관계라고 한다.

관계를 맺고 있는 2개의 순서쌍 (a, b)를 모두 모으면 하나의 집합이 생긴다. 역으로 순서쌍 ordered pair 의 집합을 정하면, 이에 따라 하나의 관계가 정해질 수 있다 (순서쌍 (a, b)가 그 집합에 속할 때, 'a와 b에는 그 관계가 있다'라고 말한다).

특히, 두 개의 원소 사이의 관계를 이항 관계 binary relation 라고 한다. '=(같다)', '∈(포함된다)', '∥(평행)' 등은 이항 관계의 예이다.

relationship **관계식(關係式), 관련식**

관계 relation 를 정의하는 기술이나 식을 말한다. '보다 크다', '친구이다' 등은 각각 2개의 숫자 사이의 관계, 두 사람 사이의 관계를 나타낸다.

relative **상대적(相對的)인**

relative frequency **상대 도수(相對度數), 상대 빈도(相對頻度)**

도수를 자료의 합으로 나눈 것. 즉, 도수 전체 대한 개별 도수의 비율을 말한다. 다음 표는 어떤 테스트의 득점 도수와 상대도수의 표이다. 예를 들어, 50점 대의 상대도수는 도수 12를 도수의 합인 50으로 나누어 12÷50=0.24 를 구한다. 상대 도수의 합계는 1이다.

relative frequency

도수분포표

계급	도수	상대도수
20 ~ 29	2	0.04
30 ~ 39	2	0.04
40 ~ 49	6	0.12
50 ~ 59	12	0.24
60 ~ 69	12	0.24
70 ~ 79	8	0.16
80 ~ 89	5	0.1
90 ~ 99	3	0.06
합 계	50	1

remainder **나머지**

나눗셈을 했을때, 다 나누어지지 않고 남은 부분.

예를 들어, $7 \div 2$의 몫 quotient 은 3이고 나머지는 remainder 1이다. 이 때, '$7 \div 2 = 3$ 나머지 1'로 쓴다. 나머지는 제수 divisor 보다 작다.

$A \div B = Q$ 나머지 R일 때, $A = B \times Q + R$이라고 쓸 수 있다.

remainder theorem **나머지 정리**

다항식의 나눗셈에 관해 성립하는 나머지 정리를 말한다. 다항식 $F(x)$를 $x - a$로 나눈 나머지는 $F(a)$이다.

$F(x) \div (x - a) = Q(x)$ 나머지 R이라고 하면,

$F(x) = (x - a) \times Q(x) + R$로 쓸 수 있다.

여기서, 나머지 R은 제수 divisor 의 $x - a$ 보다 차수가 낮기 때문에 상수이다.

이 식의 양변에 $x = a$를 대입하면,

$F(a) = (a - a)Q(a) + R = R$이다.

예를 들어, $x^2 + 2x - 4$를 $x - 1$로 나누면 나머지는 $1^2 + 2 \times 1 - 4 = -1$이다. 실제로 나눗셈을 해보면, $(x^2 + 2x - 4) \div (x - 1) = x + 3$ 나머지 -1이 되는 것을 알 수 있다.

repeated root **중근(重根)**

2차 이상의 방정식이 2개 이상의 같은 근을 가질 때를 말한다. 예를 들어, $(x - 1)^2 = 0$의 근은 $x = 1$로서 중근이 된다. 이 경우, 판별식은 0이다.

repeating decimal **순환소수** → recurring decimal

residue **잉여**

나머지 remainder 라고도 한다. 예를 들어, 정수를 5로 나누는 경우를 생각하면 {6, 11, 16,....}의 경우, 나머지

는 모두 1이 된다. 이것들을 나머지에 대해 같은 것으로 생각하여, 나머지가 1인 부류 residue class 1 라고 한다. 이렇게 하여 0의 나머지류(類) {0, 5, 10, ...}, 2의 나머지류 {2, 7, 12, ...} 등이 생긴다. 5로 나눌 때 각각의 나머지류를 0, 1, 2, 3, 4로 나타내면 5를 법으로 하는 합동산법 arithmetic modulo 5 이 생긴다.
→ modulo

resolution **분해 (分解)**

resolve **분해하다**

벡터 vector 를 힘 force 과 속도 velocity 의 합으로 나타내는 것을 말한다. 예를 들어, 빗면 상에 둔 물체에는 수직 방향으로 중력이 가해지고 물체는 빗면을 따라 미끄러져 내려간다. 이 때 중력은 빗면을 누르는 힘과 빗면을 따라 미끄러져 내려가려는 힘으로서 작용하고 이들의 합으로 나타낼 수 있다. 즉, 빗면을 누르는 힘의 크기는 $F\cos\theta$, 빗면을 따라 미끄러져 내려가는 힘의 크기는 $F\sin\theta$ 이 된다.

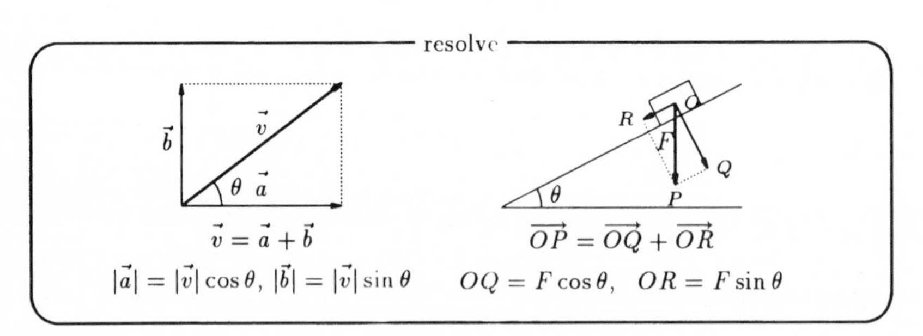

resultant **합력 (合力) ; 합성적 (合成的) 인**

2개 이상의 힘을 합친 것을 말한다. 예를 들어, 무거운

짐을 두 사람이 들 때 짐을 들어 올리는 힘은 두 사람의 힘의 합력이다. 그림과 같이 합력은 힘이 만드는 평행사변형의 대각선으로 주어진다. 두 사람의 거리가 떨어지면 떨어질수록 합력은 작아진다.

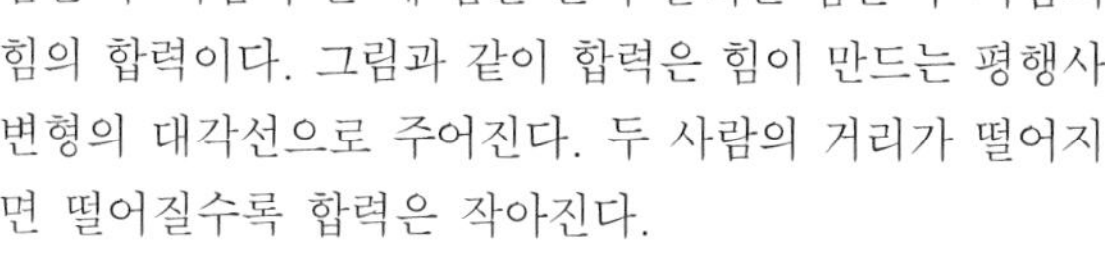

resultant

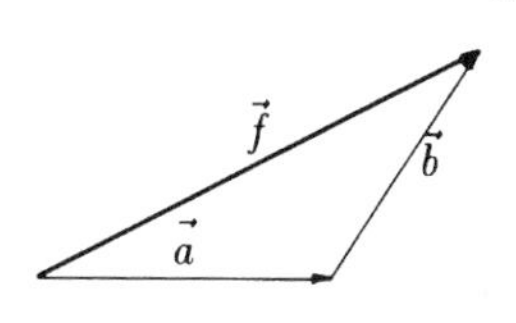

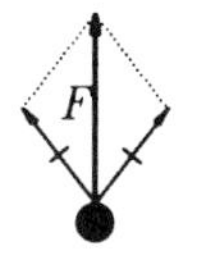

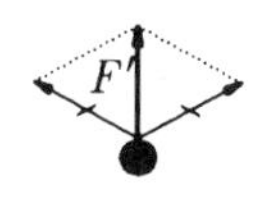

The resultant $\vec{f} = \vec{a} + \vec{b}$.

$F > F'$

revolution **회전, 주기 (週期)**

도형을 축 axis 이나 점을 기준으로 돌리는 것을 말한다. 특히 평면도형을 원점 origin 을 기준으로 임의의 각도로 회전시키거나, 곡선 curve 을 x축을 중심으로 1 회전시키는 경우가 많다.

- axis of ~ 회전축
  회전의 중심이 되는 직선을 말한다.
- solid of ~ 회전체
  평면도형이나 곡선을 회전축을 중심으로 1회전시켜 생기는 입체도형을 말한다.

revolution

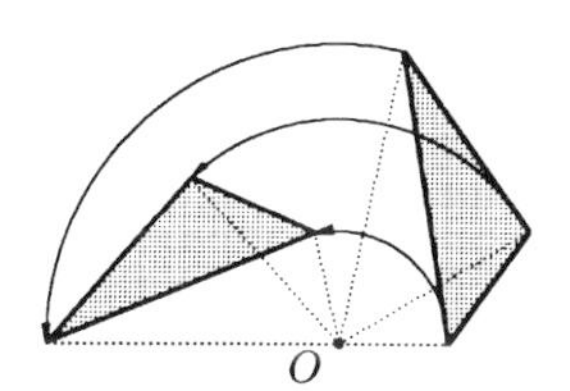

O: center of revolution

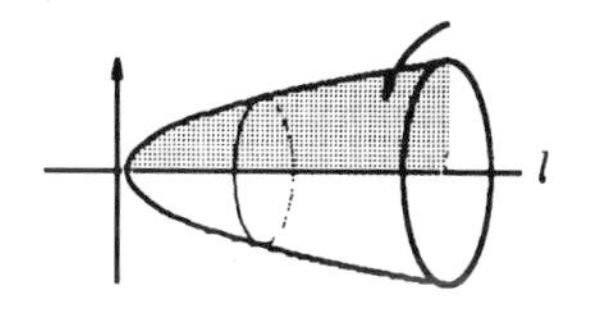

l: axis of revolution
solid of revolution

revolve 회전하다 → revolution

rhombic 마름모꼴의 → rhombus

rhombus 마름모

4변의 길이가 같은 사각형을 말한다. 마름모는 평행사변형 parallelogram 의 특별한 경우로 대각선 diagonal 이 직교 orthogonal 한다. 한 각이 직각 right angle 이면 정사각형 square 이다.

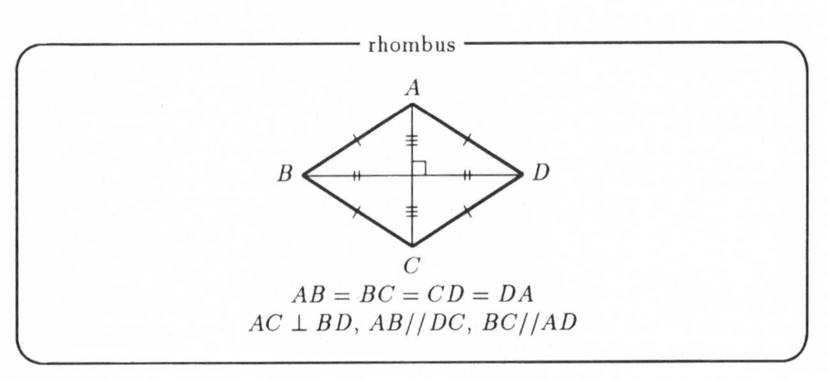

right 직각(直角)의 ; 오른쪽의

- ~ circular cone 직원뿔

  꼭지점 vertex 에서 밑면 base 에 내린 수선의 발 foot of perpendicular 이 밑면의 중심 center 에 일치하는 원뿔을 말한다. → cone

- ~ prism 직각기둥

  밑면이 모든 측면과 수직인 각기둥을 말한다. → prism

- ~ triangle 직각삼각형

right angle **직각**

right pyramid **직각뿔**

꼭지점 vertex 에서 밑면 base 에 내린 수선의 발 foot of perpendicular 이 밑면의 중심 center 에 일치하는 각뿔을 말한다.

roman numeral **로마 숫자**

로마에서 사용되어진 숫자를 말한다. I(=1), V(=5), X(=10), L(=50), C(=100) 등을 사용해서 숫자를 나타낸다. 예를 들어, 74는 LXXIV 또는 LXXIIII 으로 표시한다. → numeral

root **근(根), 거듭제곱근**

일반적으로 $x^n = a$에서 x를 a의 n제곱근 nth root 이라고 하고 $\sqrt[n]{a}$ 라 쓴다. → nth root

■ cube (or cubic) ~ 세제곱근

$x^3=a$의 실수 해를 a의 세제곱근 cube root 이라고 한다. 8의 세제곱근은 $2^3=8$ 이기 때문에 2이며 $2=8^{\frac{1}{3}}$로 쓸 수 있다.

$x^3=1$일 때 $x^3-1=0$ 이므로 인수분해에 의해

$$(x-1)(x^2+x+1)=0$$

$$\therefore\ x-1=0 \text{ 또는 } x^2+x+1=0$$

이 된다.

이것을 풀면,

$$x=1 \text{ 또는 } x=\frac{-1\pm\sqrt{3}i}{2}$$

따라서 복소수의 범위에서,

1의 세제곱근은 1과 $\frac{-1 \pm \sqrt{3}i}{2}$ 이다.

$w = \frac{-1+\sqrt{3}i}{2}$ 로 두면,

$w^3=1$, $w^2 = \frac{-1-\sqrt{3}i}{2}$, $w^2+w+1=0$

이 성립하고 w와 w^2을 1의 허수의 세제곱근이라고 한다.

■ **double ~** 이중근(二重根)

$(x-1)^2=0$의 해는 $(x-1)(x-1)=0$에서 $x=1$이 2개인 근이 나온다. 이 때, 해 $x=1$ 을 이중근 double root 이라고 한다.

■ **equal ~** 등근(等根), 중근(重根)

이중근처럼 동일의 해가 복수로 겹쳐져 나온 것을 말한다. → repeated root

■ **imaginary ~** 허근(虛根)

허수의 해로서 예를 들어, $x^2-2x+2=0$은 허수해 $x=1\pm i$를 가진다.

■ **radical ~** 거듭제곱근

방정식 $x^n=a$의 해를 말한다. → nth root

■ **real ~** 실근(實根)

방정식 $x^2+3x-4=0$은 2개의 실근 $x=1$, $x=-4$를 가진다. 일반적으로, 방정식 $ax^2+bx+c=0$은 판별식 discriminant b^2-4ac의 값이 양일 때 2개의 서로 다른 실수 해를 가지고, 0일 때 실수의 중근을 가진다. → discriminant

■ **square ~** 제곱근

$x^2=a$의 실수해를 a의 제곱근 square root 이라고

한다. 4의 제곱근은 ±2이다. $a>0$일 때, a의 양의 제곱근을 $\sqrt{a}$ 로 쓴다. 이 때, a의 제곱근은 $\pm\sqrt{a}$ 이다. 또한, $-a$의 제곱근은 $\pm\sqrt{a}i$이다.

rotate 회전하다 → rotation

rotation 회전 (回轉)

점이나 직선을 중심으로 도형을 돌리는 것을 말한다. 정점을 중심으로 도형을 회전시킬 때, 반시계 방향으로 도는 것 counter-clockwize 즉, 양으로 회전하는 각도를 회전각 angle of rotation 이라고 한다. 반시계 방향 회전은 양의 회전 positive rotation, rotation through a positive angle, 시계방향의 회전은 음의 회전 negative rotation, rotation through a negative angle 이다. 회전은 도형의 형태와 크기를 바꾸지 않으므로 합동변환 congruent transformation 이다.

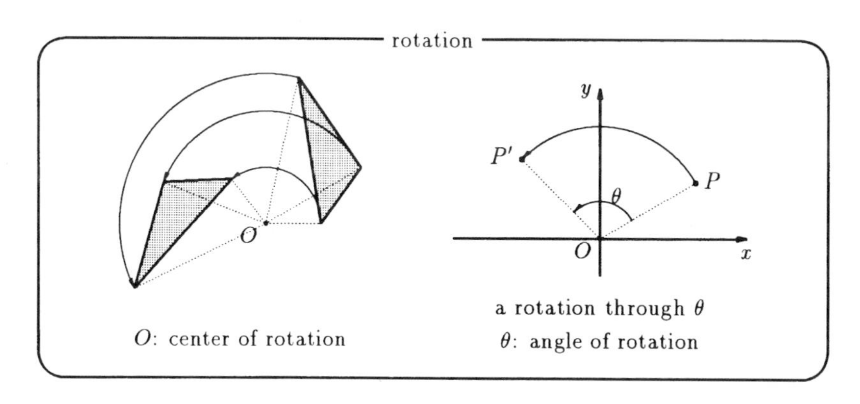

rotational symmetry 회전대칭

도형을 360° 미만으로 회전시켜서 원래의 도형으로 겹칠 수 있을 때 그 도형은 회전대칭 rotational symmetry 이라고 한다. 예를 들어, 직사각형 rectangle 은 대각선 diagonal 의 교점 intersection 을 중심으로 180° 회전하면 원래의 도형에 겹치기 때문에 회전대칭이다. 직사각형은 한바퀴 도는 사이에 두 번 자신과 겹쳐지므로 회전대칭의 위수 order of rotational symmetry 는 2이다. 정사각형은 한바퀴 도는 사이에 4번 자신과 겹치기 때문에 회전 대칭의 위수는 4이다. → order of rotational symmetry

rotational symmetry

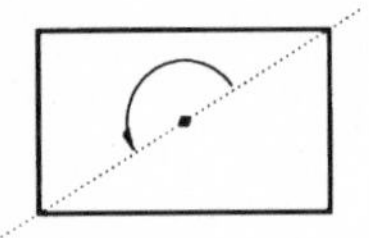
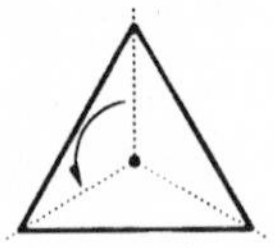
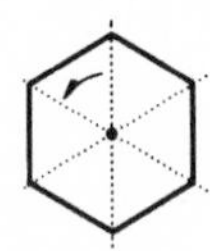

rectangle: order 2　regular triangle: order 3　hexagon: order 6

round

어림수로 만들다, 반올림하다

어떤 특정의 자릿수 아래의 수를 표현하지 않고 간단한 수로 만드는 것을 말하며 이렇게 해서 얻어진 수를 어림수 rounded number 라고 한다. → rounding

rounding

어림수 만들기, 반올림

어떤 특정의 자릿수나 소수점 아래의 수를 버리거나 올려서 간단히 보기 쉬운 수로 만드는 것을 말한다. 대체로 0, 1, 2, 3, 4는 그냥 버리고 5, 6, 7, 8, 9는 윗 자릿수의 수를 1 늘리고 나서 버린다 (반올림). 예를 들어, 1074는 100의 자리까지 반올림하면 1100 1074 rounded to the nearest hundred is 1100 이 되고

25.86은 1의 자리까지 반올림하여 26 25.86 rounded to the nearest one is 26 이 되며 12.734는 소수점 1의 자리까지 반올림하며 12.7 12.734 rounded to the tenth is 12.7 이 된다. → approximation

- ~ down 버림
  어떤 자릿수 아래에 있는 수를 무조건 버리는 것을 말한다.
- ~ off 반올림 = rounding
- ~ to zero 버림
  = rounding down
- ~ up 올림
  어떤 자릿수 아래에 있는 수를 버리고, 윗 자리의 수에 1을 더하는 것을 말한다.

row **행(行)**

수나 원소를 가로로 배열한 것을 말한다. 2×3 형태의 행렬 matrix $\begin{pmatrix} 2 & 3 & 4 \\ 5 & 6 & 7 \end{pmatrix}$은 2개의 행 (2 3 4), (5 6 7)로 구성되었다고 볼 수도 있고 3개의 열 column (2 5), (3 6), (4 7)로 이뤄졌다고 볼 수도 있다.

r.p.m **회전수(回轉數)**

1분간 평균 회전수 revolutions per minute 를 간단히 표기한 것이다.

rule **선을 긋다**

자 ruler 를 이용해서 선을 긋는 것을 말한다.

ruler **자**

sad number **슬픈 수**

행복 수 happy number 가 아닌 수를 말한다.

→ happy number

sample **표본(標本)**

모집단 population 속에서 보통 무작위 random 로 추출된 자료를 말한다. 모집단이 클 때에는 흔히 추출된 표본에 대해서 조사한다. 예를 들어, 출하된 모든 전구의 수명을 조사하기 위해 몇 %의 표본을 추출하여 전구의 수명을 조사한다.

- **random ~** 무작위 표본

  모집단에서 무작위로 추출한 표본을 말한다.

  → random

- **~ mean** 표본 평균

  표본에 포함된 자료의 평균을 말한다. 표본 평균은 모집단 평균의 근사값이 된다. 더욱 가깝게 근사값을 구하기 위해서는 표본 평균의 크기를 크게 하면 된다.

- **~ variance** 표본 분산

  표본에 포함된 자료의 분산을 말한다.

sample space **표본 공간**

확률에 있어서 어떤 시행 experiment 에서 일어날 수 있는 모든 결과 outcomes 의 집합을 말한다.

→ possibility space

sampling **표본 추출**

몇 개의 자료를 빼내서 표본으로 삼는 것을 말한다.

satisfy

채우다, 만족시키다

어떤 특정한 값 a 등에 의해 명제 P가 성립할 때 a는 P를 만족시킨다 satisfy 라고 한다. 예를 들어, $x=1$일 때, $x^2-4x+3=0$ 이 성립되므로 $x=1$은 방정식 $x^2-4x+3=0$ 을 만족시킨다. 반대로, $x^2-4x+3=0$ 은 $x=1, x=3$에 의해 만족된다.

scalar

스칼라

크기는 가지고 있지만 방향은 가지지 않는 양을 말한다. 스칼라 양은 하나의 수로 표현이 가능하다. 길이 length, 무게 weight, 면적 area 등은 크기 size 밖에 가지지 않기 때문에 스칼라 양 scalar quantity 이다. 반면 속도 velocity, 힘 force 등은 크기 외에 방향 direction 을 가지고 있기 때문에 스칼라 양이 아니다. 이렇게 크기와 방향을 가진 양을 벡터 양 vector quantity 이라고 한다.

■ ~ multiple 스칼라 배(倍)

벡터나 행렬에 스칼라를 곱하는 것을 말한다. 예를 들어, $\vec{v}=\begin{pmatrix}1\\2\end{pmatrix}$일 때, $3\vec{v}=\begin{pmatrix}3\times1\\3\times2\end{pmatrix}=\begin{pmatrix}3\\6\end{pmatrix}$이다.

■ ~ product 스칼라 적(積)

$\vec{a}, \vec{b}$ 가 이루는 각을 θ라고 할 때 $|\vec{a}|\ |\vec{b}|\cos\theta$의 값을 벡터 $\vec{a}, \vec{b}$ 의 내적 또는 스칼라 적 scalar product 이라고 하며 $\vec{a}\cdot\vec{b}$ 라고 쓴다. $\vec{a}=\begin{pmatrix}a_1\\a_2\end{pmatrix}$, $\vec{b}=\begin{pmatrix}b_1\\b_2\end{pmatrix}$일 때 $\vec{a}\cdot\vec{b}=a_1b_1+a_2b_2$인 것을 알 수 있다. 예를 들어, $\vec{a}=\begin{pmatrix}2\\2\end{pmatrix}$, $\vec{b}=\begin{pmatrix}3\\0\end{pmatrix}$일 때, $\vec{a}\cdot\vec{b}=2\times3+2\times0=6$이다. → dot product

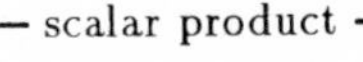

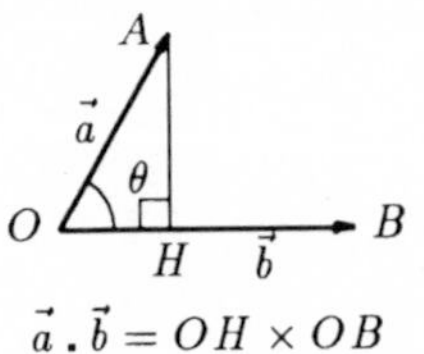

$\vec{a} \cdot \vec{b} = OH \times OB$
$= OA \times OB \times \cos\theta$

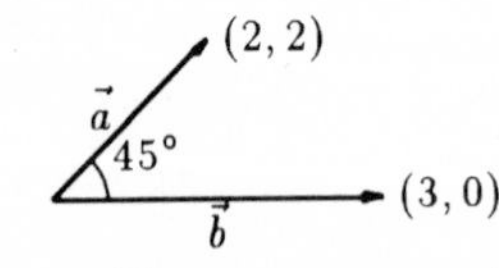

$OA = 2\sqrt{2},\ OB = 3,\ \theta = 45°$
$\vec{a} \cdot \vec{b} = 2\sqrt{2} \times 3 \times \frac{1}{\sqrt{2}} = 6$

scale **눈금, 축척, 비율, 기수법**

자나 계량기 등의 눈금을 말한다. 또한, 실제 크기에 대한 지도나 도면상의 크기를 말한다. 예를 들어, 축척 1 : 10000의 지도는 실제 거리를 $\frac{1}{10000}$으로 줄인 것이다. 따라서, 이 지도 상의 1cm에 대한 실제 거리는 1cm ×10000=10000cm=100m이다.

scale factor **배율(倍率)**

확대 enlargement 비율을 말한다. 배율 r의 확대는 도형의 각 변의 길이를 모두 r배로 확대한다.
→ enlargement

scalene **부등변 삼각형**

세 변의 길이가 모두 다른 삼각형을 말한다.

scatter diagram **산포도(散布圖)**

주로 두 값의 상관 관계를 알아보기 위해 평면상의 한 점으로 표시하여 분포된 모양을 나타낸 그림을 말한다. 다음 그림은 어떤 반의 수학과 물리 점수의 산포도이다. 예를 들어, 수학이 90점, 물리가 87점인 사람은

(90,87)으로 표시된다. 이 그림에서 우리는 수학 성적과 물리 성적이 상당한 정도의 양(陽)의 상관 관계를 갖음을 알 수 있다.

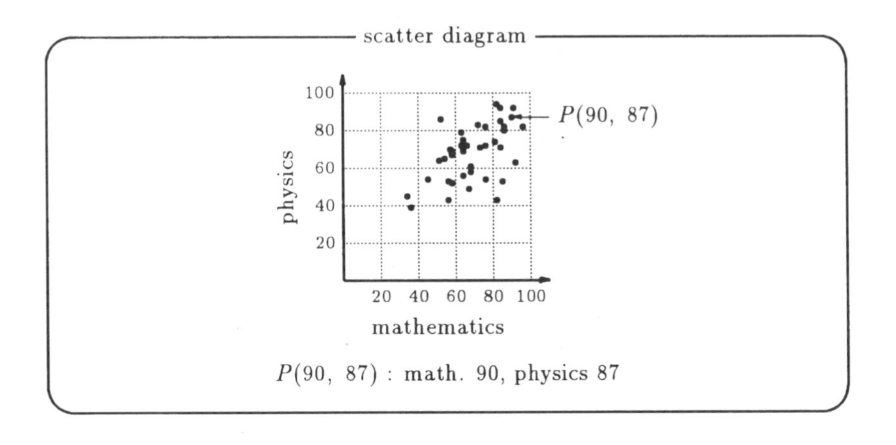

scientific notation **과학 표기**

숫자의 표시 방법의 하나로 숫자를 $a\times10^{n}$(단, $1<a<10$)의 형태로 나타내는 것을 말한다.

예를 들어, 34500은 3.45×10^{4}, 0.00345는 3.45×10^{-3}으로 나타낸다. 이 표기는 상당히 큰 숫자나 작은 숫자를 나타낼 때 적합하다. 숫자의 대략적인 크기를 신속히 파악할 수 있다는 장점이 있다. → standard form

sec(ant) **시컨트**

$\dfrac{1}{\cos\theta}$ 를 각 θ의 시컨트 secant 라고 하고 $\sec\theta$라고 쓴다. $\sec\theta$는 직각 삼각형에서 $\dfrac{빗변}{밑변}$이다.

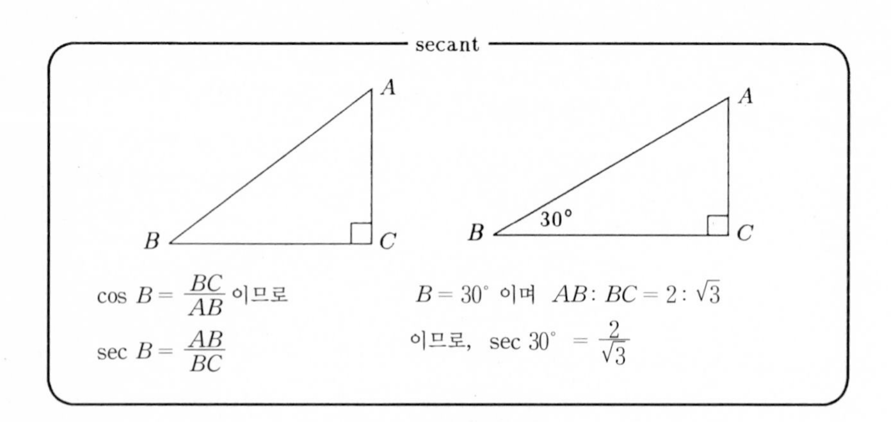

secant — **나누는 ; 분할, 할선**

원 위의 서로 다른 2점에서 교차하는 직선을 말한다.

second — **초 (秒)**

시간이나 각도의 1분(分)을 다시 60으로 나눈 것이다. 각도의 단위로 1°를 60으로 나눈 것이 $1'$ (분)이며 이를 다시 60으로 나눈 것이 1초로 $''$의 기호로 표현한다. $1^\circ = 60' = 3600''$ 이다.

section — **구분, 단면, 절단면**

주로 입체를 평면으로 잘랐을 때 생기는 평면 도형을 말한다. → cross section, conic section

sector — **부채꼴, 호 (弧)**

원의 2개의 반지름 radius 과 호 arc 에 의해 둘러싸인 부분을 말한다. 180° 보다 큰 중심각에 대한 부채꼴을 우(優)호 major sector, 180° 보다 작은 중심각에 대한 부채꼴을 열(劣)호 minor sector 라고 한다.

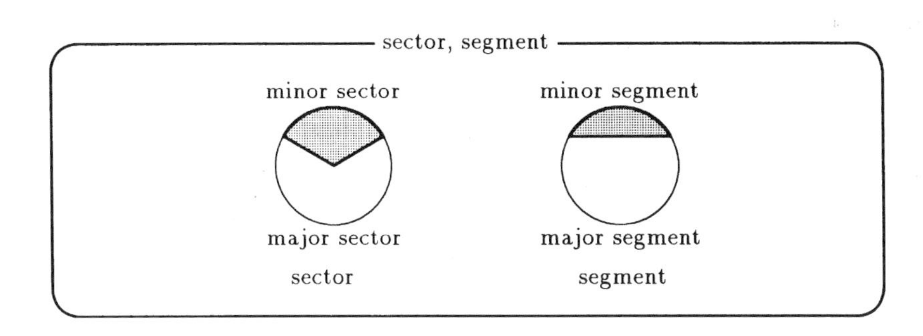

segment **선분, 활꼴**

원의 현 chord 과 그것에 대한 호 arc 로 둘러싸인 부분을 말한다. 하나의 현에 대하여 큰 쪽의 활꼴을 우(優)활꼴 major segment, 작은 쪽의 활꼴을 열(劣)활꼴 minor segment 이라 한다.

self inverse **자기 역원의**

자신이 스스로의 역원이 되는 것을 말한다. $-1\times(-1)=1$ 이기 때문에 -1은 곱셈에 관해서 자기 역원이다. 또한, 원점 origin 에 관한 대칭 변환을 두 번 연속하면 원래대로 돌아오므로 원점에 관한 대칭 변환은 변환의 합성에 관해서 자기 역원이다. 같은 방법으로 거울상 reflection 도 자기 역원이다.

semi- **'반(半)'의 뜻**

semicircle **반원(半圓)**

원의 지름에 의해 2개로 나뉘어진 부분을 말한다.

semi-interquartile range **반 4분위간의 범위**

하4분위수(下4分位數) lower quartile 와 상4분위수(上4分位數) upper quartile 의 차의 2분의 1을 말한다.

→ quartile

sense **방향 (方向)**

하나의 평면도형의 계산법은 그대로 계산하는 경우와 뒤집어서 계산하는 경우의 2가지 방법을 생각할 수 있다. 도형을 뒤집으면 일반적으로 도형의 방향 sense 은 반대로 된다. 회전 rotation 이나 평행이동 translation 에 의해서는 방향이 변하지 않지만 거울상 reflection 은 도형의 방향을 바꾼다.

septagon **7각형**

septangle 과 같은 말이며 흔히 heptagon 이라고 한다. → heptagon

septangle **7각형**

septagon 과 같은 말이며 흔히 heptagon 이라고 한다. → heptagon

sequence **열, 수열 (數列)**

숫자를 하나의 규칙에 따라 나열한 것을 말한다. 홀수 수열 sequence of odd number 은 {1, 3, 5, 7, …}이다. 수열에서 각각의 숫자를 항 term 이라고 한다. n번째의 항은 일반적으로 a_n으로 나타내고 일반항 general term 이라고 한다. 홀수 수열의 일반항은 $a_n=2n-1$이다. 수열은 일반항이 주어지면 모든 항을 구할 수 있다. 예를 들어, $a_n=n^2-1$ 이라면, $a_1=0$, $a_2=4-1=3$, $a_3=9-1=8, \cdots$ 이다. 또한, 첫째항 first term 이 1이고 차례로 2배해서 1을 더한다는 규칙을 세우면 수열 1, $2 \cdot 1+1=3$, $2 \cdot 3+1=7$, $2 \cdot 7+1=15, \cdots$ 를 얻을 수 있는데 이 수열의 일반항은 $a_n=2^n-1$이 된다.
→ arithmetic progression, geometric progression

series

급수 (級數)

수열 sequence 의 각 항을 합의 기호 +로 묶은 것을 말한다. 유한개(有限個)인 항 finite terms 으로 이루어진 급수는 항상 합 sum 을 가지고, 무한개(無限個)인 항으로 이루어진 급수는 합을 가질 수도 있고 갖지 않을 수도 있다.

2+4+6+8+10 은 급수이고 합은 30이다.

$1+\frac{1}{2}+\frac{1}{4}+\frac{1}{8}+\cdots$은 무한급수이고, 그 합은 2이다. 그러나 무한급수 $1-1+1-1+1-1+\cdots$ 은 합을 가지지 않는다.

급수는 그리스 문자인 시그마(Σ)를 사용해서 다음과 같이 표시된다.

$$\sum_{k=1}^{n} a_k = a_1 + a_2 + a_3 + \cdots + a_n$$

위의 처음 2개의 예를 시그마 기호로 나타내면,

$\sum_{k=1}^{5} 2k$, $\sum_{n=1}^{\infty} \frac{1}{2^{n-1}}$ 이다. → sigma notation

■ alternating ~ 교대급수

홀수항과 짝수항에서 양과 음이 반대로 되어 있는 급수를 말한다. 예를 들어, $1-2+3-4+\cdots$.

■ arithmetic ~ 산술 급수, 등차 급수

등차 수열의 항으로 이루어지는 급수를 말한다.

$\sum_{k=1}^{5}(3k-2)=1+4+7+10+13$ 은 그 예이다.

■ geometric ~ 기하 급수, 등비 급수

등비 수열의 항으로 이루어지는 급수를 말한다. 일례로, 1−3+9−27+81−243+… 은 그 수열이 첫째항 1, 공비 common ratio −3인 등비 수열이기 때문에 등비 급수이다.

■ power ~ 멱급수

$\sum_{n=0}^{\infty} a_n x^n = a_0 + a_1 x + a_2 x^2 + \cdots$ 형태의 급수를 말한다.

set

집합 (集合)

특정한 조건을 만족하는 사물의 모임을 말한다. 집합을 구성하는 것을 집합의 성원(成員) member 또는 원소 element 라고 한다. x가 집합 A의 원소일 때, x는 A에 속한다 belongs to, a member of 라고 하고 $x \in A$, $A \ni x$로 쓴다. 집합 A가 주어질 때, 모든 x에 대해서 x가 A의 원소인지 원소가 아닌지를 확실히 구별할 수 있어야만 한다. 따라서 '신장 180cm 인 사람의 모임'은 집합이지만 '키가 큰 사람의 모임'은 원소를 확정할 수 없기 때문에 집합이 아니다. 또 '1에서 5까지의 자연수의 집합'은 원소나열법으로 {1, 2, 3, 4, 5}으로 나타내고, '1이상의 실수의 집합'은 조건제시법으로 $\{x \mid x \geq 1\}$로 나타낸다.

→ complement, intersection, union of sets

■ countable ~ 가산집합(可算集合)

원소와 자연수를 일대일로 대응시킬 수 있는 집합을 말한다. 쉽게 말하면, 가산 집합은 원소를 하나 하나 셀 수 있는 집합이다. 짝수 집합은 가산집합이고 정수 전체 또한 가산 집합이다. 반면 실수 전체 의 집합은 가산집합이 아니다.

■ empty ~ 공집합
원소를 하나도 가지지 않은 집합을 말한다. 기호 { } 또는 ∅로 표시한다.

■ finite ~ 유한 집합
유한개의 원소로 이루어진 집합을 말한다.

■ infinite ~ 무한 집합
무한개의 원소를 가지는 집합을 말한다. 정수 전체, 유리수 전체, 0에서 1까지의 실수 전체의 집합 $\{x \mid 0<x<1\}$ 등은 무한 집합이다.

sexadecimal **16진법의**
16을 기본으로 하는 기수법을 말한다. 컴퓨터의 프로그래밍에서 자주 사용된다. 15개의 숫자 0, 1, …, 9, A, B, C, D, E, F를 사용한다. 예를 들어, 2C는 10진법의 $2\times16+12=44$를 나타낸다.

sexagesimal **60의, 60진법의**
60을 기본으로 하는 기수법을 말한다. 시간과 각도에서 사용 되어진다. 1시간 = 60분, 1분 = 60초, $1°=60'$, $1'=60''$이다.

sexangle **6각형(6角形)**
흔히 hexagon 이라 불리운다.

sextant **6분원(6分圓)**
원의 6분의1을 말한다.

shear **옮기다, 어긋나다**
입체의 일부를 고정하고 자유로운 부분을 하나의 직선

에 평행으로 이동시켜서 도형을 변형하는 것을 말한다. 직육면체 하나의 정점에 힘을 가하면 비뚤어지면서 평행육면체 parallelepiped 로 변형되는데 이것이 shear 의 한 예이다.

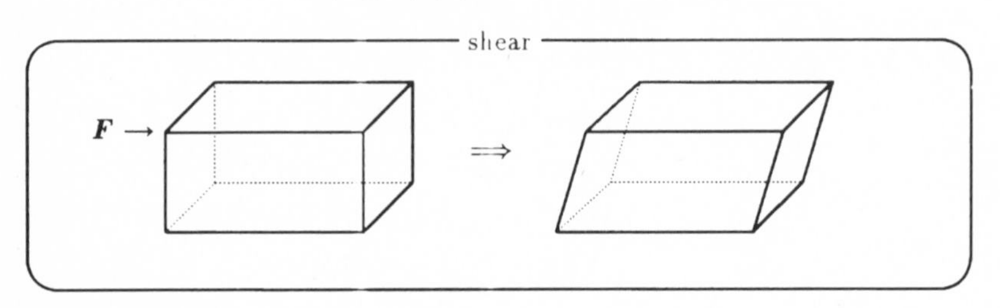

s.h.m.

단진동 (單振動)

→ simple harmonic motion

side

변 (邊), 측면 (側面)

다각형 polygon 의 주변 선분을 말한다. 또한, 다면체 polyhedron 의 옆면 등을 가리키기도 한다. 예를 들어, 삼각기둥 triangular prism 은 3개의 측면 sides 과 2개의 아래, 윗면 bottom, top 으로 구성된 다면체이다.

- adjacent ~s 이웃변
  서로 이웃하는 2개의 변을 말한다.
- corresponding ~s 대응변(對應辺)
  비교된 2개의 도형에서 서로 대응되는 변을 나타낸다.
- opposite ~s 대변(對辺), 반대측(反對側)
  1개의 도형에서 반대쪽에 있거나 마주보는 2개의 변을 말한다.
- ~ elevation 측면도(側面圖)

입체를 옆에서 본 그림이다. 입면도(立面圖) front elevation, 평면도 plan view 와 함께 입체의 형태를 나타낸다.

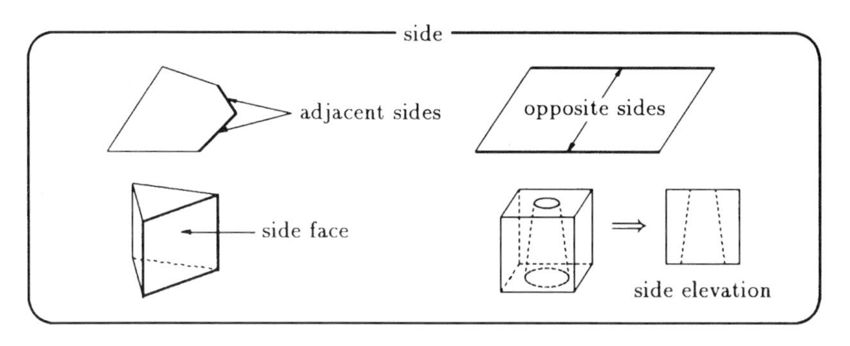

sieve **체**

사물을 거를 때 사용하는 도구이다. 소수를 찾아내기 위한 방법으로 에라토스테네스의 체 Eratosthenes' sieve 가 있다. → Eratosthenes' sieve

sigma notation **시그마 기호**

그리스 문자의 시그마 $\sum$를 이용하며 수열의 합 내지 급수(級數)를 나타내기 위한 기호이다.

$$\sum_{k=1}^{n} a_k = a_1 + a_2 + a_3 + a_4 + \cdots + a_n$$

라고 정의한다. 따라서,

$$\sum_{k=1}^{5} k^3 = 1^3 + 2^3 + 3^3 + 4^3 + 5^3$$

$$\sum_{n=1}^{\infty} (2n+1) = 3+5+7+9+11+\cdots$$

이다.

시그마 기호에 관해 다음 식이 성립한다.

$$\sum_{k=1}^{n} 1 = n$$

$$\sum_{k=1}^{n} k = \frac{n(n+1)}{2}$$

$$\sum_{k=1}^{n} k^2 = \frac{n(n+1)(2n+1)}{6}$$

$$\sum_{k=1}^{n} k^3 = \left\{\frac{n(n+1)}{2}\right\}^2$$

$$\sum_{k=1}^{n} r^{k-1} = \frac{r^n-1}{r-1}$$

이것을 이용하면

$$\begin{aligned} 1+3+5+\cdots+19 &= \sum_{k=1}^{10}(2k-1) \\ &= 2\times\frac{10\times 11}{2}-10 \\ &= 100 \end{aligned}$$

이 된다.

또, 시그마의 대상이 확실할 때는 일일이 지정하는 것을 생략하는 경우도 많다. 예를 들어, 통계에 있어서 평균 m은 구성원의 개수(個數)를 n으로 할 때,

$$m = \frac{\Sigma x_i}{n},\ \frac{\Sigma x}{n}$$

와 같이 나타낸다.

소문자 시그마 σ는 통계에서 표준편차(標準偏差) standard deviation 를 나타내고

$$\sigma = \sqrt{\frac{\Sigma(x-m)^2}{n}} = \sqrt{\frac{\Sigma x^2}{n} - \left(\frac{\Sigma x}{n}\right)^2}$$

이다.

sign **부호 (符號), 기호 (記號)**

부호란 수에서 양과 음을 나타내는 +, −를 말한다. +와 −를 상하로 열거한 복호(複號) double sign ±, ∓ 는 양수 및 음수를 나타낸다. 한편, 연산, 함수에서 쓰이는 +, −, ×, ÷, <, >, = 등은 기호라고 한다.

$\sqrt{\ }$, ∞ 등도 기호이다.

significant

유의(有意)의, 의미있는

보통의 경우 '의미있다', '중요하다'의 뜻이며, 통계, 확률의 경우, 특히 '단지 우연으로부터 나온 것이 아닌 것으로 보인다' 라는 뜻으로 많이 쓰인다.

- **~ figure** 유효숫자(有效數字)

  수 가운데 실제로 의미가 있는 자릿수의 수를 나타낸다. 예를 들어, 측정에 의해 얻을 수 있는 수는 오차를 포함하고 마지막 자리는 그다지 신뢰할 수 없는 경우가 생기며 신뢰할 수 있는 자리까지의 숫자가 유효숫자이다. 또는 실제 필요한 정도까지가 유효숫자로 취해진다. 12,345의 경우 처음 3자리로 정확성을 취한다면 correct to three significant figures 유효숫자는 12,300이 된다.

similar

닮은

형태가 같으나 크기가 다른 두 도형을 닮음이라고 한다. 닮은 도형의 대응하는 각 corresponding angles 의 크기는 같고 대응하는 변의 비율도 전부 같다. 또, 대응하는 변의 비를 닮음비라고 한다. 확대 enlargement 는 도형을 닮은 도형으로 변환한다. 넓이의 비는 닮음비의 2제곱, 부피비는 닮음비의 3제곱이다.

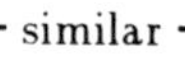

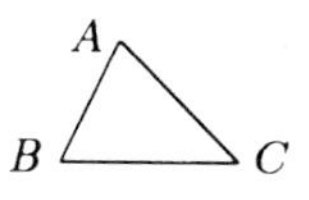

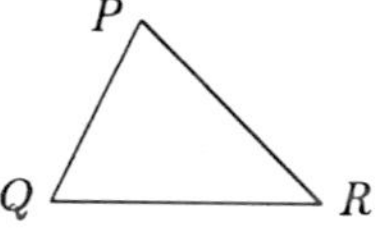

$AB : PQ = BC : QR = CA : RP$, $\angle A = \angle P$, $\angle B = \angle Q$, $\angle C = \angle R$

similarity **닮음, 닮음변환**

평행인 평면 π, π'와 투사점 O가 주어져 있을 때, π 위의 점 P와, 직선 OP와 π'와의 교점 P'를 대응시키면, π 위의 도형이 π'위의 도형으로 옮겨진다. 일례로, π 위의 $\triangle ABC$는 π' 위의 $\triangle A'B'C'$로 옮겨지는데, 이것은 $\triangle ABC$를 확대한 것이므로 서로 닮은 삼각형이다. 따라서 닮음변환은 확대·축소와 이동을 겸한 변환으로 생각할 수 있다.

닮음변환에서는 크기는 변할 수 있으나 모양은 변하지 않는다. 합동변환은 닮음변환의 특수한 경우이다.

simple closed curve **단순 폐곡선**

자신과 교차하지 않는 닫혀진 곡선을 말한다. → close curve

simple harmonic motion **단진동(單振動)**

진자 pendulum 의 운동 motion 과 같은 규칙적인 진동 oscillation 을 말한다. 진자의 운동은 중앙을 통과할 때가 가장 빠르고 중앙에서 멀어질수록 느려진다. 가장 간단한 단진동은 등속 원운동의 정사영(正射影)으로 얻어질 수 있다.

simple interest **단리(單利)**

기간별로 최초 원금에 대해서만 이자를 계산하는 방법이다. 예를 들어, 10,000원을 연리(年利) 10%로 빌린다고 하면 1년 후는 원리(元利)합계로 $10,000+10,000\times0.1=10,100$원이 되고 2년 후는 $10,000+10,000\times0.2=10,200$원이 된다. → compound interest

simplify **간단히하다, 답을 구하다**

계산을 하고 결과를 구하는 것이다. 또는 식을 깨끗하게 정리하는 것을 말한다.
예를 들어,
$2\times7-3\times3=14-9=5$
$2(3x-1)+3(3-x)=6x-2+9-3x=(6-3)x+9-2=3x+7$
이다. 문제의 답은 전부 간략한 형태로 표시된다.

Simpson's rule

심슨의 공식

곡선 $y=f(x)$ 와 직선 $x=x_1$, $x=x_2$ 및 x축에 의해 둘러싸여진 도형의 근사값을 구하기 위한 공식이다.
구간 (x_1, x_2)를 이등분해서 분할점을 t_1이라 하고, $t_0=x_1, t_1, t_2=x_2$로 나누어진 구간 하나의 폭을 h라 하자. 이 때, $y_0=f(t_0)$, $y_1=f(t_1)$, $y_2=f(t_2)$라고 하면, 넓이의 근사값은

$$\frac{1}{3}(y_0+4y_1+y_2)\times h$$

이 된다. 좀 더 일반화하여 구간을 $2n$개의 소구간으로 나눠보면, 유도된 넓이의 근사값은

$$\frac{1}{3}(y_0+4y_1+4y_2+\cdots+4y_{2n-1}+y_{2n})\times h$$

이 된다.

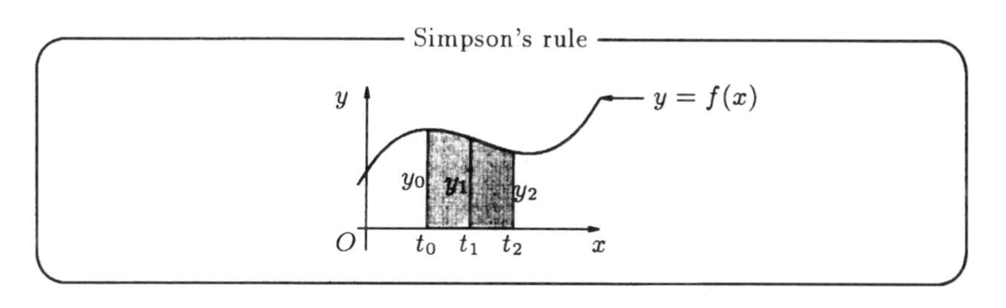

simultaneous **동시(同時)에 일어나는, 동시의, 연립(連立)의**

■ ~ distribution 동시분포

동시 시행에 일어날 수 있는 모든 사건에 대해서 각각의 확률을 대응시킨 것을 말한다. 예를 들어, 주사위를 한 번 던져서 얻을 수 있는 수를 X, 동전을 한 번 던져서 나오는 결과를 Y(앞면을1, 뒷면을 0으로 한다)라고 하면 $X=1$, $Y=1$이 될 확률은 $\frac{1}{6}\times\frac{1}{2}=\frac{1}{12}$이다. 이 때, 12개의 사건($a$, b)의 확률은 모두 $\frac{1}{12}$이 된다.

■ ~ inequality 연립부등식(連立不等式)

두 개 이상의 부등식의 조합을 말한다. 부등식의 답은 영역으로 표시되기 때문에 연립부등식의 답은 영역의 공통부분으로 주어진다. 예를 들어, 연립부등식 $x>3$, $3x+2<17$ 의 답은 후자가 $x<5$라고 변형 가능하기 때문에 $3<x<5$가 된다.

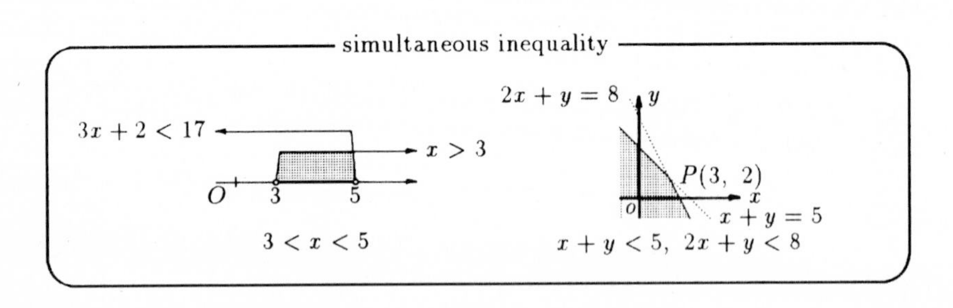

simultaneous equation **연립방정식(連立方程式)**

두 개 이상의 방정식을 함께 세운 것이다.

예를 들어, 연립방정식 $x+y=5$ → ①, $2x+y=8$ → ②는, ②식－①식을 계산하면 $x=3$, $y=2$이 되고 평면 위의 점 (3, 2)로 표시된다. 이 점은 두개의 직선 $x+y=5$, $2x+y=8$의 교점이 된다. 일반적으로 이와 같은 연립방정식의 답은 두 개의 그래프의 교점 intersection으로 표시된다.

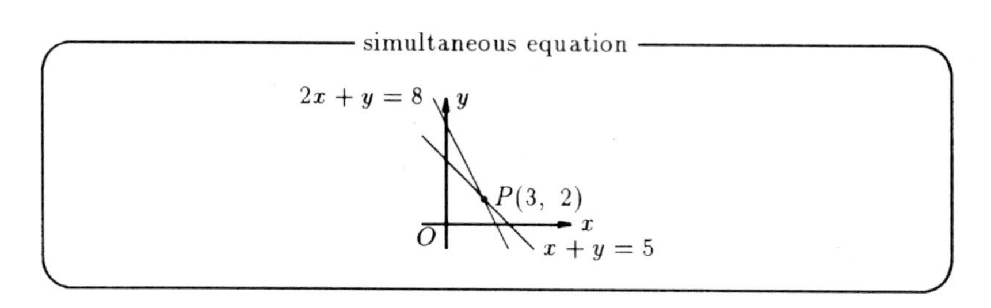

sine (sin)

사인

각(角) θ에 있어 직각삼각형의 $\frac{\text{대변}}{\text{빗변}}$을 $\sin\theta$라고 한다.

- **~ curve** 사인 곡선, 사인 커브

  함수 $y=\sin x$의 그래프를 말함. → trigonometric function

- **~ theorem** 사인 정리

  삼각형의 각과 변에 대해서 다음과 같은 사인정리가 성립한다.

  $$\frac{a}{\sin A}=\frac{b}{\sin B}=\frac{c}{\sin C}=2R$$

  여기서, R은 삼각형 ABC의 외접원의 반지름이다.

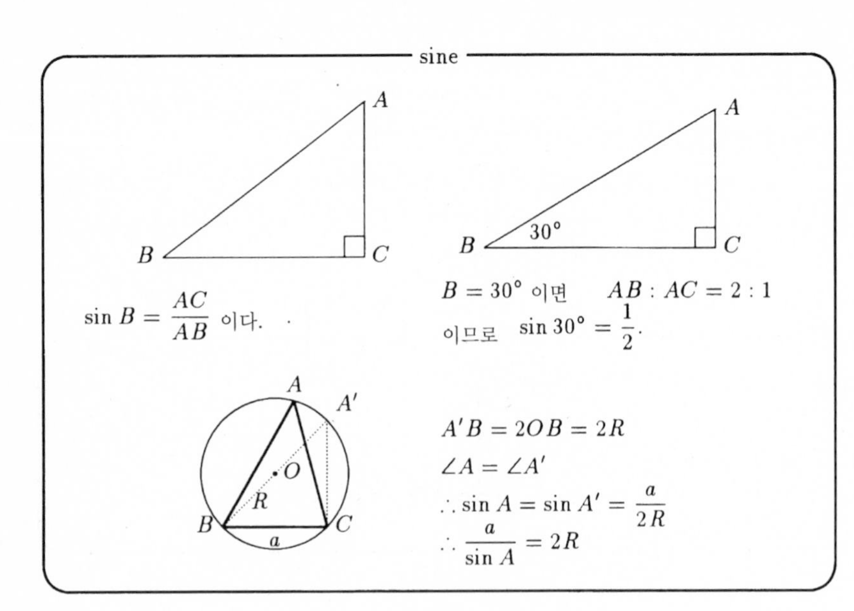

singular 특이(特異)한, 이상(異常)한

■ ~ matrix 비정칙행렬(非正則行列)

행렬식 determinant 이 0인 행렬을 말한다. 따라서 비정칙행렬은 역행렬 inverse matrix 을 가지지 않는다. $\begin{pmatrix}1 & 2\\3 & 6\end{pmatrix}$은 행렬식이 $1\times6-2\times3=0$이므로 비정칙행렬이다. 이 행렬에 $\begin{pmatrix}2 & -4\\-1 & 2\end{pmatrix}$을 오른쪽에 곱해보면,

$$\begin{pmatrix}1 & 2\\3 & 6\end{pmatrix}\begin{pmatrix}2 & -4\\-1 & 2\end{pmatrix}$$

$$=\begin{pmatrix}1\cdot2+2\cdot(-1) & 1\cdot(-4)+2\cdot2\\3\cdot2+6\cdot(-1) & 3\cdot(-4)+6\cdot2\end{pmatrix}$$

$$=\begin{pmatrix}0 & 0\\0 & 0\end{pmatrix}$$

이므로, 비정칙행렬은 0인자(因子) zero divisor 로

되어 있는 것을 알 수 있다.

skew **경사의, 비틀어지는, 꼬이는**

하나의 평면상에 있지 않는 두 직선이 만나지도 않고 평행하지도 않을 때를 말하고, 그 때의 직선을 꼬인 위치의 직선 skew line 이라고 한다.

skew distribution **비대칭 분포(非對稱 分布)**

정규분포 normal distribution 와 달리 좌우대칭이 아닌 분포를 말한다. 비대칭 분포는 평균이 왼쪽 또는 오른쪽으로 치우쳐져 한쪽으로 길게 꼬리를 늘이고 있는 형태를 하고 있다. 예를 들어, 평균점이 아주 높은 시험의 점수 분포나 주사위를 여섯 번 던졌을 때 1의 눈이 나오는 횟수에 대한 분포는 비대칭 분포이다. 1의 눈이 두 번 나올 확률은 ${}_6C_2\left(\frac{1}{6}\right)^2\left(\frac{5}{6}\right)^4 \approx 0.2$이고 이런 계산으로 1의 눈이 나오는 횟수에 대한 대략적 분포를 구하면 다음 표와 같다.

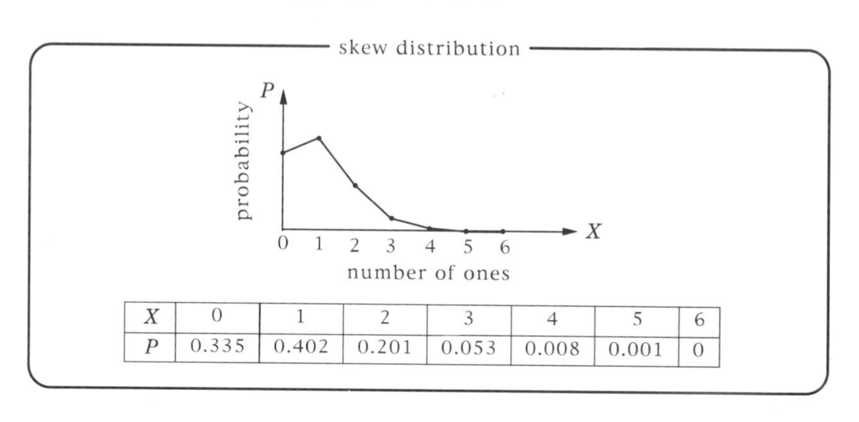

X	0	1	2	3	4	5	6
P	0.335	0.402	0.201	0.053	0.008	0.001	0

skew line **꼬인 직선**

꼬인 위치에 있는 직선을 말한다. 꼬인 직선은 공간에

있어서 하나의 평면상에서 만나지도 평행하지도 않는 두 직선이다. 정육면체의 윗면의 한 변과 그것에 수직인 밑면의 한 변, 정사면체 regular tetrahedron 의 한 쌍의 대변(對邊) 등이 그 예이다.

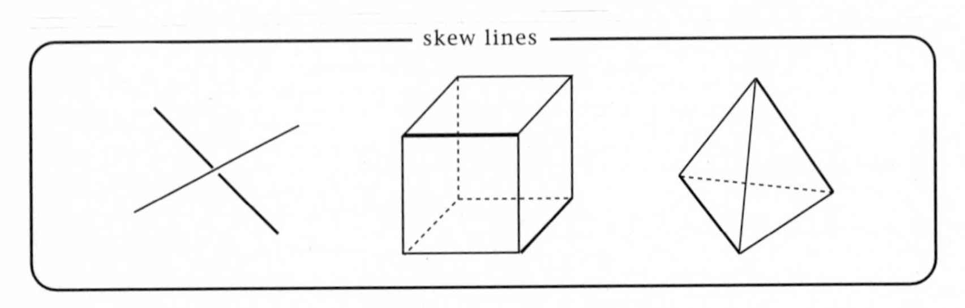

slant height

모선 (母線)

원뿔 cone 의 꼭지점 vertex 과 밑면 base 의 원주 circumference 위에 한 점이 만나는 선분 segment 을 말한다.

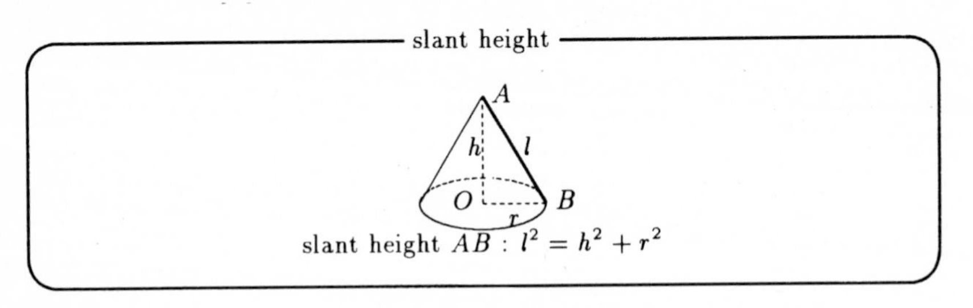

slide rule

계산자

대수(對數)의 눈금을, 정해놓은 규칙에 따라 조합하여 계산을 간편하게 할 수 있도록 만든 도구를 말한다. 예를 들어, $a \times b$의 계산은 위의 눈금의 1에 밑의 눈금의 a를 맞추어서 위의 눈금 b에 대한 밑의 눈금을 읽으면 된다. 현재는 거의 사용되고 있지 않다. = **sliding rule**

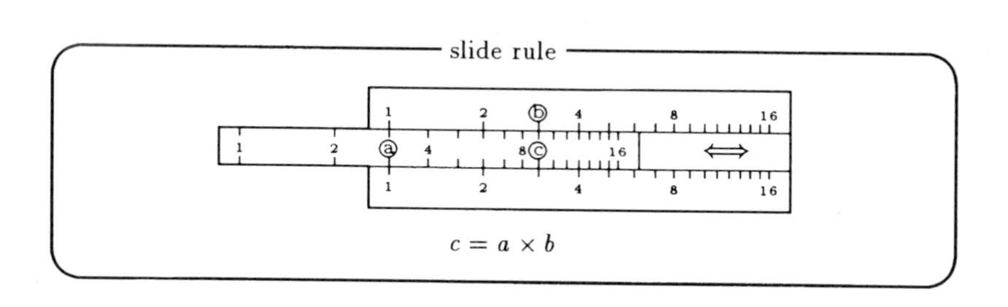

slope

기울기 ; 경사 (傾斜)

기울기 slope 는 직선의 가로좌표 abscissa 의 변화에 대한 세로좌표 ordinate 의 변화 ratio 를 나타낸다. 즉, $\dfrac{\text{세로좌표의 변화}}{\text{가로좌표의 변화}}$이다. → gradient

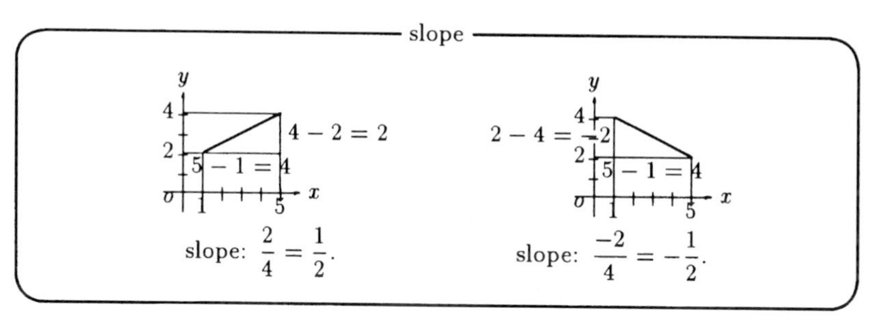

small circle

소원 (小圓)

하나의 구(球)를 그 구의 중심을 지나지 않는 평면으로 잘랐을 때 생기는 원을 말한다. 이 때의 원은 구(球)의 중심을 지나는 평면으로 잘랐을 때 생기는 원(대원: 大圓 great circle)보다 작기 때문에 '소원'(小圓) 이라 불린다.

solid

입체 (立體) ; 입체의 ; 견실한

길이, 폭, 두께를 가지는 3차원의 도형을 입체 solid 라고 한다. 입체의 부피는 volume, 용량은 capacity 혹은 solid content 라고 표현한다. 다면체 polyhedron, 원뿔 cone, 구 sphere 등은 입체이다.

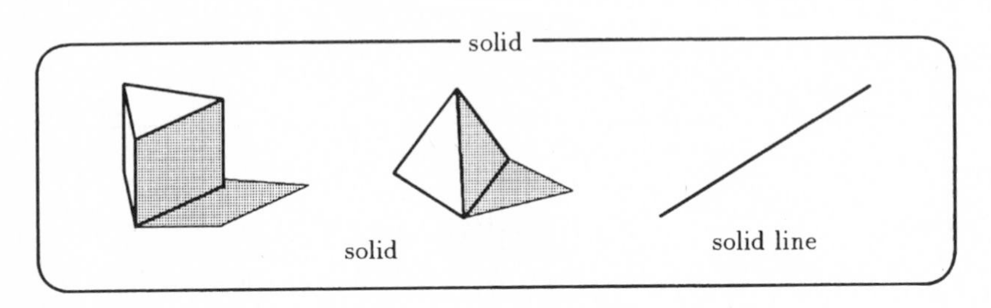

■ ~ line 실선(實線)
도중에 끊어지지 않고 계속 연결된 선.

■ ~ number 입체수
입체에 열거한 점의 개수를 말한다. 예를 들어, 정육면형수(세제곱수) cubic number 는 정육면체에 나열되는 점의 개수 즉, n^3이 되는 수이다.

solid of revolution 회전체(回轉體)

평면도형을 한 개의 직선을 기준으로 회전시켜 만든 도형을 말한다. 예를 들어, 직각삼각형 rectangular triangle 을 밑면으로 둥글게 회전시킬 경우 원뿔이 생긴다. 또, 원을 지름 diameter 을 기준으로 둥글게 회전시킬 경우 구(球) sphere 가 된다.

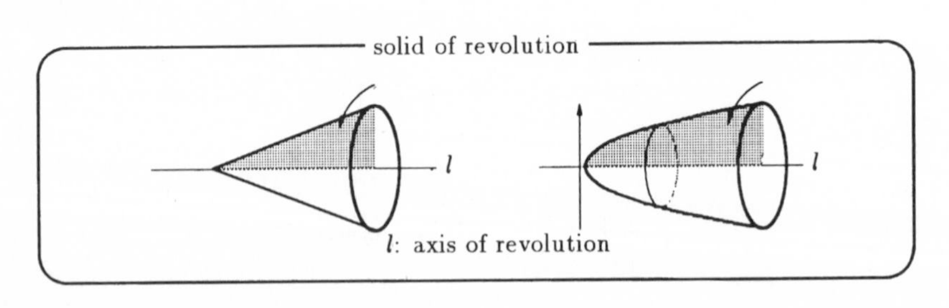

solution **답, 해답, 해법**

문제 예컨대, 방정식의 해를 구하는 방법 또는 그 해를 말한다. $x^2-5x+6=0$의 해는 $x=2$, $x=3$이다. 이 해를 집합의 형태로 {2, 3}이라고 나타내는 경우도 있다. 이것을 해집합(解集合) solution set 이라고 한다.

solvable **풀 수 있는, 가해(可解)한**

문제에 해를 구할 수 있음을 뜻할 때 사용한다.

space **공간**

가로, 세로, 높이의 세 개의 방향을 가지는 3차원의 영역을 말한다. 또는 수학적 대상의 집합, 추상적인(기하학의)정의와 구조를 가지는 수학적 체계를 공간이라고 한다. 예를 들어, 표본공간 sample space, 유클리드 공간 Euclidean space, 벡터 공간 vector space 등이 있고, 공간내의 점인 n개의 수를 이용해서 (a_1, a_2.... a_n)처럼 표시될 경우, 이 공간을 'n차 공간' n-dimensional space 이라고 한다.

speed **빠르기, 속력(速力)**

시간에 대한 운동 거리의 변화율을 말한다. 따라서 속력은 $\frac{\text{운동거리}}{\text{시간}}$로 구해질 수 있고 60km/h 60km per hour 처럼 표시한다. m.p.h. 는 mile per hour 의 약자로서 속도를 시간당 마일로 표시한 것이다.
속도는 운동의 방향을 포함하고 있지 않기 때문에 스칼라양(量) scalar 이고, 방향을 가지고 있는 벡터량과 혼동하지 쉽기 때문에 주의할 필요가 있다.

sphere **구(球), 구면(球面)**

공간 내의 한 점(点)으로부터 일정한 거리에 있는 점들로 둘러싸인 입체 도형을 말한다. 그 한 점(点)을 구의 중심 center, 일정한 거리를 반지름 radius 이라 한다. 구는 원의 지름을 축으로 회전시켜 만들어지는 회전체 solid of revolution 이고 단면은 모두 원이다. 중심을 지나는 평면으로 자른 원이 가장 크며 대원(大圓) great circle 이라고 하고, 다른 것은 소원(小圓) small circle 이라고 한다.

구의 반지름을 r 이라고 하면 구의 겉넓이는 $4\pi r^2$, 부피는 $\frac{4}{3}\pi r^3$ 이다.

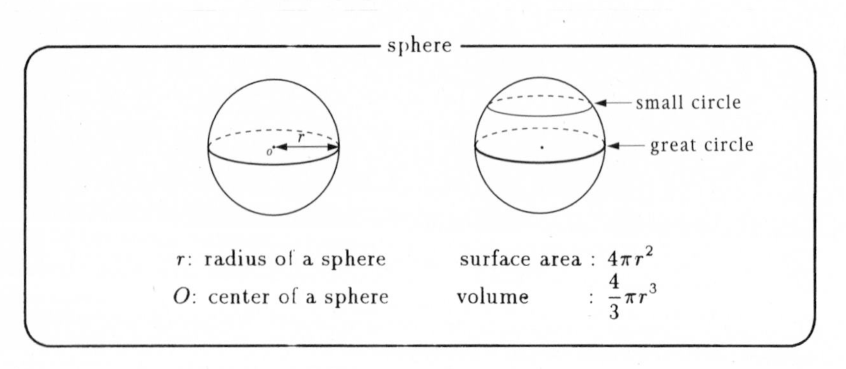

spherical **구(球)의, 구면(球面)의**

spiral **나선형(螺旋形)의, 나선(螺線), 소용돌이**

조개껍질 등에서 볼 수 있는 소용돌이의 형태를 '나선' spiral 이라고 한다. 평면적인 것과 공간적인 것 양쪽에 'spiral'이라는 표현을 쓸 수 있다. 'helix'는 공간적인 것을 나타낸다.

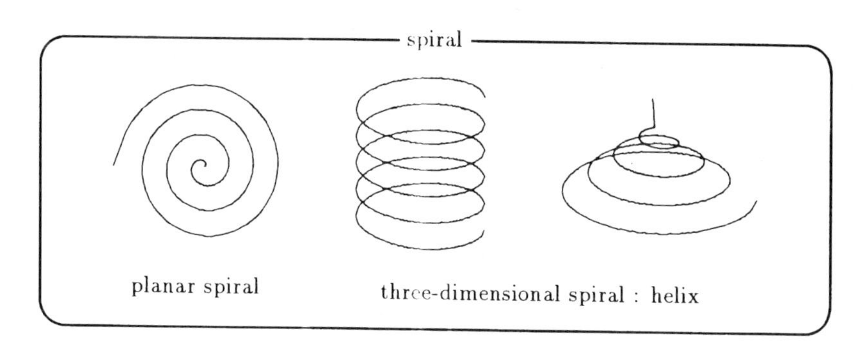

spread **펼쳐짐, 흩어짐, 산포 (散布)**

자료가 평균으로부터 흩어진 모양을 말한다. 흩어짐은 자료의 폭 range, 4 분위간(分位間)의 폭 interquartile range, 평균편차 mean deviation, 분산 variance, 표준편차 standard deviation 등으로 나타낸다. 이것들의 값이 작을 때 자료는 평균에 가깝게 집중하는 경향을 보이고 클 때는 흩어지는 경향을 보인다.

square **정사각형, 정방형 (正方形), 평방 (平方)**

네 개의 변의 길이가 같고, 네 개의 각의 크기가 같은 사각형을 말한다. 정사각형은 한 개의 각이 90° 인 마름모 rhombus 이다. 4변이 같은 직사각형 rectangular 이라고 할 수도 있다.

상하 · 좌우 · 대각선 방향의 대칭이고 대칭축이 4개 있다. 또 회전대칭의 위수(位數) order of rotational symmetry 는 4이다. 한 변의 길이를 a라고 하면, 면적은 a^2이다. 따라서 같은 수를 두 번 곱한 수를 그 수의 '평방' 이라고 한다. a의 평방은 $a \times a = a^2$이다.

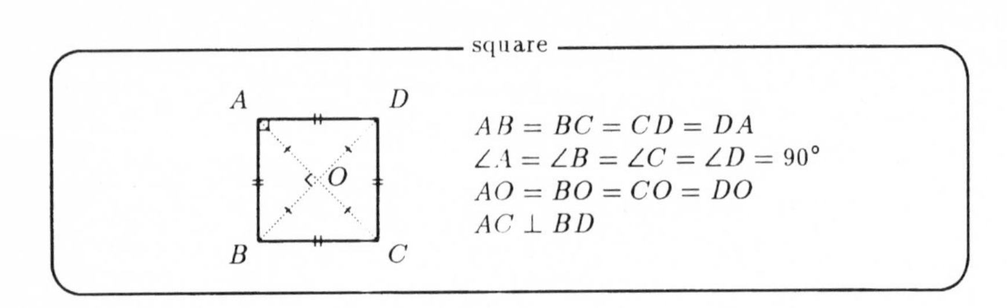

square number **제곱수, 평방수**

정사각형 모양으로 나열한 점의 개수를 말한다. 정사각형의 한 변에 들어가는 수를 a라고 하면 점의 총 수는 a^2이 된다. 1, 4, 9, 16 ...등은 제곱수이다.

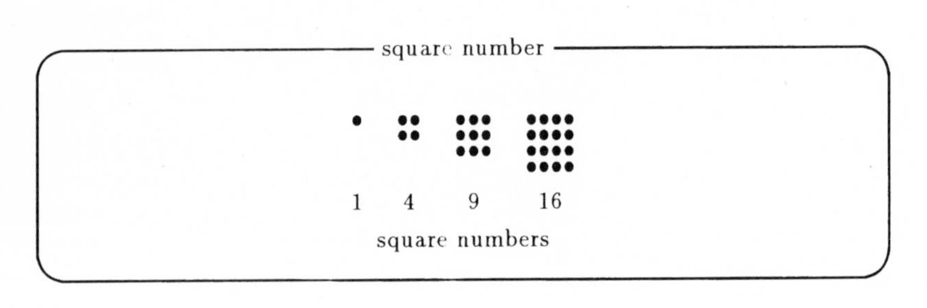

square root **제곱근, 평방근(平方根)**

$x^2=a$의 해를 a의 제곱근이라고 한다. $3^2=9$이기 때문에 9의 제곱근은 3이다. 또, $(-3)^2=9$이기 때문에 -3도 9의 제곱근이다. 일반적으로 a의 제곱근은 양과 음의 두 값을 갖으며, 각각 $\sqrt{a}$, $-\sqrt{a}$ 로 표기한다.

또 제곱근을 분수 형태의 지수를 써서, $\pm\sqrt{a} = \pm a^{\frac{1}{2}}$ 로 나타내기도 한다.

복소수의 범위까지 넓혀서 생각해보면, 음수의 제곱근

도 구해질 수 있다. $i^2=-1$이기 때문에 허수 i는 -1의 제곱근이다. 따라서 -1의 제곱근은 $\pm i$이다.
이 경우도 근호를 이용해서 $\sqrt{-1}=i$라고 나타내고 $\sqrt{-4}=\sqrt{4}i=2i$ 가 된다.

standard deviation **표준 편차**

자료 data 의 분포 상태 dispersion 를 나타내는 값으로 분산 variance 의 제곱근을 말한다.
분산은 개개의 자료와 평균 mean 의 차를 나타내는 값(편차) $|x_i-m|$를 제곱한 값의 평균인

$\sum\frac{|x_i-m|^2}{n}$이므로 표준편차 σ는

$$\sigma=\sqrt{\frac{\sum(x_i-m)^2}{n}}=\sqrt{\frac{x_i^2}{n}-m^2}$$

로 나타내어 진다. 예를 들어, 자료 2, 4, 6, 8, 10 의 평균은 $\frac{(2+4+6+8+10)}{5}=6$ 이기 때문에 개개의 편차는 -4, -2, 0, 2, 4가 되고 분산은 $\frac{(16+4+0+4+16)}{5}=8$ 이 된다. 따라서 표준편차는 $\sqrt{8}=2.828$이다.

standard form **표준 표기(標準標記)**

수를 $a\times10^n$의 형태(단, $0<a<10$)로 표기한 것을 말하고 표준 지수 표기 standard index form 라고도 한다. 천문학상의 큰 수나 아주 작은 수를 나타내는 데 적합하다. 예를 들어 $12,300,000,000=1.23\times10^{10}$, $0.000000123=1.23\times10^{-7}$이다. = scientific notation

stationary point **정상점 (定常点), 정류점 (定留点)**

그래프에 있어서 접선 tangent 의 기울기 gradient 가 0인 점을 말한다. 정상점은 그래프의 극대점 local maximum, 극소점 local minimum, 변곡점(變曲点) point of inflection 중 하나가 된다.

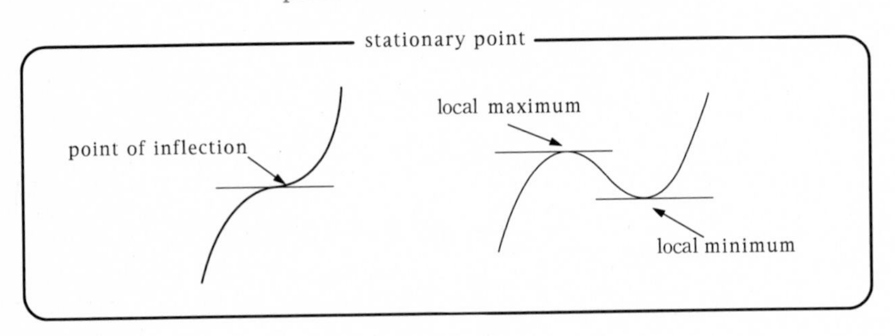

statistics **통계학 (統計學), 통계**

다량의 자료와 정보를 모아서 정리하고 그것으로부터 도출되는 결론이나 일반성 등을 이끌어 내는데 필요한 이론과 방법을 제시해 주는 학문이다.
자료는 그래프와 표로 모아지며 자료를 대표하는 값 average 특히 평균 mean 이 구해지고 또, 평균편차 mean deviation, 표준편차 standard deviation 등을 이용해서 자료의 분포 spread 를 조사한다. 확률 probability 을 이용하여 표본으로부터 모집단(母集團) population 을 추측하기도 한다. → **average, deviation, sample**

straight **일직선의, 똑바로**

straight angle **평각 (平角)**

180°와 일치하는 각으로, 둔각 obtuse angle 보다 크고, 우각 ($180° < x < 360°$) **reflex angle** 보다 작다.

straight line **직선 (直線)**

stretch **신장 변환 (伸長 變換) ; 당겨 늘리다**

잡아 당겨 변화시키는 것을 말한다. 잡아당기는 쪽으로 직선을 세워 원래의 점과 거리비가 일정한 점으로 변환하는 것이다. 예를 들어, 곡선 $y=x^2$의 그래프를 y축의 방향으로 2배한 곡선은 $y=2x^2$이 된다.

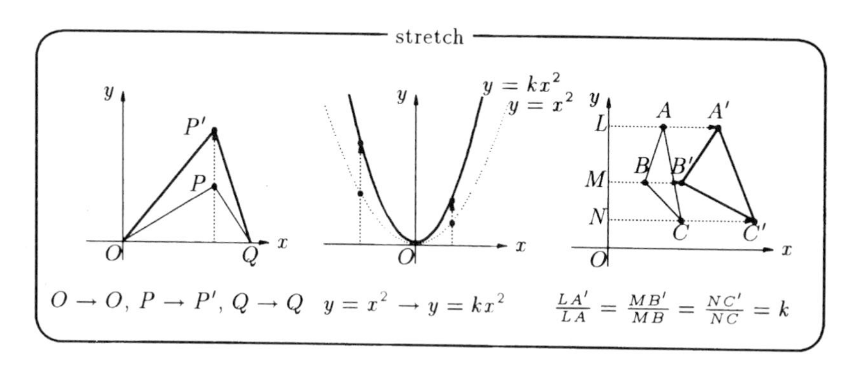

strict **엄밀한, 협의(狹義)의**

- in the ~ sense 좁은 의미의, 좁은 의미로

strictly **엄밀하게**

- ~ decreasing 단조감소(單調減少)하는

함수 $f(x)$가 어떤 구간의 임의의 두 수 $a<b$에 대해서, $f(a)>f(b)$를 만족시키고 있을때, $f(x)$는 그 구간에서 단조감소하고 strictly decreasing 있다고 한다. $f(a) \geq f(b)$가 성립할 때는, 단순히 '감소' 하고 있다고 한다.

■ ~ increasing 단조증가(單調增加)하는

함수 $f(x)$가 어떤 구간의 임의의 두 수 $a < b$에 대해서, $f(a) < f(b)$를 만족할 때, $f(x)$는 그 구간에서 단조증가하고 strictly increasing 있다고 한다. $f(a) \leq f(b)$가 성립할 때는, 단순히 '증가'하고 있다고 한다.

sub- '부분(部分)', '하위(下位)'의 뜻

일부분을 표시할 때 또는 등급이 아래인 것을 나타낼 때 쓰임.

subgroup 부분군(部分郡)

군 group 의 부분집합 subset 에서 그 자신이 군이 되는 것을 말한다. 예를 들어, 정수 전체 I는 덧셈 $+$에 관해서 군을 이루고 I의 부분집합인 짝수 전체의 집합 $E=\{0, \pm2, \pm4 \cdots\}$ 역시 덧셈 $+$에 관해서 군을 이루므로 E는 I의 부분군이다.

subject of formula 공식의 주제(主題)

삼각형의 넓이 A를 구하는 공식은 밑변의 길이를 b, 높이를 h라고 하면 $A=\frac{bh}{2}$이다. 이때, 좌변의 A를 공식의 주제 subject of formula 라고 한다. 넓이가 주어지고 높이를 묻는 경우의 공식은 $h=\frac{2A}{b}$이고 이때는 h가 공식의 주제가 된다.

subscript 아래 첨자(添字)

수열의 일반항 $a_n=2n-1$과 같이 오른쪽 밑에 주어진 작은 숫자나 문자를 말한다.

위에 붙는 첨자는 superscript 라고 한다.

subset **부분집합 (部分集合)**

집합 A의 원소의 일부분으로 이루어진 집합을 말한다. 즉, 집합 B의 원소가 모두 A의 원소인 경우 B는 A의 부분집합이라고 하고 $A \supset B$ 또는 $B \subset A$라고 쓴다. 예를 들어, 집합 $\{a, b, c\}$의 부분집합은 하나의 원소로부터 이루어지는 $\{a\}$, $\{b\}$, $\{c\}$와 두 개의 원소로 이루어지는 $\{a, b\}$, $\{b, c\}$, $\{a, c\}$에 자기 자신과 공집합 empty set 의 두 개를 더해서 8개가 있고 계산방법은 2^n이다(여기서 n은 원소의 개수를 말한다). 또, 자기 자신을 뺀 나머지 부분집합을 진부분집합 proper subset 이라고 한다.

substitute **대입 (代入) 하다, 치환 (置換) 하다**

식의 가운데에 있는 문자를 특정 숫자나 다른 식으로 바꾸어 놓는 것을 말한다.

substitution **대입, 치환**

예를 들면, 2차 방정식 $x^2-2x-4=0$의 해는 공식

$$x=\frac{-b\pm\sqrt{b^2-4ac}}{2a}$$

에 $a=1, b=-2, c=-4$를 대입해서,

$$x=\frac{-(-2)\pm\sqrt{(-2)^2-4\cdot1\cdot(-4)}}{2\cdot1}=1\pm\sqrt{5}$$

을 얻는다.

substend **대하다, 마주하다**

마주하다 be opposite to 와 같은 의미로 이용된다. 예를 들어, '삼각형의 꼭지점 A에 대응하는 변 a', '현 AB에 대응하는 원주각 angle at circumference'처럼 사용한다.

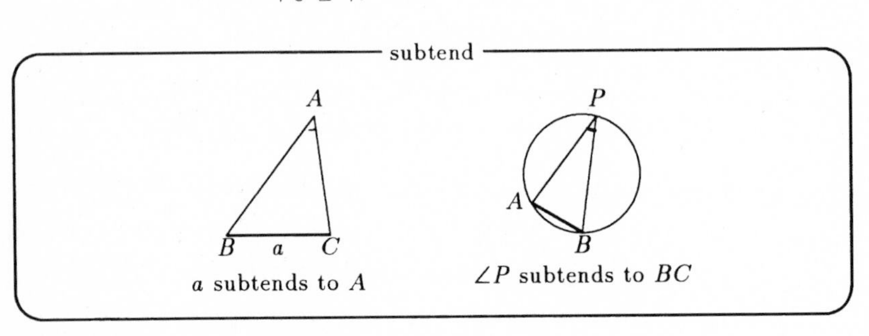

subtense

현(弦), 대변(對邊)

→ subtend

subtract

빼다

예컨대, 'x에서 y를 빼시오'라고 할 때, 'Subtract y from x'라고 표현한다. 명사는 subtraction 이다.

successor

후자(後者)

1에 대한 2, 2에 대한 3처럼 다음에 오는 수 혹은 다음에 오는 문자를 나타낸 말이다.

sufficient

충분한

→ sufficient condition

■ ~ condition 충분조건

명제 'A이면 B이다'가 성립할 경우 A를 B의 충분조건 sufficient condition 이라고 한다. 예를 들어,

$x=1 \rightarrow x^2=1$이므로 $x=1$은 $x^2=1$의 충분조건이다. 그런데 $x=-1$인 경우도 $x^2=1$이므로, $x^2=1$이어도 반드시 $x=1$일 필요는 없다. 따라서, $x=1$은 $x^2=1$의 필요조건 necessary condition 은 아니다. 또, 필요조건이기도 하고 충분조건이기도 한 조건은 서로 같은 것을 말하며 필요충분조건 necessary and sufficient condition 이라고 한다.

suffix **첨자, 첨수(添數)**

sum **합, 계(計)**

덧셈 addition 의 결과를 말한다. 일례로, 1과 5의 합은 6이다 The sum of 1 and 5 is 6. 한편, 총합은 total sum 이라고 한다.

superscript **윗 첨자(添字)**

x^2처럼 오른쪽 위에 붙는 수나 기호를 말한다.
→ subscript

supplement **보각(補角); 보충이 되는 것**

각 θ에 더해서 180°가 되는 각을 θ의 보각 supplement 이라고 한다. 예를 들어, 50°의 보각은 130°이다.

supplementary angles **보각(補角)**

더해서 180°가 되는 두 개의 각을 말한다. 예를 들어, 60°와 120°는 보각을 이룬다. 또 원의 내접하는 사각형 cyclic quadrilateral 의 내대각 opposite angles 은 보각을 이룬다.

surd — **부진근수(不盡根數), 무리수**

근호를 제거할 수 없는 수를 말한다.

예를 들어, $\sqrt{3}$, $2+\sqrt[3]{5}$ 같은 것은 근호없이는 정확히 표현할 수 없기 때문에 부진근수이다. $\sqrt{25}$, $\sqrt[5]{32}$ 같은 것은 근호를 벗기면 5, 2가 되기 때문에 부진근수가 아니다. 부진근수는 무리수 irrational 이기 때문에 무리수 의미로 'surd' 를 이용하는 경우도 있다.

surface — **면(面), 표면**

입체의 표면을 말한다. 일례로 곡면은 방정식 $f(x, y, z)=0$으로 주어질 수 있다. 예를 들어, 원점 origin 을 중심 center 으로 하는 구면 sphere 은 $x^2+y^2+z^2=r^2$으로 나타내어진다.

■ ~ area 겉넓이

survey — **측량, 조사**

symbol — **기호, 부호**

이항의 관계, 연산, 집합, 군(群)등 수학의 대상을 간편하게 표현하기 위한 문자나 기타 부호 등을 말한다. 변수와 상수(常數)는 알파벳의 소문자, 점과 집합은 알파벳의 대문자로 나타내어지는 것이 많다. 예를 들어, r은 반지름 radius, x, y는 변수 variable, S는 집합 set, G는 군(群), P는 점 point 등을 나타낸다.

【물】 물이 얼 때 그 부피가 11분의 1만큼 증가한다고 한다. 반대로 얼음이 물이 될 때 그 부피는 얼마만큼 감소할까?

➡ 12분의 1 만큼 감소 [부피 11의 물이 얼면 부피가 11분의 1 증가하여 부피 12의 얼음으로 된다. 그래서 부피 12의 얼음이 녹으면 부피 11의 물이 되므로 12분의 1만큼 감소한다.]

mathematical symbols

Symbol	Meaning	Symbol	Meaning
$*$	operation	$+$	plus, add
$-$	minus, subtract	$\times$	times, multiply
$\div$	share, divide	$\sqrt{\ }$	square root
$\sqrt[n]{\ }$	nth root	$a:b$	ratio
$=$	equals	$<$	less than
$\leq$	less than or equal to	$>$	greater than
$\geq$	greater than or equal to	$\approx$	approximately equal to
$\cap$	intersection	$\cup$	union
$\in$	belongs to	$\subset$	a subset of
$\emptyset$	empty set	∞	infinity
$\angle$	angle	$\parallel$	parallel to
$\perp$	perpendicular	$\triangle$	triangle
$\sum$	sigma, sum of	σ	standard deviation
π	pi$(3.14159\cdots)$	e	$e(2.71828\cdots)$
$\frac{d}{dx}$	differentiate	$\int(\ )dx$	integrate
i	imaginary, $\sqrt{-1}$	$\equiv$	congruent

symmetric

대칭의

대칭 축 line of symmetry, 대칭의 중심 point of symmetry 혹은 대칭의 면 plane of symmetry 을 가진 도형을 대칭형 symmetric shape 이라고 한다.

- ~ expression 대칭식

  문자를 서로 바꾸어 넣어도 변화하지 않는 식을 말한다. 예를 들어 $x+y$, xy, $xy+yz+zx$, xyz 같은 것이 대칭식이다. $x-y$는 x, y를 바꾸어 넣으면 식이 $y-x$ 같이 변화하기 때문에 대칭식이 아니다.

- ~ law 대칭률, 관계 ~에 대해서

  '$a\sim b$라면 $b\sim a$'가 성립할 때 ~는 대칭적 symmetric 이라고 한다. 이 성질 '$a\sim b$라면 $b\sim a$'를 대

칭률 symmetric law 이라고 한다. =, ⊥ 등은 대칭적이지만 >, ∈는 대칭적이지 않다.

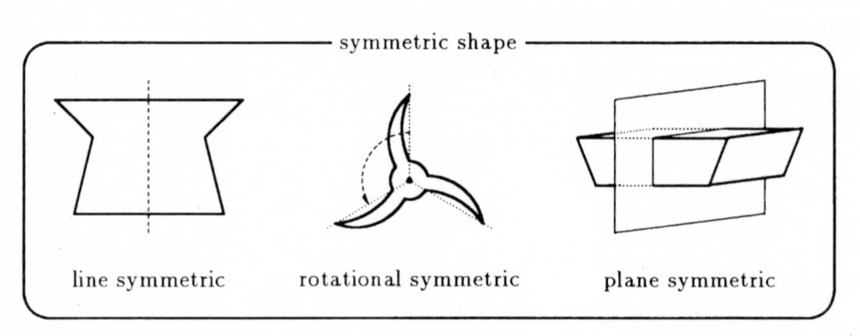

symmetry **대칭, 대칭변환**

대칭인 것, 대칭인 성질, 대칭으로 이동하는 것을 말한다.

- **axial ~** 선대칭

  축 또는 직선에 관해서 대칭인 것을 말한다. 이 축 또는 직선을 대칭축 axis of symmetry 이라고 한다.

  → line symmertry

- **plane ~** 면대칭

  평면에 관해서 대칭인 것을 말한다. 이 평면을 대칭면 plane of symmetry 이라고 한다.

- **point ~** 점대칭

  점에 관해서 대칭인 것을 말한다. 이 점을 대칭의 중심 point of symmetry 이라고 한다.

- **rotational ~** 회전 대칭

  회전(1회전 미만)해서 자신과 겹치는 것을 말한다 .

table **표 (表)**

수나 문자, 기호 등을 나열하고 항목별로 정리해서 알기 쉽게 표시한 것을 말한다. 연산의 결과를 나타내는 일도 많다. 곱셈표, 제곱표, 로그표 등이 대표적인 예이다.
table 이 보다 시각적으로 발전하면 그래프가 된다. 그래프는 전체의 모습을 일목요연하게 파악하는 데 특히 유용하다.

tangency **접촉 ; 접하기**

한 점에서 만나되 교차하지 않는 것을 말하며 접하는 점을 접점 point of tangency 이라 한다. → tangent

tangent **접선, 탄젠트 ; 접하는**

두 개의 곡선이 한 점을 공유하고 그 점에서의 접선의 기울기가 일치할 때 두 곡선은 접한다 touch 고 한다. 이 때 곡선에 접하는 직선을 접선 tangent 이라 한다. 따라서, 곡선의 변화율은 접선의 기울기와 같다. 원 circle 의 접선은 반지름 radius 에 수직 perpendicular 인 직선이다. 또, 곡선이 접해 있는 점을 접점 point of tangency 이라 한다. → touch
구를 하나의 평면 위에 두면 구는 평면에 접하게 되는데 이 평면을 구의 접평면 tangent plane 이라 한다.
한편, 각 θ를 한 각으로 갖는 직각삼각형의 $\frac{대변}{밑변}$을 탄젠트 tangent 라 하며 $\tan\theta$라고 쓴다. 탄젠트는 직선의 기울기를 나타낸다. 또, $\tan\theta = \frac{\sin\theta}{\cos\theta}$가 성립하고 $y = \tan x$의 그래프를 탄젠트 곡선 tangent curve 이라 한다.

tangram **탄그램**

정사각형을 몇 개로 잘라서 원래의 모양으로 복원시키거나 다른 모양으로 만드는 퍼즐을 말한다.

temperature **온도, 기온**

→ Celsius, Fahrenheit

term **항 (項)**

식에 있어서 문자와 수를 서로 곱해서 만들어지는 하나하나의 모임을 말한다. 예를 들어, $4x^2-5x+3$에서 항은 $4x^2$, $-5x$, 3이다. 특히, 수만으로 이루어지는 항을 상수항 constant term 이라고 한다.

또, 술어, 용어 등의 의미도 있다.

terminating decimal **유한소수 (有限小數)**

소수 부분이 유한개의 수로 구성되는 소수를 말한다. 예를 들어, 0.4 나 1.125는 유한소수이다. 유한소수는 분수로 나타낼 수 있고 위의 수는 분수로 고치면 각각 $\frac{2}{5}$, $\frac{9}{8}$이다. 한편, 무한소수에는 순환소수와 순환하지 않는 소수가 있는데 그 중 순환하는 무한소수는 분수로 나타낼 수 있지만 순환하지 않는 소수는 분수로 나타내는 것이 불가능하며, 무리수 irrational number 라 부른다.

tessellation **꽉 채우기, 가득 채우기**

여러 가지 형태의 타일로 평면을 남김없이 채울 수 있는 것을 말한다. 특히 정다각형으로 남김없이 채우는 것으로 각 꼭지점의 주위 타일이 모두 나열된 경우를 완전히 꽉 찬 형태 regular tessellation 라고 한다. 다음의 왼쪽 그림은 각 꼭지점의 주위에 정육각형, 정삼각형이 6, 3, 3, 6 각형의 순으로 나열되어 있기 때문에 완전히 꽉 찬 형태의 예이다. 그러나 오른쪽의 그림은 완전히 꽉 찬 형태가 아니다.

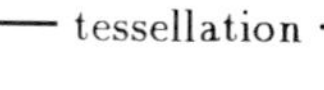

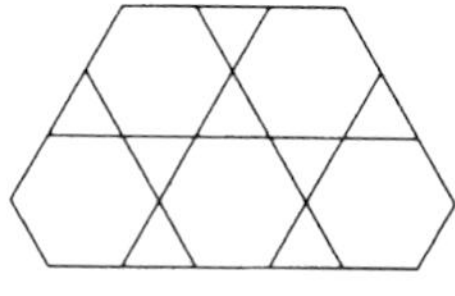

regular tessellation

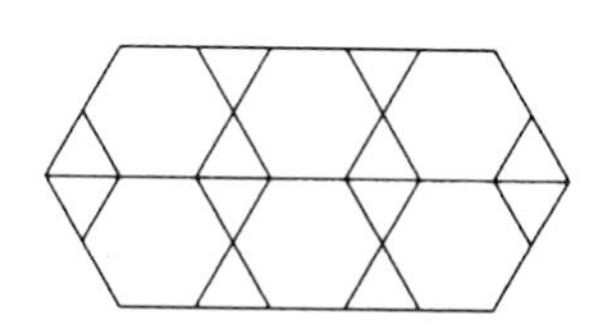

semi regular tessellation

tetrahedron **사면체 (4面體)**

4개의 면으로 이루어져 있는 다면체 polyhedron 를 말한다. 예를 들면, 정사면체 regular tetrahedron 는 네 개의 면이 모두 정삼각형으로 만들어져 있다.

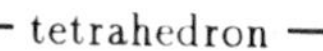

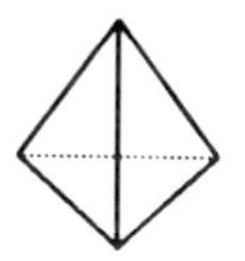

regular tetrahedron

theorem **정리 (定理)**

공리 axiom 나 정의 definition 를 기초로 하여 증명된 명제를 말한다.

theory **이론 (理論)**

therefore = hence, so

tiling 꽉 채우기
= tessellation

time 시간, 시각, 배 (倍)

- two ~s 2배, 2회
- two ~s three is six ($2 \times 3 = 6$)

timetable 시각표 (時刻表), 시간표

topological 위상적인
→ topology

topologically 위상적으로
도형의 형태와 크기보다 점과 선 등의 도형 연결방식에 주목하는 것을 말한다. 따라서 형태와 크기가 달라진다고 해도 연결 방식이 같은 도형을 위상동치 topologically equivalent 라 한다. 예를 들어, 알파벳 c와 s는 형태가 다른 것처럼 보이지만 양 끝을 잡아당기면 똑같이 하나의 선분이 되므로 위상동치이다. → topology

topology 위상 (位相) 수학, 위상 기하학, 위상
도형의 형태나 크기를 무시하고 도형을 구성하는 점과 선분 등의 연결 방식이나 도형의 공간에 중점을 두는 수학의 한 분야를 말한다. topology 에서는 연속적인 도형의 변환에 의한 불변의 성질에 주목한다. 따라서 삼각형, 사각형, 단순 폐곡선은 모두 원과 같이 취급된다.

torus **토러스**

원을 원과 만나지 않는 직선을 중심으로 회전시켰을 때 생기는 도너스 모양의 표면을 말한다.

total **합계 ; 총계의, 전체의**

- grand ~ 총계 (특히 크고 작은 중간 집계가 많은 것에서 최종의 것)
- ~sum 총합, 합계

touch **접하다, 접촉하다 ; 접촉**

두 개의 곡선이 한 점을 공유하고 그 점에 있어서 기울기 (변화율)가 일치할 때 두 곡선의 관계를 말한다. 곡선에 접하는 직선을 접선 tangent 이라고 하는데 접선 근방에서는 곡선과 접선의 기울기가 거의 비슷해진다. 곡선 위의 두 점을 이은 직선은 두 점을 무한히 접근시키면 접선에 접근한다. 접선의 기울기는 곡선의 변화율 rate of change 과 같기 때문에 곡선의 미분계수 different coefficient 가 된다.

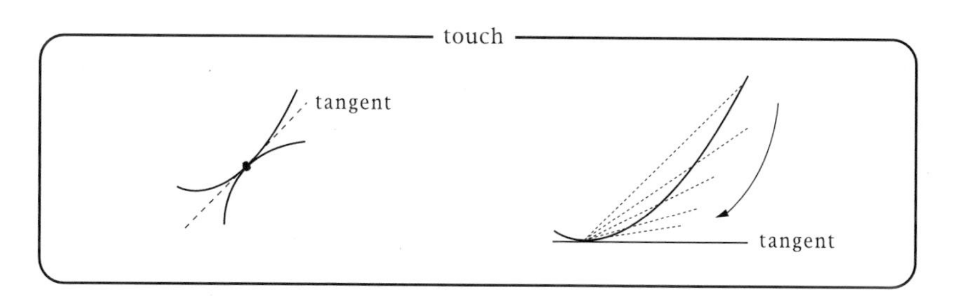

trajectory **궤도**

공중에 던져진 투사물 projectile 에 의해 그려진 곡선을 말한다.

transcendental **초월의, 초월적인**

대수 방정식 algebraic equation 의 해법에 의해 얻을 수 없는 수를 초월수(超越數) transcendental number 라 한다. 유리수 $\frac{b}{a}$는 방정식 $ax=b$의 해이므로 초월수가 아니다. 또 $\sqrt{3}$ 등의 무리수도 $x^2=3$이므로 초월수가 아니다. 원주율 π와 자연대수의 밑인 e는 초월수라고 알려져 있다. 일반적으로 초월수임을 보이는 것은 간단하지 않다.

transform **변형시키다, 변환시키다**

→ transformation

transformation **변형, 변환**

도형을 다른 도형으로 변형하는 것이나 그 변형 규칙을 말한다. 점을 옮긴다고 생각하면, 변환은 함수 mapping 와 같은 것으로 생각해도 좋다. 기하학적인 변환에는 다음과 같은 것이 있다.

- congruent ~ 합동변환

  크기와 모양을 바꾸지 않는 변환으로 평행이동 translation, 반사 reflection, 회전이동 rotation 등이 그 예이다. → isometry

- inverse ~ 역변환

  특정한 변환에 의해 변형된 도형을 다시 원래의 도형으로 되돌리는 것을 말한다. 역변환을 합성시키면 항등변환 identical transformation 이 된다.

- linear ~ 선형변환, 1차변환

  벡터 $\begin{pmatrix} x \\ y \end{pmatrix}$를 벡터 $\begin{pmatrix} ac+by \\ cx+dy \end{pmatrix}$에 대응시킨 변환을

$\begin{pmatrix} x \\ y \end{pmatrix}$라고 쓰면

$$\begin{pmatrix} x \\ y \end{pmatrix} = \begin{pmatrix} ax+by \\ cx+dy \end{pmatrix} = \begin{pmatrix} a & b \\ c & d \end{pmatrix}\begin{pmatrix} x \\ y \end{pmatrix}$$

이기 때문에, 선형변환은 행렬 $\begin{pmatrix} a & b \\ c & d \end{pmatrix}$으로 나타난다.

- **similar ~ 닮음변환**

  도형을 닮은 형태의 도형으로 변화시키는 변환을 말한다. 확대 enlargement 는 닮음변환이다.

- **symmetric ~ 대칭변환**

  주어진 도형을 점, 선, 면에 대해서 대칭시킨 변환이다.

transformation of formula **공식의 변형**

공식의 주제 항 subject of formula 을 바꾸는 것을 말한다. 예를 들면, 직각삼각형의 빗변 hypotenuse 을 c, 다른 두 변을 a, b로 하면, 피타고라스의 정리 Pythagoras's theorem 에 의해 $c=\sqrt{a^2+b^2}$가 성립된다. 여기서, 식을 변형해서 a에 관한 식으로 바꾸면 공식은 $a=\sqrt{c^2-b^2}$라 고쳐 쓸 수 있다. 이처럼, 공식을 고쳐 쓰는 것을 공식의 변형이라 한다.

transitive **추이적 (推移的) 인, 가이적 (可移的) 인, 전이적 (轉移的) 인**

관계 ~에 대해서 '$a \sim b$ 이며 $b \sim c$이면 $a \sim c$'가 성립될 때, 관계 ~를 추이적 transitive 이라 한다. 예를 들어, <은 $a<b$, $b<c \Rightarrow a<c$ 가 성립되기 때문에 추이적이 된다. 한편, '직선이 수직' perpendicular 인 관계를 '⊥'이라 하면, ⊥은 $a \perp b$, $b \perp c$이더라도 일반적으로 $a \perp c$가 아니므로 추이적이 아니다. 추이적인 것을 보이는 명제 '$a \sim b$, $b \sim c \Rightarrow a \sim c$'

를 추이율 transitive law 이라 한다.

translate **(평행) 이동시키다**
→ translation

translation **평행 이동, 이동**

도형의 모습에 어떠한 변화도 주지 않은 상태로 한 직선을 따라 이동시키는 것을 말한다. 그 움직이는 도형의 모든 점은 같은 방향에 같은 거리만 움직이고 있다. 따라서, 평행이동은 방향과 크기를 갖는 백터로 표현이 가능하다. 평행이동 $\begin{pmatrix}2\\1\end{pmatrix}$은 가로방향으로 2, 세로방향으로 1만큼 평행이동된 것을 나타내는 것이다.

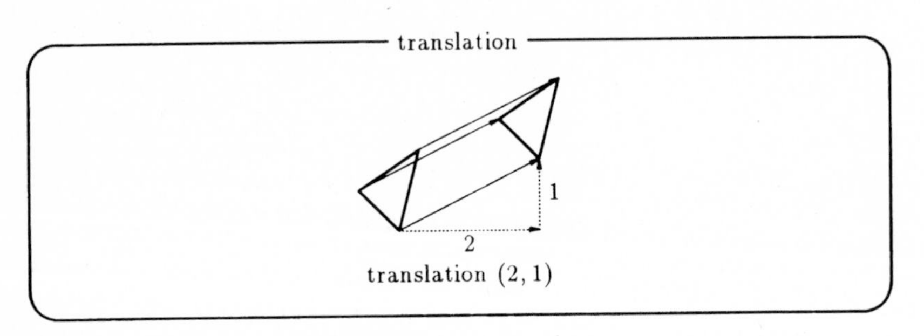

transpose **전치 (轉置) 하다, 이항 (移項) 하다, 넣어 바꾸다**

넓은 의미로 서로 바꿔 넣는 것을 말한다. 예를 들어, $y=2x+1$의 그래프에서 변수 x, y를 각각 y, x로 바꾸면 transpose x축과 y축이 바뀐 그래프 $x=2y+1$가 된다.

또한, 행렬 M의 행 rows 과 열 columns 을 서로 바꾸는 것도 해당되며, 이 때 새롭게 얻은 행렬 M^t를 M의 전치행렬 transpose of M 이라 한다.

예를 들어, $M=\begin{pmatrix}1&2\\3&4\end{pmatrix}$이라 하면, $M^t=\begin{pmatrix}1&3\\2&4\end{pmatrix}$가 된다.

transposed **전치된**

■ ~ matrix 전치 행렬
→ transpose

transposition **전치, 이항, 호환**

transversal **횡단선**

몇 개의 선을 가로지르는 직선을 말한다. 평행선을 횡단하는 선이 평행선과 나타내는 각을 동위각 corresponding angles 이라 하는데 그 각들은 크기가 모두 같다.

transversal

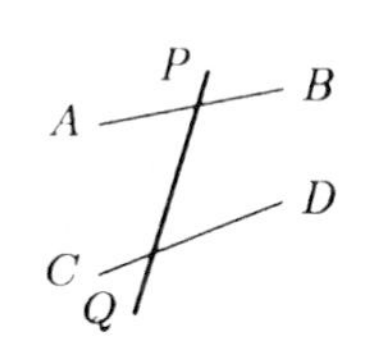

PQ: transversal of AB, CD

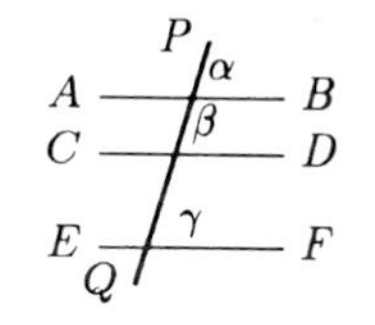

corresponding angles: $\alpha=\beta=\gamma$

transverse **타원 또는 쌍곡선의 가로축**

타원의 경우, 타원이 잘라낸 x축을 말한다.
쌍곡선에서는 한 곡선의 꼭지점에서부터 다른 곡선의 꼭지점까지의 선분을 말한다. 쌍곡선의 방정식이 $\frac{x^2}{a^2}-\frac{y^2}{b^2}=1$인 쌍곡선에서, 장축의 길이는 두 점 $(\pm a, 0)$을 연결한 선분의 길이인 $2a$이다.

transverse axis of hyperbola

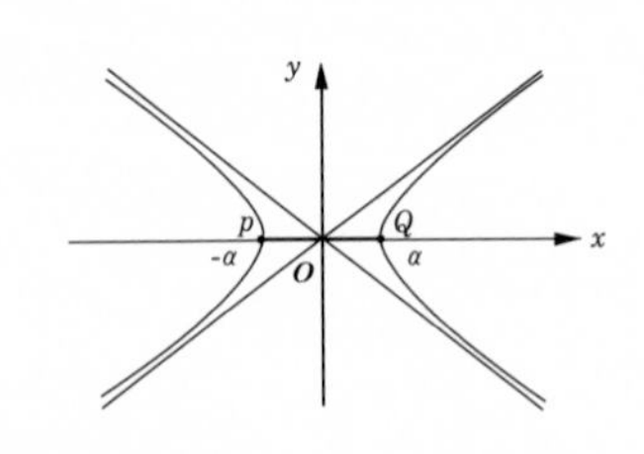

hyperbola: $\dfrac{x^2}{a^2} - \dfrac{y^2}{b^2} = 1$

transverse: $PQ = 2a$

trapezium

(英) 사다리꼴

한 쌍의 대변 opposite sides 이 평행인 사각형을 말한다.

■ **~ rule** 사다리꼴 공식

→ trapezoid rule

trapezoid

(美) 사다리꼴

한 쌍의 대변 opposite side 이 평행인 사각형을 말한다. 특히 평행이 아닌 다른 두 변의 길이가 같은 사다리꼴을 등변사다리꼴 isosceles trapezoid 이라 한다.

■ **trapezoid rule** 사다리꼴 공식

곡선 $y=(x)$와 두 직선 $x=a$, $x=b$ 및 x축에 의해 둘러싸인 부분의 면적에 대한 근사값을 작은 사다리꼴 면적의 합으로 구한 공식을 말한다. 구간(a, b)를 2등분해서 분할점을 $t_0=a$, t_1, $t_2=b$라고 하고 등분된 구간의 폭을 h 다시 $y_0=f(\mathrm{a})$, $y_1=f(t_1)$, $y_2=f(t_2)$라 하면, 구하는 면적 S 의 근사값은 사다리꼴 두 개의 면적의 합에서 구해질 수 있다. 따라서,

$$\frac{1}{2}(y_0+2y_1+y_2)\times h$$

이 근사값이다. 이와 같이 n등분해서 얻을 수 있는 공식은

$$\frac{1}{2}(y_0+2y_1+2y_2+\cdots+2y_{n-1}+y_n)\times h$$

이다.

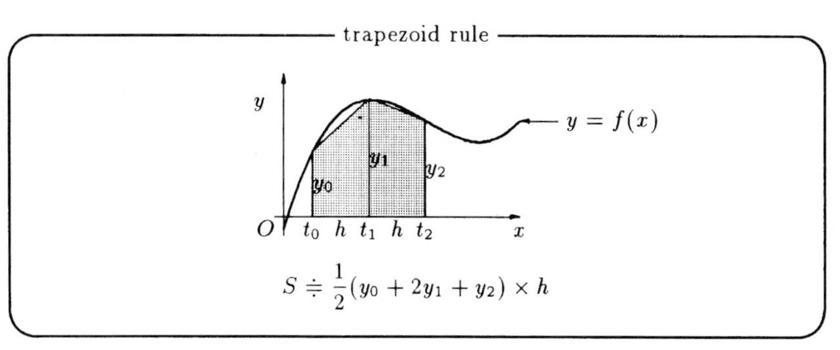

traversible **한붓에 그릴 수 있는**

연필을 종이에서 떼지 않고 같은 길을 두 번 가지 않으면서 전부의 길을 따라 그릴 수 있는 평면도형의 경우를 말한다. 한붓그리기의 도중점은 선이 들어가 나오지 않으면 안되기 때문에 짝수의 길이 모여 있어야 한다. 이러한 점을 짝수 점 even vertex 이라 하고 홀수의 길이 모인 점은 홀수 점 odd vertex 이라 한다. 짝수 점만으로 되어 있는 도형이나 홀수점이 2개인 도형으로써 그 한쪽을 출발점, 나머지 하나를 종점으로 하는 경우에만 이 그리기 방법이 가능하다. 따라서, 홀수점이 3개 이상 있는 도형은 한붓그리기가 불가능하다.

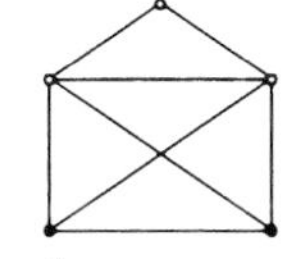

●: odd vertices, ○: even vertices
traversible

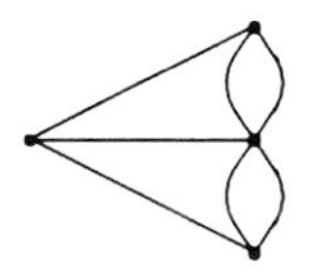

not traversible

tree diagram **수형도 (樹形圖)**

확률에서 모든 결과를 빠뜨림없이 나열하기 위해 연속하여 가지를 칠 때 그 나무 가지처럼 생긴 그림을 말한다. 예를 들어, 주사위를 2회 던질 때 짝수와 홀수가 나오는 경우는 첫 번째에서 짝수와 홀수로 나뉘고, 두 번째에서 그 각각이 다시 짝수와 홀수로 나뉘어져 총 4 가지가 가능하다.

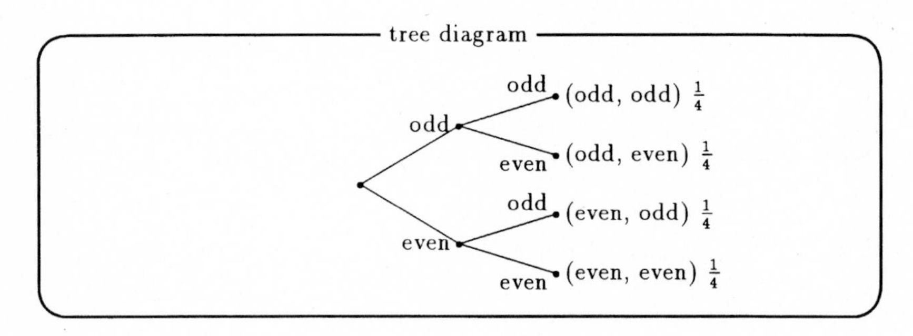

trial **시행**

몇 번이고 반복할 수 있는 실험이나 관찰을 말한다.

- independent ~ 독립시행

  시행의 결과가 다음의 시행에 영향을 주지 않는 시행을 말한다.

- method of ~ and error 시행착오법

  시행과 실수를 반복하면서 보다 좋은 길을 찾는 방법을 말한다. → trial and error method

trial and error method **시행착오**

해결책을 찾기 위해 이것 저것 시도하며 그 결과에서 실수를 고치고, 조금씩 해답에 가까이 가는 과정을 말한다.

triangle **삼각형**

세 개의 변, 세 개의 꼭지점, 세 개의 각을 갖는 다각형을 말한다.

삼각형을 결정하기 위해서는,

1. 세 변의 길이
2. 두 변과 그 사이 각
3. 한 변과 그 양끝 각

중 어느 한가지 조건을 만족하면 된다(합동조건). 세 개의 각이 같을 때는 삼각형이 결정되지만, 크기가 결정되지 않는다(상이조건).

각 A, B, C의 대변 opposite side 을 각각 a, b, c라 하면

$$a^2 = b^2 + c^2 - 2bc\cos A$$

이 성립된다. 이것을 코사인 정리 cosine theorem 라 한다. 피타고라스의 정리는 이것의 특별한 경우이다.

삼각형의 변이나 각으로 보아 다음과 같은 삼각형이 있다.

- **acute ~** 예각 삼각형

  세 개의 각이 전부 90° 보다 작은 삼각형을 말한다.

- **equilateral ~** 정삼각형

  세 변의 길이가 모두 같은 삼각형. 정삼각형은 세 개의 각도 전부 같으며 60° 이다.

- **isosceles~** 이등변삼각형

  두 변의 길이가 같은 삼각형.

- **obtuse ~** 둔각삼각형

  한 개의 각이 90° 보다 큰 삼각형을 말한다.

- **rectangular ~** 직각삼각형

  한 개의 각이 90° 인 삼각형으로 피타고라스의 정리 Pythagoras' theorem 가 성립된다.

■ regular ~ 정삼각형
= equilateral triangle

■ right (-angled) ~ 직각 삼각형
= rectangular triangle

■ scalene ~ 부등변삼각형
세 개의 변의 길이가 전부 다른 삼각형을 말한다.

triangle number **삼각수**

정삼각형 모양으로 나열된 점의 개수를 말한다.
1, 3, 6, 10, … 은 삼각수이다. 이것은, 0에 차례로 1, 2, 3, 4, 5,… 를 누적적으로 더해 얻어진 수열이다.

triangle number

1 3 6 10

triangle numbers

triangular **삼각형의**

■ ~ number 삼각수
= triangle number

■ ~ prism 삼각기둥
밑면이 삼각형인 기둥을 말한다.

■ ~ pyramid 삼각뿔
밑면이 삼각형인 각뿔을 말한다. → tetrahedron

■ ~ square 삼각자

trigon **삼각형**

→ triangle

trigonometric function **삼각함수**

사인($y=\sin x$), 코사인($y=\cos x$), 탄젠트($y=\tan x$)를 말한다. sin, cos, tan은 반지름 r인 원의 원주 위의 점의 좌표를 사용해 다음과 같이 정의된다.

x축의 양의 부분과 이루어지는 각이 θ인 원주 위의 점 $P(x, y)$에 대하여 $\sin\theta=\frac{y}{r}$, $\cos\theta=\frac{x}{r}$, $\tan\theta=\frac{y}{x}$로 정의한다. 특히 반지름을 1로 해서 나타내면

$\sin\theta=y$, $\cos\theta=x$, $\tan=\frac{y}{x}=\frac{\sin\theta}{\cos\theta}$이다.

각도가 음수일 때는 시계 반대 방향으로 측정하면 되므로 삼각함수는 모든 각에 대해 정의된다.

삼각함수의 그래프는 다음과 같고, 특히 코사인의 그래프는 사인의 그래프를 x축 방향으로 $-\frac{1}{2}\pi$만큼 평행 이동한 것이다. 또한 중요한 성질로서 $\sin^2\theta+\cos^2\theta=1$이 있다.

【테리어】 나의 이웃집에서 한 마리의 테리어를 사육하고 있다. 신경질적인 놈이어서 멍멍 짖어 고통을 받고 있는데 언젠가 시계로 재어 보았더니 밤에 누군가가 지나가면 그 뒤 정확히 40분간 계속 짖고 있었다. 이 비율로 이 테리어가 밤새도록 계속 짖도록 하려면 최소한도 몇 사람의 통행인이 필요할까? 다만 밤새도록 이란 편의상 10시간이라 해두자.

➡ 이 문제는 다소 넌센스 문제이다. 답은 1명이다. 구하고자 하는 인원수는 최소인 원수이다. 결국 같은 사람이 왔다 갔다 하면 되는 것이므로 1명으로 충분하다.

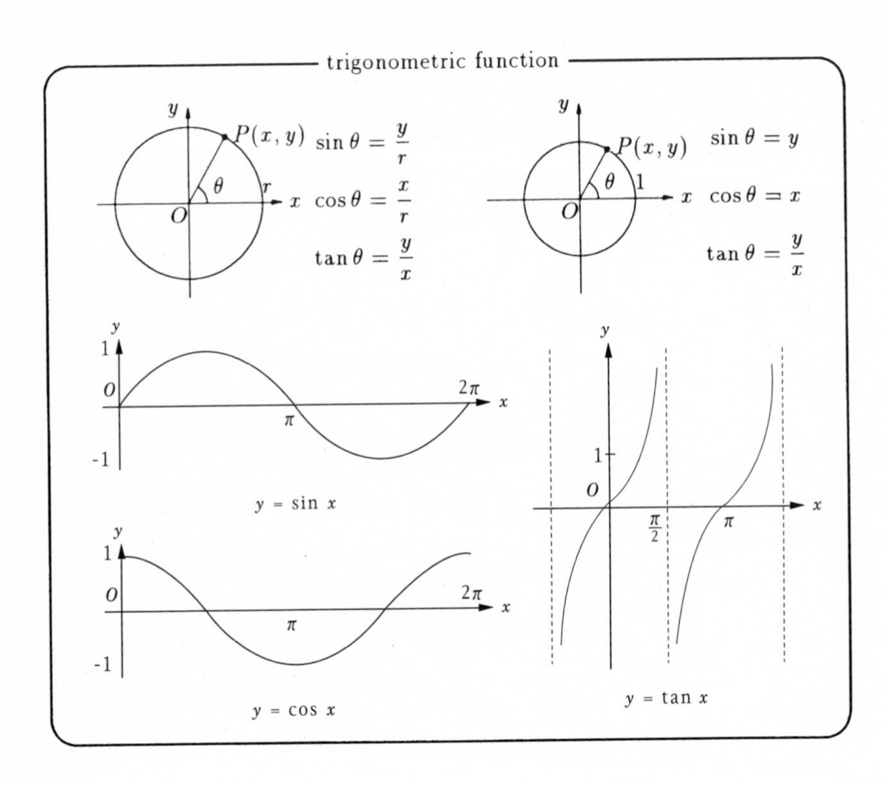

trigonometric ratio **삼각비 (3角比)**

직각삼각형의 한 각에 의해 정해진 변의 비를 말한다. 직각 삼각형은 한 각을 정하면 형태가 정해지므로 크기에 관계없이 변의 비가 결정된다. 다음의 도형에서 각 θ의 대변 opposite side 을 b, 밑변 base 을 a, 빗변 hypotenuse 을 c로 해서 6개의 삼각비를 다음과 같이 정의한다.

$$\sin\theta = \frac{b}{c}$$

$$\cos\theta = \frac{a}{c}$$

$$\operatorname{cosec}\theta = \frac{c}{b} = \frac{1}{\sin\theta}$$

$$\sec\theta = \frac{c}{a} = \frac{1}{\cos\theta}$$

$$\tan\theta = \frac{b}{a}$$

$$\cot\theta = \frac{a}{b} = \frac{1}{\tan\theta}$$

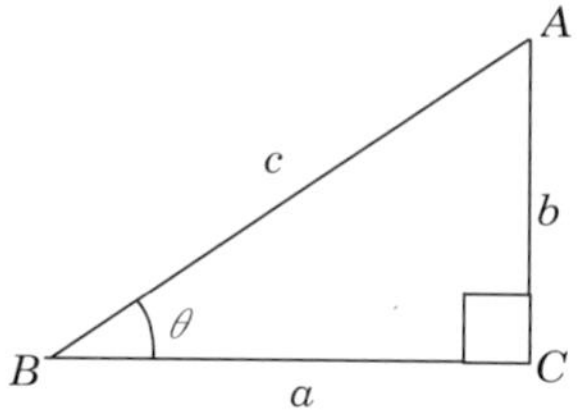

A
c
b
θ
B
C
a

또한, 다음의 식이 성립된다.

$$\tan\theta = \frac{\sin\theta}{\cos\theta}$$

$$\sin^2\theta + \cos^2\theta = 1$$

trigonometry

삼각법 (3角法)

삼각함수를 다루는 수학의 분야로, 측량, 항해, 토목 등에 있어 삼각형의 모르는 변이나 각을 찾는데 응용된다.

trinomial

3항식 (3項式)

3개의 항으로 된 식을 말한다.

trisect

3등분 (3等分)

3개의 똑같은 부분으로 나누는 것을 말한다.

trivial

자명한

사소하다는 뜻도 있지만, 여기서는 설명이 필요 없을 정도로 뻔한 것을 말한다.

truncate

자르다 ; 끝 수를 버리다

truncated **끝을 자른**

끝부분을 자른 원뿔, 각뿔을 각각 원뿔대 truncated cone, 각뿔대 truncated pyramid 라 한다.

– tuple **'배 (倍)' 의 의미**

→ frustum

turning point **변환점**

함수가 증가에서 감소 또는 감소에서 증가로 변화하는 점을 말한다. 변하는 점은 극대 local maximum 또는 극소 local minimum 가 된다.

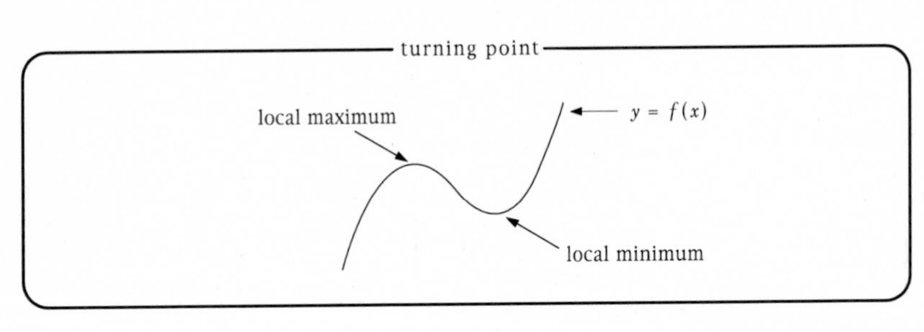

un- 비(非)-, '부정'의 의미

unbounded 비유계(非有界)인, 무한(無限)의

유한하지 않은 것을 말한다. 예를 들어, $\frac{1}{x}$은 x가 한없이 작아질 때 무한히 크게 된다. 이와 같은 경우, $\frac{1}{x}$은 $x=0$ 근방에서 비유계 unbounded 이다.

unconditional 무조건의, 절대적인

어떤 제한도 없는 것을 말한다. 일례로, 모든 실수에 대해 항상 성립하는 부등식을 절대부등식 unconditional inequality 이라 한다.

unfair 공정치 못한, 치우친

확률에서 사건이 일어날 경우가 균일한지 않은 것을 말할 때 사용된다. 예를 들어, 1이 다른 수보다 더 잘 나오는 나오는 주사위는 치우쳤다 unfair 고 한다.

unicursal 한 번에 그릴 수 있는

한번에 그릴 수 있는 도형을 말한다.
→ traversible

union (of sets) 합집합, ∪

두 개의 집합 A, B 중 적어도 어느 한 부분에 속하는 원소의 집합을 말한다. → cup

unit 단위(單位), 단원(單元)

수의 1과 같은 작용을 하는 것으로 물건을 측정하는 기준이 되는 것.

■ ~ circle 단위원(單位圓)

반지름 radius 이 1인 원을 말한다.

■ ~ matrix 단위행렬(單位行列)

모든 행렬 A에 대해 $AE=EA=A$가 되는 행렬 E를 말한다. 2차 정사각행렬일 때는 $E=\begin{pmatrix} 1 & 0 \\ 0 & 1 \end{pmatrix}$이다.

■ ~ point 단위점(單位点)

직선에 실수를 대응시킬 때 우선 원점 O를 정하고 그 오른쪽에 1을 나타내는 점 E를 정하는 데 이 점 E를 단위점 unit point 이라고 한다. → number line

■ ~ vector 단위벡터

크기가 1인 벡터를 말한다. 벡터 $\vec{a}$의 크기를 $|\vec{a}|$라고 한다면 $\dfrac{\vec{a}}{|\vec{a}|}$는 $\vec{a}$와 같은 방향의 단위벡터가 된다.

upper bound

상계(上界)

실수의 부분집합 A의 모든 요소 a에 대해 $u \geq a$인 실수 u를 설정할 때 u를 집합 A의 상계 upper bound 라 한다.

validity

유효성, 타당성

명제 statement 가 옳은 것을 말한다. '실수 x에 대해 $x^2 \geq 0$'는 validity 를 갖는 명제이다. validity 가 없는 틀린 명제를 invalid statement 라고 한다.

value

값

어떤 미지의 수나 수식이 갖고 있는 크기를 말한다. 예를 들면, $12-3\times3$의 값은 3이다. 또 $x=1$ 일 때 $y=2x+3$의 값은 $2+3$으로 5이다.

- **absolute ~ 절대값**
  부호를 무시한 수의 크기를 말한다. 예를 들어, 3의 절대값은 3이고, -2의 절대값은 2이다.

- **approximate ~ 근사값**
  참값과 같지는 않으나 참값에 가까운 값을 말한다. 근사값과 참값의 차이를 오차(誤差)라 한다.

variable

변수 (變數)

식에서 변하는 수를 말하며, 보통 문자를 이용하여 표시한다. $x+2y=0$일 경우 x, y가 변수이다.

- **dependent ~ 종속변수(從屬變數)**
  다른 변수의 값에 따라 결정되는 변수를 말한다. 예를 들면, $y=x^2-2$일 경우 y는 $x=2$이면 $y=4-2=2$ 이고 $x=3$이면 $y=9-2=7$로 x의 값에 따라 달라지는 종속변수이다.

- **independent ~ 독립변수(獨立變數)**

다른 변수의 영향을 받지 않고 자유롭게 값이 변하는 변수를 말한다. $y=x^2-2$일 경우 x가 독립변수이다.

■ **random ~** 확률변수(確率變數)

어느 표본 공간 sample space 의 각 사건에 대해 값이 정해진 변수 X로, X의 값 또는 X값의 집합에 대하여 확률이 주어진 변수를 말한다. 예를 들어, 2개의 주사위를 던져 나온 수의 합을 X라 하면 X는 2, 3, 4, 5, 6, 7, 8, 9, 10, 11, 12 의 값을 갖게 된다. 합이 2가 되는 확률은 $P(X=2)=\frac{1}{36}$ 이 되며 X가 7일 때 확률은 최대인 $\frac{1}{6}$ 이다.

variance **분산 (分散)**

편차(偏差) deviation 들의 제곱의 평균 mean 을 말한다. 분산을 V, 자료의 개수를 N, 평균을 M이라 하면

$$V=\frac{\sum(X-M)^2}{N}$$

이 된다. 분산이 클수록 자료들이 흩어져 있음을 나타낸다. 분산의 제곱근을 표준편차(標準偏差) standard deviation 라 한다.

■ **population ~** 모(母)분산

모집단의 분산을 말한다.

■ **sample ~** 표본분산

추출된 표본의 분산을 말한다.

variation **변화, 변동, 비례, 진폭**

■ **direct ~** 정비례 (正比例)

변수 x가 2배, 3배 변화할 때 변수 y도 2배, 3배 변

화할 경우 y는 x에 정비례한다고 한다. 이렇게 y가 x에 정비례할 때 $y=kx$라고 쓸 수 있다. → direct

■ inverse ~ 반비례 (反比例)

변수 x가 2배, 3배 변화할 때 y가 $\frac{1}{2}$배, $\frac{1}{3}$배로 변화할 경우 y는 x에 반비례한다고 하며 $y=\frac{k}{x}$로 쓸 수 있다. → inverse proportion

vary

변화하다

■ varies directly as ~ ~와 정비례한다

$y=kx$라고 쓸 때 y varies directly as x 라 한다. → direct

■ varies inversly as ~ ~와 반비례한다

$y=\frac{k}{x}$라고 쓸 때 y varies inversely as x 라 한다. → inverse proportion

■ varies jointly as ~ and … ~와 …에 비례한다

$z=kx+ly$라고 쓸 때 z varies jointly as x and y 라고 한다. → joint variation

vector

벡터

크기와 방향을 갖는 양을 말한다. 예를 들어, 힘 force, 속도 velocity, 변위 translation 등은 벡터이다. 벡터는 화살표로 표시하며 화살표의 길이로 벡터의 크기를, 화살표의 방향으로 벡터의 방향을 표시한다. 따라서 오른쪽으로 4, 위쪽으로 3 이동한 벡터는 359페이지 그림과

같이 화살표로 나타내며 $\begin{pmatrix} 4 \\ 3 \end{pmatrix}$로 표시한다. 이 때 4, 3을 벡터의 성분이라 한다. 또 이 화살표의 길이는 5이기 때문에 벡터 $\begin{pmatrix} 4 \\ 3 \end{pmatrix}$ 의 크기는 5 이다. 벡터의 크기는 $|\vec{a}|$라고 쓴다. 벡터 연산은 다음 페이지의 그림에서 보듯이 삼각형 또는 평행사변형을 이용하여 정의한다.

■ column ~ 열(列)벡터

한 개의 열로 이루어진 벡터를 말한다. $\begin{pmatrix} a \\ b \end{pmatrix}$는 열(列)벡터이다.

■ component ~ 성분벡터

벡터를 성분으로 표시한 것을 말한다. $\begin{pmatrix} 1 \\ 2 \end{pmatrix}$, $(1, 2, 3)$은 성분벡터이다.

■ inverse ~ 역(逆)벡터

$\vec{a}$ 와 크기가 같고 방향이 반대인 벡터를 $\vec{a}$ 의 역(逆)벡터라 하며 $-\vec{a}$라고 표시한다.

■ normal ~ 법선(法線)벡터

평면 α에 수직인 벡터로 법선의 방향을 나타내는 벡터가 법선벡터이다. → normal

■ null ~ 영(零)벡터

크기가 0인 벡터를 말하며 $\vec{0}$라고 표시한다. 영(零)벡터의 성분은 전부 0이다.

■ position ~ 위치벡터

기준 점을 O로 할 때 점 P에 대해 벡터 $\vec{p} = \overrightarrow{OP}$를 대응시키면 $\vec{p}$는 P의 위치를 나타낸다. 이것을 P의 위치벡터라 한다.

■ row ~ 행(行)벡터

한 개의 행으로 이루어진 벡터를 말한다.

(a, b, c)는 행(行)벡터이다.

■ unit ~ 단위(單位)벡터

크기가 1인 벡터를 말한다. $\frac{\vec{a}}{|\vec{a}|}$는 $\vec{a}$와 같은 방향의 단위 벡터이다.

$\begin{pmatrix} 1 \\ 0 \end{pmatrix}$, $\begin{pmatrix} 0 \\ 1 \end{pmatrix}$은 가장 기본적인 단위벡터이다.

■ velocity ~ 속도벡터

속도를 나타내는 벡터를 말한다.

■ zero ~ 영(零)벡터

= null vector

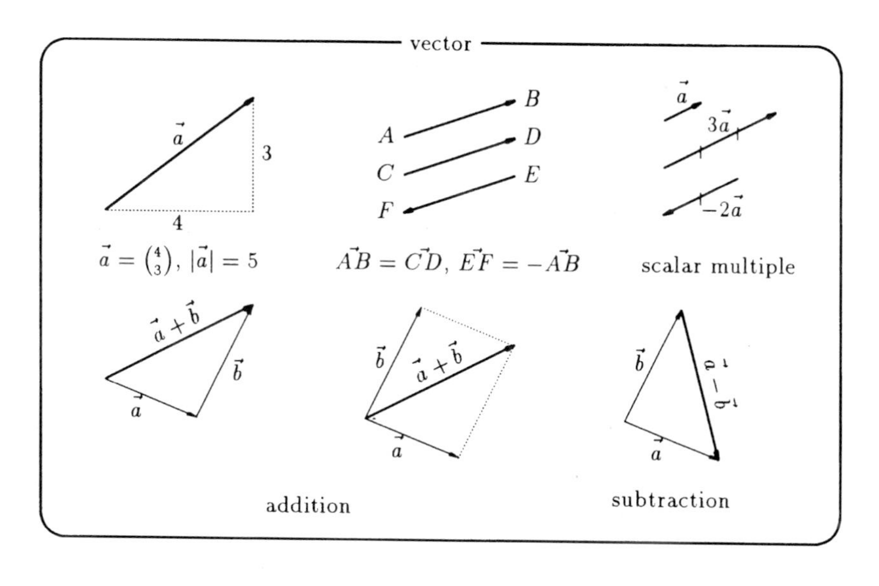

vector addition　　벡터합(合)

$\vec{a}$ 의 종점(終点)에 $\vec{b}$ 의 시점(始点))을 연결할 때의 벡터를 벡터의 합이라고 하며 $\vec{a}+\vec{b}$라고 쓴다. 성분으로 나타내면 $\begin{pmatrix} a \\ b \end{pmatrix}+\begin{pmatrix} c \\ d \end{pmatrix}=\begin{pmatrix} a+c \\ b+d \end{pmatrix}$이다.

뺄셈은 $\begin{pmatrix} a \\ b \end{pmatrix}-\begin{pmatrix} c \\ d \end{pmatrix}=\begin{pmatrix} a-c \\ b-d \end{pmatrix}$이다. → scalar, cross product

velocity **속도(速度)**

방향을 갖는 속력 speed 을 말한다. 예를 들면, 북쪽으로 60km, 동쪽으로 60km는 속력은 같지만 속도 velocity 는 다르다.

또, 회전속도(回轉速度)를 단위시간당 회전각으로 표시한 것을 각속도(角速度) angular velocity 라 한다. 1초간에 60° 회전하는 속도는 1분에 10회전하는 속도를 나타낸다.

Venn diagram **벤다이어그램**

하나 하나의 집합을 원으로 하여 집합의 포함관계를 나타내는 도표를 말한다. $A=\{1,2,3\}$, $B=\{1,2,5,6\}$, $C=\{2,4,6\}$을 벤다이어그램으로 나타내면 다음과 같다.

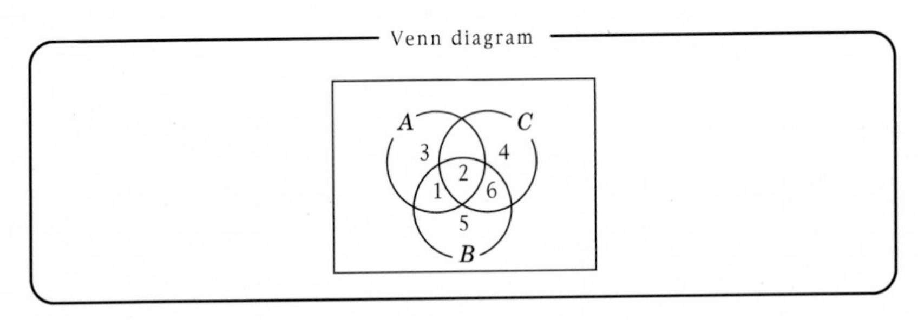

vertex **꼭지점**

다각형(多角形) polygon 이나 다면체(多面體) polyhedron 의 변이 만나는 점을 말한다.

- **corresponding vertices** 대응(對應) 꼭지점
  닮은 도형(圖形)에서 대응하고 있는 위치의 꼭지점을 말한다.

- **~ angle** 꼭지각
  삼각형의 밑변과 마주보는 각을 꼭지각 vertex angle 이라 하고, 밑변의 양끝에 있는 각을 밑각 base angle 이라 한다.

vertical **수직의, 연직의 ; 수직선**

수평면에 직각인 방향을 말한다. 초등기하학에서는 임의의 한 직선에 대하여 수직방향으로 그은 선을 수직선 vertical line 이라 한다.

vertically opposite angle **맞꼭지각**

두 직선이 한 점에서 만날 때 서로 이웃하지 않는 각을 말하며 맞꼭지각의 크기는 서로 같다. 대정각(對頂角)이라고도 한다.

vice versa **역(逆)도 마찬가지로**

volume **체적(體積), 부피**

입체가 차지하고 있는 공간의 크기를 말한다. 각기둥 prism 의 부피는 아래 면적×높이, 각뿔의 부피는 아래 면적×높이÷3, 구 sphere 의 부피는 $\frac{4}{3}\pi r^3$로 구할 수 있다.

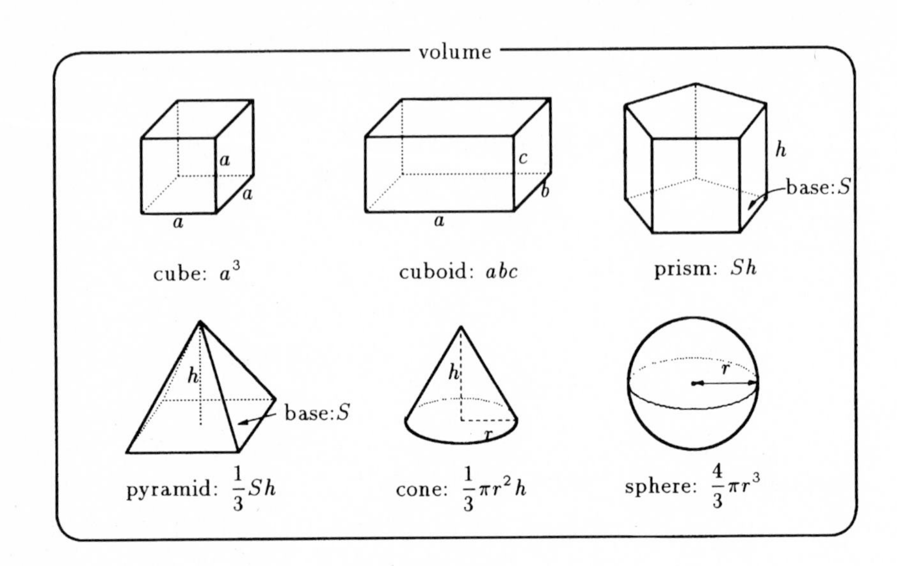

vulgar fraction **보통 분수, 통상 분수**

분모와 분자가 모두 정수(整數)인 분수를 말한다.

$\frac{1}{2}$, $\frac{12}{23}$ 는 보통분수 vulgar fraction 이다. = common fraction weight

중량 (重量)

중력(重力) 가속도 gravity acceleration 에 의해 생기는 질량 mass 에 비례하는 힘 force 을 말한다.

weighted mean

가중평균 (加重平均)

자료의 값 x_i에 가중치 g_i를 덧붙여서 계산한 평균

$$\bar{x} = \frac{g_1 x_1 + g_2 x_2 + \cdots + g_n x_n}{g_1 + g_2 + \cdots g_n}$$

을 말한다. 예를 들면, 수학과의 입학시험에서 영어, 과학, 수학의 3교과의 시험을 본다고 할 때 수학시험을 중시하여 영어, 과학의 점수에 비해 2배의 가중치를 준다고 하면 영어 80점, 과학 84점, 수학 94점이 나왔을 때 학생의 가중 평균 점수는

$$\frac{80+84+2\times94}{1+1+2} = \frac{352}{4} = 88$$

이 된다. 그러나 가중치를 주지 않은 보통의 평균은

$$\frac{80+84+94}{3} = 86$$

이 된다.

whole event

전사건 (全事件)

일어날 수 있는(확률상) 모든 경우의 사건을 말한다. 전사건의 확률은 1 이다.

whole set

전체집합 (全体集合)

대상이 되는 모든 요소를 모아 놓은 집합을 말한다. 예를 들어, 연체동물의 전체집합은 문어, 조개 등 연체동물 모두를 포함하는 집합을 말하는 것이다.

whole number

정수 (整數)

0, ±1, ±2, …로 표시할 수 있는 수. = interger

x-y graph **x-y 그래프**

x축을 가로축, y축을 세로축으로 하는 좌표 coordinates 위에 그린 그래프를 말한다. → Cartesian coordinates, graph

x-y graph

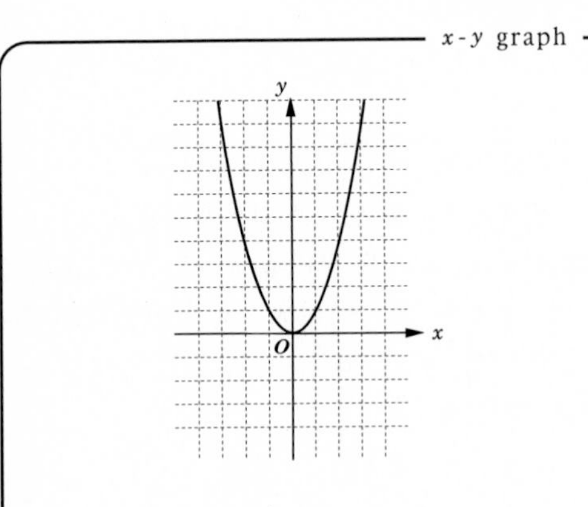

graph : $y = x^2$

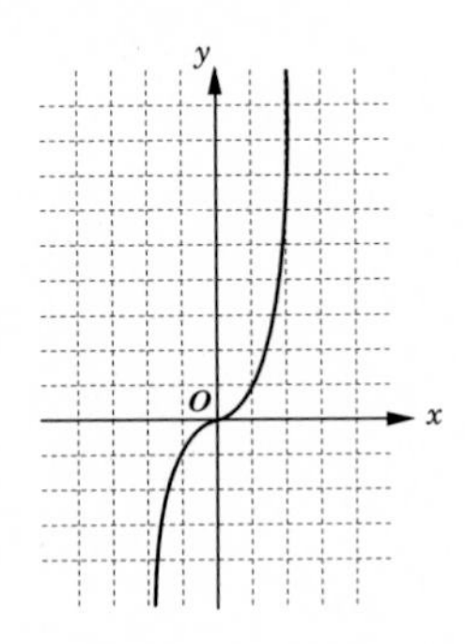

graph : $y = x^3$

yard

야드

길이의 기본 단위중의 하나이다. 91.44cm를 1야드라 한다. 1 yd=3 ft=36 in, 1마일은 1760 야드이다.

→ conversion table

yield

생기다

zero

영 (零)

영(零)은 nought 라고도 한다. 영은 덧셈에서 $0+a=a+0=a$이므로 항등원이 된다.

■ ~ matrix 영(零)행렬

모든 성분이 0이 되는 행렬을 말하고 O라고 표시한다. 임의(任意)의 행렬 A가 있을 때 $A+O=O+A=A$, $AO=OA=O$가 성립된다.

■ ~ vector 영(零)벡터

모든 성분이 0이 되는 벡터를 말한다. 이 벡터의 크기는 0이다.

zone

구역 (區域), 구간 (區間)

영역(領域) region 을 말한다. 특히, 구면과 만나는 평행인 두 평면 사이에 끼인 구면(球面)부분을 구대(球帶) zone of sphere 라고 한다.

DICTIONARY OF MATHEMATICS FOR STUDYING ABROAD

INDEX

우리말로 영어 표제 찾기

A - Z

DICTIONARY OF MATHEMATICS FOR STUDYING ABROAD

Dictionary of Mathematics for studying abroad

0, 무(無) nought 225
0의, 공(空)의 null 225
'1/10'의 뜻 deci- 85
1대 1 one-to-one 231
1차 방정식 linear equation 116, 197
1차 부등식 linear inequality 197
1차식 linear expression 129
2×3=6 two times three is six 338
2등변(等邊)의 isosceles 189
2등변삼각형 isosceles triangle 189
2배, 2회 two times 338
2중근 double root 294
2진 부호 binary code 35
2진 숫자 binary digit 35
2진(二進)의, 2원(二元)의 binary 35
2진법 binary notation 35
2차 곡선 quadratic curve 81, 268
2차 방정식 quadratic equation 116, 268
2차식 quadratic expression 268
2차의, 평방의, 제곱의 quadratic 267
3등분 trisect 351
3차 곡선 cubic curve 79
3차 방정식 cubic equation 79, 115
3차 함수 cubic function 79
3차의, 입방체의 cubic 79
3항식 trinomial 351
4각수 quadrangular number 267
4분원; 사분면 quadrant 267
4분위(分位) 사이의 interquartile 182
4분위(分位), 4분위수 quartile 271
4분의, 15분(分) quarter 270
4차 방정식 quartic equation 117, 270
4차 함수 quartic function 270
4차의 quartic 270
'5'의, 5- penta- 242
5각형 pentagon 242
5면체 pentahedron 243
5차의 quintic 271
'6'의 의미 hexa- 158
6각형 hexagon, sexangle 158, 307
6면체 hexahedron 158
6분원(6分圓) sextant 307
'7'의 의미 hepta- 157
7각형 heptagon, septangle 157, 304
7변형 septagon 304
'8'의 의미 oct-, octa-, octo- 228
8각형 octagon 228
8면체 octahedron 228
8배; 8배의 octuple 229
8분원(八分圓) octant 229
8진법 octal notation 229
'9'의 의미 nona 223
9각형 enneagon, nonagon 113, 223
9면체 enneahedron 113
'10'의 뜻 deca- 85
10각형, 10변형 decagon 85
10면체 decahedron 85
10의 100승 googol 148
10의, 10진법의 denary 87
10진법 denary scale 87
10진법의, 소수의 decimal 85
'12'의 뜻 dodeca- 102
12각형 dodecagon 102
12면체 dodecahedron 102
12진법의 duodecimal 104
15각형 pentadecagon 242
16진법 hexadecimal 158
16진법의 sexadecimal 307
20면체 icosahedron 164
60의, 60진법의 sexagesimal 307

ㄱ

가능도(可能度) likelihood 196

가분수(假分數)	improper fraction	168
가산집합(可算集合)	countable set	306
가설(假說)	hypothesis	162
가속도	acceleration	23
가수(假數)	mantissa	206
가우스 평면	Gaussian plane	249
가장 가까운	nearest	219
가설(假說)	hypothesis	162
가정(假定)	assumption	31
가정(假定)하다	assume	30
가중평균(加重平均)	weighted mean	363
각(角)	angle	25
각(角)의 이등분선	bisector of angle	36
각기둥	prism	258
각도계	goniometer	148
각도기	protractor	264
각뿔, 피라미드	pyramid	265
각뿔대	frustum of pyramid	143
각속도(角速度)	angular velocity	360
-각형	-gon	147
간단히 하다, 답을 구하다	implify	312
간접적 정의	implicit definition	168
간접적인, 음의	implicit	167
간접증명	indirect proof	171
감소하는	decreasing	86
'같은~'의 뜻	equi-	118
값	value	355
값을 구하다	evaluate	123
값의 범위	range of values	274
개구간(開區間)	open interval	231
개방	extraction	130
개평(開平)	extraction of squard root	130
거듭제곱, 멱, 지수	power	256
거듭제곱근	radical root	294
거리	distance	99
거울상	reflection	283
거짓	falsity	135
거짓의, 틀린	false	135
검산(檢算)	check	45
겉넓이	surface area	322
결과	outcome	236
결론(結論)	conclusion	60
결론을 내리다	conclude	60
결합 변화	joint variation	191
결합; 동시의	joint	191
결합법칙	ssociative law	30
결합적	associative	30
경계	boundary	37
경도, 경선	longitude	201
경로, 길	path	242
경사의	skew	317
계급폭	class interval	49
계산(計算), 값구하기	evaluation	123
계산(計算), 연산(演算)	calculation	39
산술	arithmetic	30
계산기, 계산표	calculator	39
계산법, 미적분(微積分)	calculus	39
계산오류, 오산	miscalculate	214
계산자	slide rule	318
계산하다	calculate	39
계수 조견표, 계산 조견표	ready reckoner	277
계수(係數)	coefficient	52
계수(階數)	rank	274
고유값	characteristic value, proper value	44, 262
고유벡터	proper vector	262
고유의	proper	261
고유한 것이 아닌	improper	168
곡선(曲線)	curve	81
곱셈	multiplication	217
곱셈의	multiplicative	217
공간	space	321
공리(公理)	axiom, maxim	32, 208
공면(共面)의	coplanar	69

공배수(公倍數) common multiple 53, 217
공비(公比) common ratio 54, 275
공사건(空事件) empty event 111, 125
공식 formula 140
공식의 변형 transformation of formula 341
공식의 주제(主題) subject of formula 328
공식화하다 formulate 140
공약수(公約數) common divisor 53
공역(空域) co-domain 51
공유점(共有點) common point 54
공점(共點)의 concurrent 60
공정치 못한, 치우친 unfair 353
공집합 empty set 111, 307
공차(公差) common difference 53
공통분모(共通分母)
common denominator 52
공통의, 공유(共有)의 common 52
공통인수(共通因數) common factor 53, 131
과학 표기 scientific notation 301
관계, 관련 relation 287
관계식(關係式), 관련식 relationship 288
괄호( ) parenthesis 241
교대 급수 alternating series 305
교점(호) node 223
교점(도형) point of intersection 252
교점, 공통부분 intersection 183
교집합(交集合) cap 39
교차하다 intersection 182
교체하다, 이동시키다 displace 99
교환의, 가환의 commutative 54
교환 비율, 환율 exchange rates 126
교환하다, 교환 exchange 126
구(球),구면(球面) sphere 322
구(球)의, 구면(球面)의 spherical 322
구(球), 지구 globe 147
구간 interval 183
구대(球帶) zone of sphere 366
구분, 단면, 절단면 section 302
구역(區域), 구간(區間) zone 366
군(群) group 152
궤도 trajectory 339
귀납법(歸納法) induction 172
귀납적인 inductive 173
그래프, 도식(圖式) graph 149
그램 gram(g) 149
그러므로 therefore 338
그룹으로 분류된 자료 grouped data 153
그림그래프, 픽토그램 pictogram 247
극소, 최소 minimum 213
극소의, 최소의 minimal 213
극좌표(極座標) polar coordinaties 253
극한 limit 196
근(根), 거듭제곱근 root 293
근(根)의, 제곱근의 radical 272
근사(近似), 근사값 approximation 27
근사(近似)의 approximate 27
근사값 approximate value 27, 355
근원(根元) 사건 elementary event 124
급수(級數) series 305
기대값, 기대 expectation 127
기수(基數), 농도(濃度) cardinal number 40
기약분수 irreducible fraction 188
기울기, 경사 slope, gradient 319, 148
기울어진, 경사의 oblique 227
기하 급수, 등비 급수 geometric series 305
기하수열(幾何數列)
geometric progression 146
기하평균(幾何平均) geometric mean 146, 209
기하학(幾何學) geometry 147
기하학의 geometric 146
기함수 odd function 229
기호 notation 224
기호법, 표시법 notation 224
기호, 부호 symbol 332

길이 length 196
꼬인 직선 skew lines 317
꼭지각 vertex angle 361
꼭지점 vertex 360
꽉 채우기 tessellation 336
꽉 채우다 tiling 338
끌어내다, 추론하다 derive 90
끝을 자른 truncated 352

ㄴ

나누다; 분할, 할선 secant 302
나눗셈, 제법(除法) division 102
나머지 remainder 288
나머지 정리 remainder theorem 289
나선, 나사 helix 156
나선형의(螺旋形) spiral 322
난수(亂數) random number 273
내(內)싸이클로이드 hypocycloid 162
내각(內角) interior angle 24, 181
내대각(內對角) interior opposite angle 181
내부; 안의 interior 181
내심(內心)
incenter, center of incircle 169, 42
내엇각 alternate interior angles 24
내적(內積) dot product 103
내접 inscription 178
내접 다각형 inscribed polygon 178
내접 사각형 cyclic quadrilateral 83
내접시키다 inscribe 177
내접원(內接圓)
incircle, inscribed circle 169, 177
넓이, 면적(面積) area 28
네트워크 network 221
노드 node 223
노먼 gnomon 147
노트; 매듭 knot 193
높이 altitude 25
누승근(累乘根) radical root 272
누적 도수(累積 度數)
cumulative frequency 80
누적분포(누적도수)곡선 ogive 230
눈금 scale 300
뉴턴 newton 222
뉴턴의 법칙 Newton's method 222

ㄷ

다(多)-, 복(複)-의 의미 poly 253
다각형(多角形) polygon 253
다면체(多面體) polyhedron 254
다항식(多項式), 정식 polynomial 255
단리(單利) simple interest 312
단면(斷面) cross section 76
단면적(斷面績) cross-sectional area 77
단순 4폐곡선 simple closed curve 312
단위(單位), 단원(單元) unit 353
단위(單位)벡터 unit vector 354, 359
단위원(單位圓) unit circle 354
단위점(單位点) unit point 354
단위행렬(單位行列) unit matrix 354
단조감소(單調減少) strictly decreasing 327
단조증가(單調增加) strictly increasing 328
단진동(單振動)
simple harmonic motion, s.h.m. 312, 308
단축 minor axis 213
단항식(單項式) monomial 216
닫혀 있는 closed 50
닮은 similar 311
닮은 비 similitude ratio 275
닮음, 닮은변환 similarity 312
닮음변환 similar transformation 341

닮음의 중심 center of similitude 43
답, 해답, 해법 solution 321
(~) 당(當) per 243
당겨 늘리다 stretch 327
대각(對角) opposite angles 232
대각선 diagonal 91
대변(對邊) opposite sides 232, 308
대분수(帶分數)
mixed umber, mixed fraction 214
대상, 목표물 object 227
대수학(代數學), 대수 algebra 23
대역(大域)의 global 147
대우(對偶) contraposition 66
대원(大圓) great circle 151
대응 꼭지점 corresponding vertices 72, 361
대응 도식(對應圖式) mapping diagram 206
대응(對應) correspondence 71

대응(對應)하는, 일치(一致)하는
corresponding 72
대응(對應)하다 correspond 71
대응변(對應邊) corresponding sides 72, 308
대응선(對應線) corresponding lines 72
대응점(對應點) corresponding points 72
대입(代入), 치환(置換) substitution 329
대입하다, 치환하다 substitute 329
대칭, 대칭변환 symmetry 334
대칭률 symmetric law 333
대칭면 plane of symmetry 250
대칭변환 symmetric transformation 341
대칭식 symmetric expression 333
대칭의 symmetric 333
대칭점(對稱點), 대칭의 중심
point of symmetry 252
대칭축(對稱軸) axis of symmetry 32
대하다 substend 329
덜 중요한; 작은 쪽의 minor 213
데이터, 자료 data 85
도 grade 148
도면, 겨냥도 plot 251
도수 분포 다각형 frequency polygon 142
도수(度數), 빈수 frequency 141
도수분포 frequency distribution 100
도표 chart 45
도표, 도형 diagram 92
도함수 derived function 90
도형, 도식 figure 136
도형수(圖形數) figurate number 136
독립변수(獨立變數)
independent variable 170, 355
독립 사건 independent event 125, 170
독립시행 independent trial 346
독립의 independent 169
동등한, 같다 equal 114
동시(同時)에 일어나는 simultaneous 314
동시분포 simultaneous distribution 314
동심(同心)의 concentric 60
동심원(同心圓) concentric circle 60
동위각(同位角) corresponding angle 72
동일직선상의, 공선(共線)의 collinear 52
동일한, 항등의 identical 164
동치 분수 equivalent fraction 120
동치(同値), 동등 equivalence 120
동치(同値)인, 같은 equivalent 120
동평면의 coplanar 69
되갚기, 반제(返濟) pay-back 242
둔각삼각형 obtuse triangle 347
둔각의 obtuse 227
뒤집다, 반전하다 flip 137
등(等)-, 같은 iso- 188
등각다각형 isogon 188
등각의 equiangular, isogonal 118, 189
등거리 equidistance 118
등거리의 equidistant, isometric 118, 189

등근, 중근 equal root 294
등변다각형 equilateral polygon 118
등변사다리꼴 isosceles trapezoid 189
등변의; 등변형 equilateral 118
등비수열(等比數列)
geometric progression 146, 260
등식(等式) equality 115
등장변환(等長變換) isometry 189
등장사상(等長寫像) isometric map 189
등차수열(等差數列)
arithmetic progression 30, 260
또는; 논리합 or 233

ㄹ

라디안 radian 272
라틴 방진(方陣) Latin square 194
로고, 표어 Logo 201
로그 logarithm 200
로마숫자 roman numeral 293
리터 liter(ℓ) 199

ㅁ

마름모 rhombus, lozenge 292, 203
마름모꼴의 rhombic 292
마방진(魔方陣) magic square 204
마이너스가 아닌 non-negative 223
마이너스의, 음(陰)의 negative 220
마일 mile 212
마주하는 쪽의 opposite 232
막대 그래프
bar chart , bar graph, block graph 34, 36
맞꼭지각 vertically opposite angle 361
매개변수 arameter 240
멱급수 power series 306
면(面), 표면 surface, face 332, 131
면대칭 plane symmetry 334
명백한, 양- explicit 127
명제(命題) proposition 264
모(母)분산 population variance 356
모두 되갚기 pay-off 242
모드 mode 215
모서리 corner 70
모선(母線) slant height 318
모순(矛盾), 불합리(不合理) contradiction 66
모집단(母集團) population 255
모평균 population mean 209
몫 quotient 271
뫼비우스의 띠 Möbius strip 214
무게 중심 center of gravity 42
무리 방정식 irrational equation 116, 186
무리부등식 irrational inequality 187
무리수(無理數) irrational number 188
무리수(無理數)의 irrational 186
무리식 irrational expression 187
무리함수 irrational function 187
무작위 표본
random sample, sample random 273, 298
무작위(無作爲)의; 확률적인 random 273
무조건의, 절대적인 unconditional 353
무한 집합 infinite set 307
무한, 무한대 infinity 176
무한소; 무한히 작은 infinitesimal 175
무한소수 decimal infinite 85
무한한; 무한 infinite 175
무효의, 옳지 않은 invalid 184
미분, 도함수(導函數) derivative 89
미분방정식 differential equation 115
미분의, 차(差)의 differential 92
미분하기, 미분법 differentiation 93
미분하다 differentiate 93

미터 meter 212
미터법 metric system 212
밀리 milli- 212
밑, 기수(基數), 밑변 base 34
밑각 base angle 34
밑면적 area of base 34

ㅂ

바른, 정확한 correct 70
바른, 치우침이 없는 fair 134
반 4분위간의 범위
semi-interquartile range 303
반구(半球) hemisphere 157
반례(反例) counter example 75
반반의 evens 123
반비(反比), 역비(逆比) reciprocal ratio 280
반비례(反比例) inverse proportion 185, 263
반비례하다 varies inversely as 357
반사, 반전 reflection 283
반사적인 reflexive 284
반수(反數)
additive inverse, opposite number 184, 232
반올림 rounding off 297
반올림하다 round 296
반원(半圓) semicircle, hemicycle 303, 157
'반(半)'의 뜻 semi-, hemi- 303, 157
반제 기간 pay-back period 242
반증(反證) disproof 99
반증하다 disprove 99
반지름 radius 272
반지름의 radial 272
반직선 ray 277
발사체 projectile 260
발산하다 diverge 101
방사형의 radial 272
방심(傍心) ecenter, excenter 107, 125
방접시키다 escribe 121
방접원(傍接圓) ecircle, excircle 107, 126
방정식(方程式) equation 115
방향(方向) sense 304
방향이 있는, 유향(有向)의 directed 95
(상호에) 배반 mutually exclusive 218
배반 사건(排反事件) exclusive event 125
배수(倍數); 배수의 multiple 217
배율(倍率), 확대
magnification, scale factor 204, 300
'배(倍)'의 뜻 tuple 352
배타적 논리합 or else 235
백(百) cent 42
백만 million 213
백분도(百分度) centigrade 43
백분위수, 백부위수의 자릿수 percentile 244
백분율변화 percentage change 243
백분율오차 percentage error 243
버림 rounding down, cut-off 297, 82
번분수(繁分數) compound fraction 59
범위(範圍), 영역(領域) region 284
범위(範圍), 치역(値域) range 273
범주(範疇) category 41
법(法), 절대값 modulus 216
법(法)으로 mod, modulo 215, 216
법선(法線) normal 223
법선(法線)벡터 normal vector 358
벡터 vector 357
벡터합(合) vector additon 359
벤다이어그램 Venn diagram 360
변(邊), 측면(側面) side 308
변, (입체의)모서리 edge 108
변곡(變曲) inflection 176
변곡점(變曲點) point of inflection 252
변수(變數) variable 355
변화, 변동 variation 356

변화하다 vary 357
변형시키다, 변환시키다 transform 340
변형, 변환 transformation 340
변환점 turning point 352
별모양 pentagram 243
보각(補角) supplementary angles 331
보간 interpolation 182
보다 많이, 보다 크게 more than 216
보다 작은 less than 196
보다 크다 greater than 151
보조정리 lemma 195
보집합(補集合) complement 55
보통 분수 vulgar fracion 362
복리(複利) compound interest 59
복소 평면 complex plane 249
복소수(複素數) complex number 56
복합 사건 compound event 124
복합명제, 복합문 compound statement 59
볼록한 convex 68
부각(俯角), 복각(伏角) depression 89
부등변 삼각형 scalene triangle 300, 348
부등사변형 trapezoid 344
부등식(不等式) inequality 173
부분(部分), 일부(一部) part 241
'부분', '하위'의 뜻 sub- 328
부분군(群) subgroup 328
부분집합(部分集合) subset 329
부진근수(不盡根數), 무리수 surd 332
부채꼴, 호(弧) sector 302
부호(符號), 기호(記號) sign 310
분류(分類) classification 49
분모(分母) denomination 87
분배의 distributive 100
분산(分散) variance 356
분수(分數) 방정식 fractional equation 116
분수(分數) fraction 140
분수의, 끝수의 fractional 141
분자(分子) numerator 226
분포 distribution 100
분해(分解) resolution 290
분해하다 resolve 290
불변(不變), 보존(保存) conservation 63
불변성(不變性)
invariance, permanence 184, 245
불변식, 불변점 invariant 184
불변인, 영구적인 permanent 245
불안정 평형 unstable equilibrium 119
불연속의 discontinuous 97
비(比) ratio 275
비(非)- un-, non- 353, 223
비교(比較) comparison 54
비교하다 compare 54
비대칭 분포(非對稱 分布)
skew distribution 317
비례,진폭 variation 356
비례배분 proportional distribution 263,
proportional division 264
비례배분하다, 분배하다 prorate 264
비례상수 proportional constant 263
비례의, 비례하다. proportional 263
비어있는 empty 111
비유계(非有界)인, 무한(無限)의
unbounded 353
비율, 비, 비례 proportion 263
비율, 율 rate 274
비정칙행렬(非正則行列) singular matrix 316
비틀어지는, 꼬이는 skew 317
빗변 hypotenuse 162
빗원뿔 oblique cone 61
빠르기, 속력(速力) speed 321
빼다 subtract 330

ㅅ

사각형 quadrangle 267
사각형의 quadrangular 267
사건(事件) event 123
사교좌표, 빗좌표 oblique coordinates 227
사교축 oblique axis 227
사다리꼴 trapezium 344
사다리꼴 공식 trapezoid rule 344
사다리꼴형 trapezoid 344
사면체(4面體) tetrahedron 337
사변형, 사각형 quadrilateral 269
사분면 quadrant 267
사분원 quadrant 267
사상(寫像) map, mapping 206
사안지(斜眼紙) isometric paper 189
사이클로이드 cycloid 83
사인 sine(sin) 315
사인 곡선 sine curve 315
사인정리 sine theorem 315
사추체, 빗원뿔 oblique cone 227
산술 급수, 등차 급수 arithmetic series 305
산술평균(算術平均) arithmetic mean 30, 209
산포(散布) spread 323
산포도(散布度) measure of dispersion 210
산포도(散布圖) scatter diagram 300
삼각기둥 triangular prism 348
삼각법 trigonometry 351
삼각비 trigonometric ratio 350
삼각뿔 triangular pyramid 348
삼각수 triangle number 348
삼각자 triangular square 348
삼각함수 trigonometric function 349
삼각형 triangle 347
삼각형의 triangular 348
상(像) image 166
상계(上界) upper bound 354
상관 관계(相關 關係) correlation 70
상대도수(相對度數) relative frequency 288
상대적(相對的)인 relative 288
상반(相反)의, 상호의 reciprocal 278
상반방정식 reciprocal equation 279
상반수(相反數) palindromic number 237
상상 속의, 허(虛)의 imaginary 167
상수(常數); 일정한 constant 64
상수항(常數項) constant term 64
상용대수(常用對數) common logarithm 53
상호의 multiply 217
상호적으로 mutually 218
생기다 yield 365
생성하다 generate 145
서로 바꿀 수 있는 commutative 54
서로 소(素)인
coprime, mutually prime 70, 257
서로 소(素)인, 배반의 disjoint 98
서로 엇갈리는, 번갈은 alternate 24
서수(序數) ordinal number 234
선 그래프 line graph 198
선, 직선 line 197
선대칭 axial symmetry 334
선대칭 line symmetry 199
선분(線分) line segment 198
선분, 활꼴 segment 303
선을 긋다 rule 297
선형, 1차의 linear 197
선형변환, 1차변환 linear transformation 340
섭씨 Celcius 42
성분(成分) omponent 58
성분벡터 component vector 358
성장곡선 growth curve 154
성질(性質), 속성(屬性) property 262
세제곱 미터 cubic meter 79
세제곱 센티미터 cubic centimeter(cc) 79

세제곱근 cube root 293, 78
세제곱수 cubic number 79
센티 centi 43
센티리터 centiliter 43
센티미터 centimeter 44
소(素)의, 소수(素數)의 prime 257
소거, 소거법 elimination 110
소거하다 eliminate 109
소수 부분 decimal part 241
소수(素數) prime number 258
소수(小數)자리 decimal place 86
소수…자리까지 정확한 correct to 70
소원(小圓) small circle 319
소인수(素因數) prime factor 132, 257
소인수분해
factorization into prime factor 134
속도(速度) velocity 360
속도벡터 velocity vector 359
수(數) number, numeral 225, 226
수렴(收斂) convergence 66
수렴하다 converge 66
수를 세다, 열거하다 enumerate 113
수선(垂線)의 발 foot of perpendicular 139
수선, 수직 perpendicular 246
수심(垂心) orthocenter 235
수열(數列) progression 260
수의, 수치의 numerical 226
수직 이등분선
perpendicular bisector 247, 36
수직선(數直線) number line 226
수직의, 연직의 vertical 361
수평선, 지평선 horizon 160
수평의 horizontal 160
수학(數學) math 207
수학적 확률 mathematical probability 259
수형도(樹型圖) tree diagram 346
순서, 순위 order 233
순서도 flow chart 137
순서쌍 orderd pair 234
순열, 치환 permutation 246
순위 rank order 274
순환소수(循環小數)
recurring decimal 282, 289
순환(循環)하다, 돌아오다 recur 281
순환, 반복, 재귀 recurrence 281
순환의, 주기적인 cyclic 82
숫자 figure 136
숫자의, 계수형의 digital 93
스칼라 scalar 299
스칼라 배(倍) scalar multiple 299
스칼라 적(積) scalar product 299
슬픈 수 sad number 298
승수(乘數), 승식(乘式) multiplier 217
시각표(時刻表), 시간표 timetable 338
시간, 시각, 배(倍) time 338
시간당 킬로미터 k.p.h. 193
시계방향의 clockwise 50
시계산법(時計算法) clock arithmetic 49
시그마 기호 sigma notation 309
시컨트 sec(ant) 301
시행 trial 346
시행착오 method of trial and error 346
식(式), 표시 expression 129
신장변환(伸長變換) stretch 327
실근 real root 294
실근, 실수 해 real root 278
실선 solid line 320
실수(實數) real number 278
실수(實數)의 real 277
실수값의 real values 278
실수부 real part 278
실수축 real axis 277
심슨의 공식 Simpson's rule 313
심장 모양의 도형, 심장형 cardioid 40

십자 곱셈 cross multiple 75
십자형, 교차 cross 75
싸인곡선 sine curve 81
쌍곡선 hyperbola 160
쌍대 다각형 dual polygon 104
쌍대 다면체 dual polyhedra 104
쌍대(雙對)의, 이중의 dual 104

ㅇ

'아래', '이하'의 의미 hypo- 162
아래의 lower 202
아랫변 lower base 35
아폴로니우스의 원(圓) Apollonian circle 26
안정 평형 stable equilibrium 119
알고리즘 algorithm 24
알모양 곡선 oval 236
암산(暗算) mental calculation 39
앙각(仰角)
angle of elevation, elevation angle 109
앞의 원소 predecessor 257
야드 yard 365
약분 법칙 cancellation law 39
약분(約分) cancellation 39
약분(約分), 환산(換算) reduction 283
약분(約分)하다 cancel, abbreviate 39, 22
약분, 줄임 abbreviation 22
약분하다 reduce 283
양(陽)의 영역 positive region 285
양의 정수, 자연수 positive integer 256
양의, 플러스의 positive 256
양함수 explicit function 127
어긋나다 shear 307
어림수 만들기 rounding 296
어림수로 만들다 round 296
엄밀하게 strictly 327
엇각 alternate angles 24
에라토스테네스의 체
Eratosthenes' sieve 120
에피사이클로이드 epicycloid 114
여각(餘角) complementary angle 55
여사건(餘事件) complementary event 124
여집합(餘集合) complement 55
역(逆) converse 67
역(逆)도 마찬가지 vice versa 361
역(逆)벡터 inverse vector 358
역변화 inverse transformation 340
역설(逆說), 역리(逆理), 파라독스 paradox 238
역수(逆數) reciprocal 278
역원(逆元); 역(逆)의 inverse 184
역으로 conversely 67
역함수 inverse function 184
역행렬 inverse matrix 185
연립(連立)의 simultaneous 314
연립방정식 simultaneous equations 117
simultaneous equation 314
연립부등식(連立不等式)
simultaneous inequality 314
연비 continued ratio 275
연산(演算) operation 231
연속적인 continuous 65
열(列)벡터 column vector 358
열, 수열(數列) sequence 304
열리다, 열려있다 open 231
열호 minor arc 213
영(零) zero 366
영(零)벡터 null vector, zero vector 358, 359
영(零)벡터 zero vector 366
영(零)행렬 zero matrix 366
예각 삼각형 acute-angled triangle 23
예각(銳角) acute angle 23
예를 들면 e.g. 108
예외 exception 125

오목한	concave	59
오일러의 공식	Euler's formula	122
오차	error	121
온도, 기온	temperature	336
올림	rounding up	297
완성된	complete	55
완전수(完全數)	complete number	55
완전제곱	perfect square	244
외각	exterior angles	24
외부의, 밖의	exterior	129
외심(外心)	center of circumcircle, circumcenter	42, 47
외엇각	alternate exterior angles	24
외적(外積)	cross product	75
외접(外接)시키다	circumscribe	48
외접다각형(外接多角形)	circumscribed polygon	48
외접원(外接圓)	circumcircle, circumscribed circle	47, 48
외파선, 외(外)사이클로이드	epicycloid	114
요각의; 요각다각형	re-entrant	283
용량	capacity	40
용적(容積); 내용(內容)	content	65
우각(優角)	reflex angle	284
우호	major arc	205
원(圓)	circle	45
원(圓)의 중심	center of circle	42
원그래프	pie chart, pie graph	248
원금(元金)	principal	258
원기둥	cylinder	84
원리, 법칙	principle	258
원뿔	circular cone	47
원뿔곡선	conic section	62
원뿔대	frustum of a cone	142
원뿔대, 각뿔대	frustum	142
원뿔의	conic	62
원소	element	108
원의, 순환의	circular	47
원점(原點), 시점(始點)	origin	235
원주(圓周)	circumference	48
원주각	inscribed angle	177
원주율(圓周率)	circle ratio	46
원함수	circular function	47
원호(圓弧)	circular arc	47
원환면(圓環面)	torus	339
위도, 위선	latitude	194
위상 동치	topologically equivalent	338
위상수학, 위상기하학	topology	338
위상적으로	topologically	338
위상적인	topological	338
위에 붙는 수	superscript	331
위치(位置)	location, position	199, 256
위치벡터	position vector	358
윗변	upper base	35
유리(有理)의, 유리수(有理數)의	rational	275
유리수(有理數)	rational number	276
유리식	rational expression	276
유리함수	rational function	276
유리화	rationalization	277
유리화하다	rationalize	277
유의(有意)의, 중요한	significant	311
유클리드 기하학	Euclidean geometry	122
유클리드 호제법	Euclid's algorithm	122
유클리드의	Euclidean	122
유통좌표	current coordinate(s)	81
유한소수	decimal finite	85
유한소수(有限小數)	termnating decimal	336
유한의	finite	136
유한 집합	finite set	307
유향각(有向角)	directed angle	95
유향선분	directed(line) segment	95
유향수	directed number	96
유효성, 타당성	validity	355
유효숫자(有效數字)	significant figure	311

음(陰)의 영역 negative region 285
음의 정수 negative integer 220
음함수(陰函數) implicit function 168
이(裏) obverse 228
이(등)분하다 halve 155
이동, 변위(變位) displacement 99
이등변 사각형 kite 192
이등변삼각형 isosceles triangle 347
이등분선(二等分線) bisector 36
이론(理論) theory 337
이산적(離散的)인 discrete 97
이심율(離心率) eccentricity 106
이웃변 adjacent sides 23, 308
이익(利益) gain, profit 145, 259
이자 interest 181
이항 전개 bionomial expansion 126
이항(二項)연산 binary operation 35
이항, 전치, 호환 transposition 343
이항식; 이항의 binomial 36
인력(引力)(작용), 중력 gravitation 150
인수(因數), 인자(因子) factor 131
인수분해 factorization 132
인수분해하다 factorize 134
인수정리 factor theorem 132
인접각 adjacent angles 23
인치 inch(inches) 169
일반화하다 generalize 145
일직선의, 똑바로 straight 326
일치하는, 양립하는 consistent 64
(~) 일 때 또한 그 때에 한해서
if and only if, iff 165, 166
입면도(立面圖), 정면도(正面圖) elevation 109
입방체(立方體), 3승(乘) cube 77
입체(立體)의 solid 319
입체수 solid number 320
잉여 residue 289

ㅈ

자 ruler 297
자기 역원의 self inverse 303
자리 figure 136
자리(수), 숫자 digit 93
자리수 place value 248
자명한 trivial 351
자연대수의 밑 e 106
자연수(自然數) natural number 219
자오선 meridian 211
자취(紫翠) locus 199
작도(作圖) construction 64
작도(作圖)하다 construct 64
작용소, 연산자 operator 232
작은 부채꼴 minor sector 214
장축 major axis 205
적도(赤道) equator 117
적분(積分) integral 178
적분(하기) integration 180
전(全)사건 whole event 125
전개 expansion 126
전개도 net 221
전개하다 expand 126
전문용어 technical terms 336
전사건(全事件) whole event 363
전체집합 whole set 363
전치 행렬 transposed matrix 343
전치(轉置)하다, 이항(移項)하다
transpose 342
전치된 transposed 343
절대 absolute 22
절대 부등식 absolute inequality 22
절대 오차 absolute error 22
절대값 absolute value 22, 355
절대부등식 absolute inequality 175

절두의; 끝 수를 버리다 trucncate 351
절사, 잘라 버림 omission 231
절편(切片) intercept 180
점, 소수점 point 251
점근선(漸近線) symptote 31
점대칭(點對稱) point symmetry 252, 334
점원 point circle 251
점화식(漸化式) recurring formula 282
접선 tangent 335
접점(接點)
point of contact, point of tangency 251, 252
접촉 tangency 335
접한다, 접촉하다 touch 339
정규분포(正規分布)
normal distribution 100, 224
정다각형 regular polygon 286
정다면체(正多面體) regular polyhedron 286
정등장(正等長) 변환 direct isometry 94
정리(定理) theorem 337
정방형(正方形), 평방(平方) square 323
정비례(正比例) direct proportion 263, 356
정비례하다 varies directly as 357
정사각형 square 323
정사각형의 four-square 140
정사각형의; 정사각형 quardate 267
정사영(正射影), 투영 projection 261
정사영적인 projective 261
정삼각형(등변) equilateral triangle 119, 347
정삼각형 regular triangle 286, 348
정상점(定常点) stationary point 326
정수(整數) integer, whole number 178, 363
정수 부분 integral part 241
정식 intergral expression 129
정의(定議) definition 86
정의역(定議域) domain 103
정점(頂點), 꼭지점 apex 26
정제성(整除性) divisibility 101
정지하다; 정지 halt 155
정칙(正則)의, 정규(正規)의 regular 285
정칙행렬 regular matrix 285
제곱 완성 completing the square 55
제곱근 square root 294
제곱근, 평방근 square root 324
제곱수, 평방수 square number 324
제수, 인수, 약수 divisor 102
조건 condition 60
조건부등식 conditional inequality 175
조사, 연구 investigation 186
조합(組合) combination 52
조화된 harmonic 155
조화수열 harmonic progression 156
조화평균(調和平均) harmonic mean 209
족(族), 군(群) family 135
종속변수 dependent variable 88, 355
종속사건 dependent event 124
종속하는 dependent 88
종속하다 depend 88
좌표(座標) coordinates 68
좌표 평면 coordinate plane 249
주기 period 245
주대각선 leading diagonal 195
주변, 원주 periphery 245
주요한 leading 195
주요한; 큰 쪽의 major 205
주위, 주변, 주위의 길이 perimeter 244
준선(準線) directrix 96
중근(重根) repeated root 289
중량(重量) weight 363
중력(重力), 인력 gravity 150
중력 가속도 gravity acceleration 151
중심 경향 측도
measure of central tendency 210
중심(中心) center 42
중심(重心) center of gravity 150

중심각 central angle 44
중앙값 mid-range 212
중앙값, 중선(中線) median 210
중앙의 mid (=middle) 212
중점 mid-point 212
증대, 성장 growth 154
증명 끝 q.e.d. 267
증명(證明) proof 261
증명하다 prove 265
지수(指數) index(indices) 170
지수(指數) 방정식 exponential equation 116
지수(指數), 거듭지수 exponent 128
지수(指數)의 exponential 128
지수법칙 law of exponents 128
지수함수 exponential function 128
지우다 cancel 39
지표(指標); 특징적인 characteristic 44
직각 right angle 293
직각 이등변삼각형
rectangular equilateral triangle 280
직각(直角)의, 오른쪽의 right 292
직각기둥
rectangular prism, right prism 281, 292
직각뿔 right pyramid 293
직각삼각형 rectangular triangle 281, 347
직각의 rectangular 280
직각의, 수직의 perpendicular 246
직각의, 직교의 orthogonal 236
직경, 지름 diameter 92
직교좌표 orthogonal coordinates 236
직교축 orthogonal axes 236
직방체(直方體) cuboid 79
직사각형 rectangle 280
직사각형 입체 rectangular solid 281
직사각형, 장타원형 oblong 227
직사각형수 rectangle number 280
직사각형의 rectangular 280
직선 straight line 327
직선적인 rectilinear 281
직원뿔
right cone, right circular cone 61, 292
진동, 진폭 oscillation 236
진동수 frequency 141
진동하다 oscillate 236
진부분집합 proper subset 262
진분수 proper fraction 262
진자(振子) pendulum 242
질량 mass 206
집합(集合) set, ensemble 306, 113
짝수의 even 123

ㅊ

차(次), 차수, 도(度) degree 86
차, 차분 difference 92
차수, 위수 order 233
차원(次元) dimension 93
채우다, 만족하다 satisfy 299
천분율 permil 245
첨자, (밑에 붙는) 따르는 수 subscript 328
첨자, 첨수 suffix 331
첨점(添点) cusp 82
체 sieve 309
체적(體積), 부피 volume 361
초(秒) second 302
초월수(超越數) transcendental number 340
초월의, 초월적인 transcendental 340
초점 focus 138
총계 grand total 339
총합 total sum 339
최고차의 계수 leading coefficient 195
최대(最大), 극대(極大) max, maximum 208
최대공약수(最大公約數)

greatest common divisor (G.C.D.) 152, 145
최대의, 극대의 maximal 208
최빈수(最頻數) mode 215
최소 공배수
lowest common multiple (L.C.M.) 202, 195
최소 공통 분모
lowest common denominator (L.C.D.) 195
최소항 lowest term 203
최적의 optimal 233
최적화(最適化) optimization 233
추(錐), 뿔모양 cone 61
추론, 추리 reasoning 278
추론; 공제 deduction 86
추론하다 deduce 86
추이적(推移的)인 transitive 341
추정, 개산(概算) estimation 122
추정값, 평가 estimate 121
추측(推測), 예상(豫想) conjecture 63
축 axis 32
축척 scale 300
충분조건 sufficient condition 60, 330
충분한 sufficient 330
측도, 약수; 측정하다 measure 209
측량, 조사 survey 332
측면도(側面圖) side elevation 308
측정(법), 측량 mensuration 211

ㅋ

카티전 좌표 Cartesian coordinates 40
켤레복소수 conjugate complex 63
켤레의, 공역(公役)의 conjugate 63
코사인 cos(ine) 74
코시컨트 cosec(ant) 73
코탄젠트 cot(angent) 74
쾨니히스베르크의 다리
Königsberg bridge 193
크기, 양 magnitude 204
큰 부채꼴 major sector 205
클라인의 관(管) Klein bottle 192
킬로 kilo- 192
킬로그램 kilogram(kg) 192
킬로미터 kilometer(km) 192

ㅌ

타원 ellipse 110
타원 또는 쌍곡선의 장축 transverse 343
타원기둥 elliptic cylinder 84, 111
타원뿔 elliptic cone 61, 111
타원의 elliptic 111
탄그램 tangram 336
통계학(統計學), 통계 statistics 326
투사물 projectile 260
특성(特性)방정식 characteristic equation 44
특성근 characteristic root 44
특성벡터 characteristic vector 45
특이(特異)한 singular 316
특이한, 가(假) improper 168

ㅍ

파선(擺線) broken line 37
파스칼의 삼각형 Pascal's triangle 241
파이, 원주율 pi 247
판별식 discriminant 97
팩토리알, 계승 factorial 132
퍼밀(‰) permil 245
편각(偏角) argument 29
편차(偏差) deviation 90

평각(平角) straight angle 326
평균 mean, average 208, 31
평균 편차 mean deviation 90, 209
평면, 면 plane 249
평면대칭(平面對稱) plane symmetry 250
평면도(平面圖) plan view 251
평면의, 평면적인 planar 249
평면좌표 plane coordinates 249
평행 사변형 parallelogram 240
평행 육면체 parallelepiped 239
평행 평면 parallel planes 239
평행(平行)한, 평행선 parallel 238
평행선 parallel lines 239
평행 이동, 이동 translation 342
평행 이동시키다 translate 342
평형; 균형 equilibrium 119
폐곡선(閉曲線) closed curve 50
폐구간(閉區間) closed interval 50
폐집합(閉集合) closed set 50
포락선(包絡線) envelope 113
포물선 parabola 237
포함하다, 이끌어내다 imply 168
표(表) table 335
표본 공간 sample space 298
표본 분산 sample variance 298
표본 추출 sampling 298
표본공간(標本空間) possibility space 256
표본문산 sample variance 356
표본평균 sample mean 209, 298
표준 편차 standard deviation 91, 325
표준표기(標準標記) standard form 325
풀 수 있는 solvable 321
프로그램, 계획표 program 260
피보나치 수열 Fibonacci sequence 135
피승수(被乘數) faciend, multiplicand 131, 217
피연산수 operand 231
피제수(被除數) dividend 101
피타고라스 수 Pythagorean number 266
피타고라스의 Pythagorean 266
피타고라스의 세수 Pythagorean triple 266
피타고라스의 정리
Pythagoras' s theorem 265, 266
피트 foot(feet) 139
필요 조건 necessary condition 219
필요 충분 조건 necessary and sufficient 220
필요성 necessity 220
필요조건 necessary condition 60
필요중분조건 n.a.s.c. 219
필요한 necessary 219

ㅎ

하계 lower bound 202
한 번에 그릴 수 있는 unicursal 353
한 점에 모이는 concurrent 60
한붓에 그릴 수 있는 traversible 345
함수 function 143
함수의 치역 range of function 274
합, 계(計) sum 331
합계; 총계의, 전체의 total 339
합동(合同) congruence 62
합동(合同)인 congruent 62
합동 계산법 modulo arithmetic 216
합동변환 congruent transformation 62, 340
합동식 congruence expression 129
합력(合力); 합성적(合成的)인 resultant 290
합성수(合成數) composite number 58
합성의 composite 58
합성의, 복합의 compound 59
합성함수 composite function 58
합집합(合集合) join, cup 191, 80, 353
항(恒) term 336
항등, 항등식 identity 165

항등변환 identical transformation 165
항등식 identical equation 164
해리(海狸) nautical mile 219
행(行) row 297
행(行)벡터 row vector 359
행렬(行列) matrix 207
행렬식(行列式) determinant 90
행렬의 계수(階數) rank of matrix 274
행렬의 형태 order of matrix 233
행복수 happy number 155
향하다; 직접적인 direct 94
허근(虛根) imaginary root 167, 294
허수 단위 imaginary unit 167
허수 부분 imaginary part 241
허수(虛數) imaginary number 167
허수단위 i 164
허축(虛軸) imaginary axis 167
헤론의 공식 Hero(n)'s formula 157
헥타르 hectare 156
현(弦) chord 45
현(弦), 대변(對邊) subtense 330
현수선(懸垂線) catenary 41
협의(俠義)의 strict 327
호(弧), 원호(圓弧) arc 27
호도(弧度) radian 272
호도법(弧度法) circular measure 47
호제법 mutual division 217
홀수의 odd 229
화씨 Fahrenheit 134
확대 enlargement 112
확대하다 magnify, enlarge 204, 112
확률 probability, odds 259, 230
확률변수(確率變數) random variable 356
확률분포 probability distribution 259
환산(換算), 전환(轉換) conversion 67
환형(環形) annulus 26
활꼴 lune 203
회로 network 221
회전(回轉) rotation, revolution 295, 291
회전 대칭 rotational symmetry 295, 334
회전 대칭의 위수(衛戍)
order of rotational symmetry 234
회전수(回轉數) r.p.m 297
회전의 중심 center of rotation 43
회전체(回轉體) solid of revolution 320, 291
회전축(回轉軸) axis of revolution 32, 291
회전하다 rotate, revolve 295, 292
횡단선 transversal 343
횡좌표(橫座標), 가로 좌표 abscissa 22
후자 successor 330
훅의 법칙 Hooke's law 159
흐름; 현재의 current 81
흩어짐, 산포(散布) dispersion 98
히스토그램 histogram 159

n원(元) 방정식
equation with n unknowns 116
n제곱근 nth root 225
p 진(進)의 p-adic 237
x-y 그래프 x-y graph 364
x절편 x-intercept 180
x축, 횡축(橫軸) axis of abscissa 32
y절편 y-intercept 180
y축, 종축(縱軸) axis of ordinate 32

EXERCISES

- Put the equivalent expression in the blank in Korean.

A is proportional [in proportion] to B. ____________

A is inversely proportional [in proportion] to B. ____________

a is to b as c is to d ____________

acute angle ____________

add 7 to both sides ____________

add ____________

addition ____________

adjacent angles ____________

algebra ____________

alternate angles ____________

angle ____________

approximate ____________

arbitrary ____________

arc ____________

area ____________

axis ____________

base ____________

binary ____________

bisect ____________

calculus ____________

capacity ____________

chart ____________

chord ____________

circle ____________

circumference ____________

clockwise ____________

coefficient ____________

combination ____________

compasses ____________

complement ____________

complementary angles ____________

concave ____________

cone ____________

constant	______
convex	______
coordinates	______
corresponding angles	______
cube	______
cylinder	______
decimal	______
define	______
denotation	______
diagonal	______
diagram	______
diameter	______
dimension	______
disjoint	______
divide both sides by y	______
divide	______
division	______
divisor	______
dozen	______

edge ____________

element ____________

ellipse ____________

empty set ____________

equation ____________

equilateral triangle ____________

equivalent ____________

Evaluate each expression. ____________

even number ____________

exponent ____________

expression ____________

exterior angle ____________

factorize ____________

false ____________

figure ____________

Fill in the blank. ____________

Find the shaded area. ____________

Find the solution. ____________

finite ____________

formula ____________

fraction ____________

function ____________

geometry ____________

greatest common factor ____________

height ____________

hexagon ____________

horizontal ____________

hyperbola ____________

imaginary number ____________

inequality ____________

infinite ____________

integer ____________

intercept ____________

interior angle ____________

intersect ____________

intersection ____________

intersection ____________

inverse ____________

irrational number ______________

isosceles triangle ______________

least common multiple ______________

leg ______________

length ______________

letter ______________

like term ______________

line ______________

line segment ______________

liner ______________

logarithm ______________

mean ______________

measure ______________

median ______________

multiple ______________

multiply ______________

multiplication ______________

n-gon ______________

net ______________

nought ______________

numeral ______________

oblique ______________

obtuse angle ______________

octagon ______________

odd number ______________

operation ______________

ordered pair ______________

parabola ______________

parallel ______________

parallelogram ______________

parenthesis ______________

pentagon ______________

perimeter ______________

permutation ______________

perpendicular ______________

plane ______________

polygon ______________

polyhedron ______________

polynomial ______________
positive ______________
power ______________
prime number ______________
prism ______________
probability ______________
product ______________
property ______________
proportion ______________
proposition ______________
protractor ______________
Prove [demonstrate] that A=B. ______________
pyramid ______________
quadrant ______________
quadratic equation ______________
quadrilateral ______________
quotient ______________
radius ______________
raise ______________

ratio ______________

rational number ______________

ray ______________

real number ______________

reciprocal ______________

rectangle ______________

rectangular solid ______________

reduce ______________

regular polygon ______________

remainder ______________

rhombus ______________

right angle ______________

round off ______________

ruler ______________

score ______________

secant ______________

sector ______________

semicircle ______________

set ______________

side ______

Simplify ______

simultaneous equations ______

slope ______

solid ______

Solve the equations. ______

sphere ______

square ______

square root ______

statement ______

statistics ______

subset ______

substitute A for B ______

subtract x from both sides ______

subtract ______

subtraction ______

sum ______

supplementary angles ______

surface ______

symmetry ______________

tangent ______________

tenth ______________

term ______________

theorem ______________

Translate [change, convert] ______________

each fraction to a decimal.

trapezoid ______________

triangle ______________

trigonometric function ______________

twice [3 times] x ______________

union ______________

variable ______________

vertex ______________

vertical ______________

vertical angles ______________

volume ______________

What is the value of x? ______________

width ______________

x divided by y ______________

x is equal to y ______________

x minus y ______________

x multiplied by y ______________

x plus y ______________

X represents [stands for, ______________

denotes] the unknown

x times y ______________

y subtracted from x ______________

MEMO

MEMO